T2-EVK-663

JOYLAND

STEPHEN KING

JOYLAND

ROMAN

Traduit de l'anglais (États-Unis)
par Nadine Gassie et Océane Bies

Albin Michel

Édition originale américaine parue sous le titre :
JOYLAND
Chez Titan Books, Titan Publishing Groups Ltd à Londres en 2013

Pour Donald Westlake

*

J'avais une voiture, mais au cours de cet automne 1973, je suis allé à Joyland à pied presque tous les jours depuis le petit gîte de bord de mer de Mrs. Shoplaw où je logeais à Heaven's Bay. Ça me semblait la meilleure chose à faire. La seule, à vrai dire. Début septembre, la plage de Heaven's Bay est quasiment déserte. Et ça m'allait. Car cet automne-là fut le plus beau de ma vie, même quarante ans plus tard je peux le dire. Et je n'ai jamais été aussi malheureux de ma vie, ça aussi je peux le dire. Les gens trouvent que les premières amours sont tendres. Et jamais plus tendres que lorsque ce premier lien se brise… Il y a bien un millier de chansons pop et country à l'appui : des histoires d'imbéciles qui ont eu le cœur brisé. Le fait est que ce premier cœur brisé est toujours le plus douloureux, le plus long à guérir, et celui qui laisse la cicatrice la plus visible. Tendre, vous croyez ?

*

De septembre jusqu'à début octobre, les ciels de la Caroline du Nord sont dégagés et l'air est doux même à sept heures du matin, l'heure où je quittais mon appartement du premier étage par l'escalier extérieur. Si je partais vêtu d'un blouson léger, il finissait généralement autour de ma taille avant que j'aie parcouru les cinq kilomètres séparant la ville du parc d'attractions.

Mon rituel commençait par un arrêt chez Betty, à la boulangerie, pour acheter deux croissants tout chauds. Mon ombre, longue d'au moins six mètres, marchait avec moi sur le sable. Des mouettes pleines d'espoir tournoyaient au-dessus de ma tête, attirées par l'odeur des croissants dans leur papier paraffiné. Et quand je rentrais aux alentours de cinq heures (même si des fois il m'arrivait de rester plus tard – rien ni personne ne m'attendait à Heaven's Bay, petite station balnéaire qui se rendormait à la fin de l'été), mon ombre marchait sur l'eau. Si c'était marée haute, elle ondulait à la surface, semblant danser une hula lancinante.

Je ne saurais l'affirmer, mais je pense que le petit garçon, la femme et le chien étaient là dès mon premier trajet à pied par la plage. Le rivage, entre Heaven's Bay et les joyeuses lumières de pacotille de Joyland, était bordé de maisons de vacances, luxueuses pour beaucoup, la plupart barricadées après Labor Day. Sauf la plus grande d'entre elles, celle qui ressemblait à un grand château en bois peint en vert. Un caillebotis menait de son vaste patio arrière jusqu'à l'endroit où l'herbe des dunes cède la place au fin sable blanc. Au bout du caillebotis en bois, il y avait une table de pique-nique à l'ombre d'un parasol de plage vert vif. Le petit garçon était assis sous le parasol, dans son fauteuil roulant, une casquette de baseball sur la tête et une couverture sur les jambes même en fin d'après-midi, quand la température dépassait encore les vingt degrés. Je lui donnais dans les cinq ans, pas plus de sept en tout cas. Le chien, un jack russell, était ou bien couché à ses pieds, ou bien assis près de lui. Assise à la table, sur l'un des bancs, la femme lisait parfois un livre, la plupart du temps elle regardait simplement l'océan. Elle était très belle.

Que ce soit à l'aller ou au retour, je les saluais toujours d'un geste de la main, et le petit garçon me répondait. Elle non, du moins pas au début. C'était l'année 1973, celle de l'embargo sur le pétrole de l'OPEP, celle de la déclaration de Richard Nixon comme quoi il n'était pas un escroc, celle de la disparition d'Edward G. Robinson et de Noel Coward. L'année perdue de Devin Jones, puceau de vingt et un ans rêvant de devenir écrivain… Je possédais en tout et pour tout trois jeans, quatre slips kangourou, une vieille Ford (équipée d'une bonne radio), des envies de suicide intermittentes et un cœur brisé.

Tendre, l'amour ?

*

La coupable s'appelait Wendy Keegan et elle ne me méritait pas. Il m'a fallu presque toute une vie pour en arriver à cette conclusion, mais vous connaissez la chanson : mieux vaut tard que jamais… Elle était de Portsmouth, New Hampshire, moi j'étais de South Berwick, Maine. Autrement dit, c'était quasiment la petite voisine d'à côté. On avait commencé à « se fréquenter » (selon le vocabulaire de l'époque) au cours de notre première année à l'université du New Hampshire – on s'est rencontrés, pour tout vous dire, à la Soirée des Première Année, si c'est pas tendre ça ? Exactement comme dans les chansons pop…

Pendant deux ans, on a été inséparables, on allait partout ensemble, on faisait tout ensemble. Tout… sauf *ça.* On avait tous les deux des jobs d'étudiants à l'université. Elle à la bibliothèque, moi à la cafétéria. On nous avait proposé de prolonger nos contrats pendant l'été 1972 et, bien sûr, on avait accepté. Le salaire n'était pas mirobolant mais passer l'été ensemble, ça n'avait pas de prix. J'en avais déduit qu'on remettrait ça l'été 1973, jusqu'à ce que Wendy m'annonce que sa copine Renée leur avait dégoté un boulot chez Filene, à Boston…

« Et moi ? j'avais demandé. Je deviens quoi dans tout ça ?

– Tu pourras toujours descendre me voir à Boston, me dit-elle. Tu vas vachement me manquer, Dev, mais franchement ça nous fera pas de mal de nous séparer un peu. »

Phrase qui résonne souvent comme un glas… Cette idée dut se refléter sur mon visage car Wendy se dressa sur la pointe des pieds pour m'embrasser. « La distance rapproche, affirma-t-elle. En plus, comme j'aurai ma chambre, tu pourras peut-être rester dormir… » Mais elle ne m'a pas regardé en face en disant ça et je ne suis jamais resté dormir. Trop de colocataires, invoqua-t-elle. Pas assez de temps. Bien sûr, on peut toujours trouver une solution à ce genre de problèmes, sauf qu'on n'en a jamais vraiment cherché, ce qui aurait dû me mettre la puce à l'oreille ; je m'en rends compte avec le recul.

On a souvent été à deux doigts de *le* faire, mais sans jamais vraiment aller jusqu'au bout. Elle refusait à chaque fois et je ne l'ai jamais forcée. Dieu m'en est témoin, je me montrais galant. Je me suis souvent demandé ce qui aurait pu changer (en bien ou en mal) si je ne l'avais pas été. Aujourd'hui, ce que je sais, c'est que les mecs galants tirent rarement leur crampe… Brodez ça sur un canevas et accrochez-le dans votre cuisine.

*

La perspective de passer un été de plus à nettoyer le sol de la cafétéria et à remplir les lave-vaisselle vétustes d'assiettes sales ne m'enchantait guère, pas avec Wendy à cent bornes de là, sous les feux de Boston, mais c'était un travail régulier, j'en avais besoin, et je n'avais de toute manière aucune autre opportunité en vue. Et puis, fin février, une nouvelle perspective m'a été littéralement offerte sur un plateau, au bout du tapis roulant de vaisselle sale.

Quelqu'un avait lu le *Carolina Living* pendant qu'il ou elle engloutissait le plat du jour (Burger Mexicali et Frites Caramba, ce jour-là) et avait laissé le magazine sur le plateau qui venait vers moi. Je l'ai débarrassé en même temps que l'assiette et les couverts, j'ai fait le geste de le balancer aux ordures, mais je me suis retenu. Après tout, de la lecture gratuite, c'est toujours bon à prendre (j'étais étudiant, ne l'oubliez pas). J'ai fourré le canard dans ma poche arrière et l'y ai oublié jusqu'au soir quand, de retour dans ma chambre au campus, alors que je changeais de pantalon, il tomba de ma poche et s'ouvrit à la page des petites annonces.

Plusieurs offres d'emploi avaient été entourées, même si au final celui ou celle qui avait feuilleté le magazine avait dû décider qu'aucune ne ferait l'affaire, sinon le *Carolina Living* ne serait sûrement pas arrivé jusqu'à moi sur un plateau… Au bas de la page, une annonce qui n'avait pas été relevée attira mon attention. En caractères gras, la première ligne disait : **TRAVAILLEZ PLUS PRÈS DU CIEL** ! Quel étudiant en lettres aurait pu lire ça et ne pas vouloir entendre la suite du boniment ? Et quel gosse mélancolique de vingt et un ans, aux prises avec la peur grandissante de se faire plaquer par sa petite copine, n'aurait pas été séduit par l'idée de travailler dans un endroit appelé *Joyland* ?

Il y avait un numéro de téléphone et, sur une impulsion, j'ai appelé. Une semaine plus tard, un formulaire de candidature atterrissait dans ma boîte aux lettres. La lettre jointe stipulait que les contrats saisonniers à temps plein (ce que je cherchais) étaient multitâches, ne se cantonnant pas à la maintenance. Je devais être titulaire d'un permis de conduire en cours de validité et j'étais convoqué pour un entretien. Au lieu de rentrer chez moi dans le Maine, je pouvais profiter de la semaine de vacances de printemps pour y aller. Sauf que j'avais prévu de passer au moins une partie de cette semaine-là avec Wendy. Peut-être même qu'on aurait pu *le* faire…

« Vas-y », m'a dit Wendy quand je lui en ai parlé. Elle n'hésita même pas. « Ce sera l'aventure.

– C'est d'être avec toi qui serait l'aventure, j'ai répondu.

– On aura tout le temps d'être ensemble l'an prochain. » Elle se dressa sur la pointe des pieds pour m'embrasser (elle se dressait toujours sur la pointe des pieds). Est-ce qu'elle voyait déjà l'autre type à ce moment-là ? Probablement pas, mais je parierais qu'elle l'avait déjà repéré : il était dans son cours de Sociologie Avancée. Renée St. Clair devait être au courant et elle m'aurait sûrement tout raconté si je lui avais demandé – raconter des trucs était la spécialité de Renée, elle devait casser les burettes du prêtre quand elle se présentait à confesse – mais il y a des choses qu'on préfère ne pas savoir… Comme par exemple pourquoi la fille que tu as aimée de tout ton cœur t'a toujours dit non mais n'a pas hésité une seule seconde à se jeter dans le lit du premier venu. Je doute qu'on se remette jamais vraiment de son premier amour ; moi, en tout cas, je ne l'ai pas digéré. Quelque part au fond de moi, je veux toujours savoir ce qui ne collait pas chez moi. Pourquoi lui et *pas moi.* J'ai la soixantaine maintenant, les cheveux blancs, j'ai survécu à un cancer de la prostate et, malgré tout, je me demande toujours pourquoi je n'étais pas assez bien pour Wendy Keegan.

*

J'ai pris un train (dénommé le Southerner) de Boston jusqu'en Caroline du Nord (pas vraiment l'aventure, mais pas cher) et un bus de Wilmington à Heaven's Bay. J'ai passé mon entretien avec un certain Fred Dean qui était – entre autres – le recruteur de Joyland. Après quinze minutes de questions-réponses, plus un coup d'œil à mon permis de conduire et à mon diplôme de secouriste de la Croix-Rouge, il m'a remis un badge en plastique suspendu à un cordon. Le badge portait le mot VISITEUR, la date du jour et le portrait d'un berger allemand aux yeux bleus, souriant de toutes ses dents, qui ressemblait vaguement à Scoubidou, le célèbre limier de dessin animé.

« Va faire un tour, me suggéra Dean. Monte sur la grande roue, si ça te chante. La plupart des manèges sont encore fermés, mais notre Carolina Spin tourne. Dis à Lane que c'est moi qui t'envoie. C'est un passe pour la journée que je t'ai donné, mais je veux te revoir ici à... » Il consulta sa montre. « Disons treize heures. Tu me diras si le boulot t'intéresse. Il me reste cinq postes à pourvoir, tous à peu près du même tonneau : comme Gentils Assistants.

– Merci, monsieur. »

Il hocha la tête en souriant. « Je sais pas ce que tu penseras de l'endroit mais moi, je l'aime bien. C'est un peu vieillot et un peu de guingois mais ça a son charme. J'ai essayé Disney, pendant un temps… pas aimé. Trop… comment dire…

– Aseptisé ? m'aventurai-je.

– C'est ça. Trop aseptisé. Trop lisse et brillant. Du coup, je suis revenu à Joyland il y a quelques années. Pas regretté une seule seconde. C'est un peu plus rock'n'roll ici – un petit parfum de bon vieux temps. Allez, va faire un tour. Vois ce que t'en penses. Plus important, vois ce que tu *ressens.*

– Je peux vous poser encore une question ?

– 'turellement.

– C'est qui, le chien ? » j'ai demandé en désignant mon passe.

Son sourire se fendit jusqu'aux oreilles. « Ça, c'est Howie le Chien Gentil. Notre mascotte. Joyland a été fondé par Bradley Easterbrook et l'authentique Howie était son chien. Mort depuis belle lurette, mais tu verras quand même pas mal le bout de sa queue, si tu travailles ici cet été. »

Je l'ai vu… et pas. Facile, comme devinette, mais l'explication devra attendre encore un peu.

*

Joyland était un parc indépendant, pas aussi grand qu'un Six Flags et même pas comparable à Disney World, mais suffisamment grand pour en mettre plein la vue, surtout avec Joyland Avenue, l'allée principale, et Howie Way, l'allée secondaire, pratiquement désertes et aussi larges que des autoroutes à huit voies. J'ai entendu vrombir des scies électriques et aperçu des tas d'ouvriers – la plus grosse équipe bourdonnait comme un essaim autour du Thunderball, l'une des deux montagnes russes de Joyland – mais il n'y avait pas un seul client, étant donné que le parc n'ouvrait ses portes que le 15 mai. Quelques baraques à frites étaient opérationnelles pour assurer le repas de midi des ouvriers et, devant un stand de voyance parsemé d'étoiles, une vieille dame m'épiait d'un œil soupçonneux. À une exception près, toutes les attractions étaient barricadées.

Cette exception, c'était la Carolina Spin. Haute de cinquante mètres (je l'apprendrais plus tard), la grande roue tournait très lentement. Devant, un homme plutôt musclé, jean délavé, bottes en daim râpées tachées de graisse et maillot de corps à bretelles, me regardait arriver. Il portait un chapeau melon incliné sur des cheveux couleur charbon et il avait une cigarette sans filtre coincée derrière l'oreille. Il ressemblait à un de ces bonimenteurs de foire dans les bandes dessinées des journaux d'autrefois. Il avait une boîte à outils ouverte à côté de lui et un gros transistor posé sur une caisse en bois. Les Faces chantaient *Stay with Me* et le gars se trémoussait en rythme, les mains dans les poches arrière, balançant les hanches de droite et de gauche. Une pensée absurde mais parfaitement claire m'est venue à l'esprit : *Quand je serai grand, je veux être exactement comme lui.*

Le type pointa le doigt sur mon passe. « C'est Freddy Dean qui t'envoie, s'pas ? Y t'a dit que tout le reste était fermé mais que tu pouvais t'envoyer en l'air sur la grande roue.

– Oui, monsieur.

– Un tour sur la Spin, c'est que t'es *in*. Il aime que ses jeunes recrues voyent le monde d'en d'ssus. Tu vas bosser ici ?

– Je pense que oui. »

Il m'a tendu la main. « Moi, c'est Lane Hardy. Bienv'nue à bord, petit. »

Je lui ai serré la pince. « Devin Jones.

– Ravi de t'connaître. »

Gravissant la rampe inclinée menant au manège qui poursuivait sa lente rotation, il alla empoigner une longue manette qui ressemblait à un levier de vitesse et la repoussa vers l'arrière. La roue s'arrêta en douceur, l'une de ses nacelles joyeusement colorées (Howie le Chien Gentil était peint sur chacune d'elles) se balançant nonchalamment devant le portillon d'embarquement.

« En voiture, Jonesy. T'auras bientôt les fesses en l'air et une vue imprenab' sur la terre. »

J'ai embarqué dans la cabine et refermé la portière. D'une secousse, Lane a vérifié qu'elle était bien verrouillée, il a abaissé la barre de sécurité et regagné son poste de commande rudimentaire. « Paré au décollage, cap'taine ?

– Je crois que oui.

– Tu vas en prendre plein les mirettes. » Il me fit un clin d'œil et actionna sa manette. La roue reprit son mouvement et, presque aussitôt, le gars me regarda depuis tout en bas. La vieille dame près du kiosque de voyance aussi. Elle levait la tête, la main en visière. Je lui fis coucou. Elle ne répondit pas.

Et puis je me suis retrouvé au-dessus de tout, sauf des circonvolutions abruptes du Thunderball, m'élevant dans l'air frais de début de printemps avec la sensation – idiote mais bien réelle – de laisser tous mes soucis et mes tracas en dessous de moi.

Joyland n'était pas un parc à thème, ce qui lui permettait de présenter un peu de tout. Il y avait une chenille, le Delirium Shaker, et un toboggan aquatique, le Captain Nemo Splash & Crash. Tout au bout, côté ouest, se trouvait une annexe réservée aux tout petits : le Wiggle-Waggle Village. Il y avait aussi une salle de spectacle où la plupart des artistes qui se produisaient (ça aussi, je l'ai appris plus tard) étaient soit des chanteurs de country de deuxième catégorie, soit des rockers ayant connu leur heure de gloire dans les années cinquante et soixante. Je me souviens que Johnny Otis et Big Joe Turner s'y sont produits ensemble quand j'y étais. J'ai dû demander qui c'était à la chef comptable, Brenda Rafferty (qui était aussi un peu la mère de substitution des Hollywood Girls). Bren m'a trouvé bêta ; moi, je la trouvais rétro ; on devait avoir un peu raison tous les deux.

Lane Hardy me fit monter tout en haut, puis arrêta la roue. Assis dans ma nacelle oscillante, cramponné à la barre de sécurité, je découvrais un monde neuf. À l'ouest, il y avait la plaine alluviale de Caroline du Nord, incroyablement verte aux yeux d'un gamin de Nouvelle-Angleterre pour qui le mois de mars n'est que le précurseur froid et boueux du printemps véritable. À l'est, c'était l'océan, d'un bleu métallique intense jusqu'à ce qu'il se brise en pulsations d'écume crémeuse le long du rivage où, d'ici quelques mois, je trimbalerais mon cœur brisé. Juste en dessous de moi s'étendait le joyeux désordre de Joyland – les grands manèges et les plus petits, la salle de concerts et les baraques foraines, les stands de souvenirs et la Navette du Chien Gentil qui conduisait les clients du parc jusqu'à leurs motels ou, bien entendu, jusqu'à la plage. Au nord, j'apercevais Heaven's Bay. De si haut au-dessus du parc (les fesses en l'air, vue imprenab' sur la terre), la petite ville ressemblait à un jeu de construction d'où quatre clochers émergeaient aux quatre points cardinaux.

La roue s'est remise à tourner et je suis redescendu, me sentant comme un gosse perché sur la trompe d'un éléphant dans une histoire de Rudyard Kipling. Lane Hardy m'a arrêté pile où il fallait, mais il ne s'est pas fatigué à venir me délivrer de ma nacelle ; après tout, j'étais déjà presque un employé.

« Alors, t'as aimé ?

– Génial, j'ai répondu.

– Ouais, elle sait encore y faire, pour une attraction de grand-mère. » Il a rectifié la position de son chapeau melon, l'inclinant de l'autre côté, et m'a jaugé d'un regard critique. « Quelle taille tu fais ? Un quatre-vingt-cinq ?

– Un quatre-vingt-six.

– Ah… ah. On verra si ton p'tit mètre quatre-vingt-six apprécie la balade dans les airs en plein mois de juillet en portant la fourrure pour chanter “Joyeux anniversaire” à un petit morveux gâté-pourri qui sait pas s'il doit d'abord engloutir sa barbe à papa qui colle ou lécher son Colley Cone qui coule.

– En portant quelle fourrure ? »

Mais le gars retournait déjà à sa mécanique et il ne m'a pas répondu. Peut-être qu'il n'a pas entendu ma question, avec sa radio allumée qui vociférait *Crocodile Rock*. Ou peut-être qu'il voulait me laisser la surprise de découvrir par moi-même ce que c'était que d'être un Gentil Assistant à Joyland…

*

J'avais une heure à tuer avant d'aller retrouver Fred Dean. J'ai donc poursuivi mon chemin sur Howie Way en direction d'une baraque à frites qui m'avait l'air de servir des trucs appétissants. Tout n'était pas à l'effigie de Howie le Chien Gentil, à Joyland, mais pas mal de choses l'étaient, dont cette roulotte-ci qui s'appelait le Hot-Puppies et s'ornait de la trombine d'Howie en Chiot Gentil. J'avais un budget ridicule pour cette expédition de pêche à l'emploi, mais je me suis dit que je pouvais sacrifier deux dollars pour un bon chili-dog et un cornet de frites.

Comme je repassais devant la boutique de la diseuse de bonne aventure, Madame Fortuna se planta devant moi. Sauf que j'anticipe encore, parce qu'elle n'était Fortuna que du 15 mai jusqu'à Labor Day. Pendant ces seize semaines, elle s'habillait de longues jupes, de corsages en dentelle superposés et de châles ornés de signes cabalistiques. Elle portait de grands anneaux d'or si lourds qu'elle en avait le lobe des oreilles tout étiré, et elle prenait un accent roumain à couper au couteau qui la faisait ressembler à un personnage de film de vampires des années trente, du genre avec châteaux baignés de brume et loups hurlant à la lune.

Le reste de l'année, c'était une veuve juive de Brooklyn qui collectionnait les figurines Hummel et avait une prédilection pour les salles obscures (ses films préférés étaient du style à l'eau de rose où une belle princesse attrape le cancer et meurt de façon exemplaire). Ce jour-là, elle était en tenue simple et chic, tailleur-pantalon noir et souliers plats. Une étole de soie rose ajoutait une touche de couleur. Quand elle était Fortuna, elle arborait une opulente masse de boucles grises, mais c'était une perruque qui pour l'heure était encore enfermée sous son globe de verre dans sa petite maison de Heaven's Bay. Ses vrais cheveux étaient coupés court et teints en noir. La fan de bluettes de Brooklyn et la diseuse de bonne aventure ne se retrouvaient que sur un seul point : elles se targuaient toutes deux d'être médium.

« Je vois une ombre sur vous, jeune homme », m'annonça-t-elle.

J'ai regardé à mes pieds et constaté qu'elle disait vrai : j'étais pile sous l'ombre de la grande roue. Elle aussi, d'ailleurs.

« Pas celle-là, *stupidnik*. Une ombre sur ton avenir. Tu auras faim. »

J'avais déjà faim, mais un Hot-Puppy de trente centimètres de long n'allait pas tarder à y remédier. « C'est très intéressant, Mrs… euh… ?

– Rosalind Gold, dit-elle en me tendant la main. Tu peux m'appeler Rozzie. Comme tout le monde ici. Mais durant la saison… » Et, changeant subitement de rôle et de voix, un Bela Lugosi avec des seins, quoi : « DouRRRanTT' la SSaiSSoN', jé SSouis… *FoRRTTTouna* ! »

Je lui ai serré la main. Si elle avait arboré sa tenue sacerdotale, une collection de bracelets en or aurait tinté à son poignet. « Ravi de vous rencontrer. » Et, m'essayant au même accent : « Jé SSouis… *DéviNE* ! »

Ça ne l'amusa guère. « Un nom irlandais ?

– Exact.

– Les Irlandais sont pleins de chagrin, et beaucoup ont la vision. J'ignore si tu l'as, mais tu rencontreras quelqu'un qui l'a. »

Moi, j'étais plein d'excitation… et d'une envie féroce de m'enfiler un Hot-Puppy au chili. Tout ça m'avait un délicieux parfum d'aventure. Je me disais que je risquais bien de déchanter quand je me retrouverais à essuyer du vomi sur les sièges des Whirly Cups ou à briquer des chiottes à la fin de la journée, mais pour le moment, tout baignait.

« Vous vous entraînez pour votre numéro ? »

Elle s'est redressée de toute sa hauteur, qui ne devait pas dépasser le mètre cinquante. « Ce n'est pas un numéro, mon garçon. Les juifs sont la race la plus douée de pouvoirs psychiques de toute la terre. Tout le monde le sait. » Elle avait repris son accent juif de Brooklyn. « Mais figure-toi que Joyland, c'est un peu plus gai que de tenir un kiosque de cartomancienne sur la Deuxième Avenue.

Plein de chagrin ou pas, je t'aime bien. Tu feras un bon forain. Tu émets de bonnes vibrations.

– C'est ma chanson préférée des Beach Boys.

– Mais tu es sur la pente d'un grand chagrin. » Elle s'interrompit, afin de ménager son effet. « Et… peut-être… d'un grand danger.

– Est-ce que vous voyez une belle jeune femme brune dans mon avenir ? » Wendy était une très belle jeune femme brune.

« Non », dit Rozzie. Et ce qu'elle a ajouté m'a coupé la chique : « Celle-là est dans ton passé. »

Ah… bon… OK…

J'ai contourné la bonne femme, en prenant bien garde de ne pas la toucher, pour m'éloigner en direction du Hot-Puppies. C'était une charlatane, ça ne faisait pas le moindre doute pour moi, mais il n'empêche que le seul fait de l'effleurer m'aurait paru une très mauvaise idée.

Elle m'emboîta le pas. « Dans ton avenir, il y a une petite fille et un petit garçon. Le petit garçon a un chien.

– Un Chien Gentil, je parie. Probablement prénommé Howie. »

Elle ignora mes efforts pour tenter de garder un ton léger. « La fillette a une casquette rouge et une poupée. L'un des deux a la vision. J'ignore lequel. Cela me demeure caché. »

J'ai à peine entendu cette partie de son boniment. Je pensais à sa révélation précédente, délivrée avec son accent de Brooklyn : *Celle-là est dans ton passé.*

Madame Fortuna se gourait sur pas mal de choses, ça m'a été confirmé par la suite, mais elle avait une indéniable petite touche extralucide… Et le jour de ma visite d'embauche à Joyland, elle a cartonné.

*

J'ai décroché l'emploi. Mr. Dean a été conquis par mon diplôme de secouriste de la Croix-Rouge obtenu à la YMCA l'été de mes seize ans. L'Été de l'Ennui, comme je l'appelais. Dans les années qui suivirent, j'ai découvert qu'il y aurait beaucoup à dire en faveur de l'ennui…

J'ai informé Mr. Dean de la date de fin de mes examens et promis d'être à Joyland deux jours plus tard, prêt à intégrer mon équipe et à recevoir la formation de base. Nous avons échangé une poignée de main et il m'a souhaité la bienvenue à bord. Il y eut un bref moment où je me suis demandé s'il allait me proposer de pousser avec lui l'Aboiement du Chien Gentil, ou un cri de ralliement équivalent, mais il s'est contenté de me souhaiter une bonne journée et de me raccompagner à la porte de son bureau. C'était un petit bonhomme aux yeux vifs et à la démarche aérienne. Debout sur le perron en ciment du bureau du personnel, écoutant le bruit des vagues et reniflant l'air marin, j'ai de nouveau ressenti ce frisson d'excitation et cette faim d'être déjà à l'été prochain.

« Te voilà dans l'industrie du parc d'attractions à présent, jeune Mr. Jones, m'a dit mon nouveau patron. Pas celle de la fête foraine – pas tout à fait, non, vu la façon dont on gère les choses de nos jours – mais nous n'en sommes pas très loin quand même. Sais-tu ce que cela signifie, de travailler dans l'industrie du parc d'attractions ?

– Non, monsieur, pas vraiment. »

Son regard était solennel, mais je voyais l'ombre d'un sourire se profiler sur ses lèvres.

« Ça signifie que les ploucs doivent s'en retourner chez eux avec de grands sourires – et au fait, si jamais je t'entends appeler les clients des ploucs, je te vire avec perte et fracas. Tu n'auras même pas le temps de comprendre ce qui t'est arrivé. Moi, je peux les appeler des ploucs parce que je suis dans le milieu depuis toujours. C'est des ploucs – les mêmes que j'ai vus traîner leurs guêtres dans toutes les fêtes foraines d'Oklahoma et d'Arkansas où j'ai bossé après guerre. Ceux qui débarquent à Joyland peuvent bien être mieux sapés et conduire des minibus Ford et Volkswagen au lieu de camionnettes Farmall, cet endroit a le don de les transformer illico en ploucs, la bouche ouverte et les yeux exorbités. Et si ça le fait pas, c'est qu'on a mal fait notre boulot. Mais pour toi, ça sera les lapins. Quand ils entendent ce mot, ils pensent Coney Island : la reine du Luna Park. Nous, on sait que c'est des lapins, Mr. Jones, de bons gros lapins dodus qui ne demandent qu'à s'amuser, à bondir de manège en manège et de boutique en boutique comme de terrier en terrier. »

Il m'a fait un clin d'œil et pressé l'épaule d'une main complice.

« Les lapins doivent repartir heureux, Mr. Jones, sinon cet endroit se dessèche et sa poussière se disperse au vent. J'ai déjà vu ça, crois-moi, et quand ça arrive, ça va très vite. Tu bosses dans un parc d'attractions, jeune Mr. Jones, alors caresse bien les lapins dans le sens du poil et tire-leur bien gentiment les oreilles de temps en temps. En un mot, *amuse*-les.

– OK », j'ai dit. Même si je ne voyais pas très bien comment je pourrais amuser les gens en lustrant les Bobtail Skooters (la version Joyland des autos tamponneuses) ou en passant la balayeuse électrique dans Howie Way après la fermeture.

« Et ne t'avise pas de me laisser en rade. Rapplique à la date prévue et cinq minutes avant l'heure prévue.

– OK.

– Deux règles importantes dans le showbiz, gamin : toujours te rappeler où tu as rangé ton portefeuille… et *te pointer.* »

*

En sortant du parc pour rejoindre le parking presque vide, je suis passé sous la grande arche surmontée du néon BIENVENUE À JOYLAND (encore éteint en cette saison) et j'ai trouvé Lane Hardy appuyé contre l'un des guichets fermés, en train de fumer la cigarette qu'il avait auparavant fichée derrière l'oreille.

« On ne peut plus fumer dans l'enceinte du parc, m'expliqua-t-il. Nouveau règlement. Mr. Easterbrook dit qu'on est le premier parc d'Amérique à l'appliquer, et qu'on sera pas le dernier. T'as décroché le job ?

– Ouais.

– Félicitations. Le Freddy t'a servi sa tirade de forain ?

– Ouais, un genre.

– Il t'a dit de flatter les lapins ?

– Ouais.

– Il peut être rasoir, des fois, mais il est sur la fête depuis longtemps, il a tout fait, tout vu, et plutôt deux fois qu'une, et il se trompe jamais. Je crois que tu vas te plaire, ici. T'as un p'tit kek'chose de forain dans la dégaine, fiston. » Il a agité la main en direction du parc, dont les repères les plus significatifs se dressaient contre le ciel bleu sans nuages : le Thunderball, le Delirium Shaker, les toboggans colorés et compliqués du Captain Nemo et – bien sûr – la Carolina Spin. « Et qui sait, cet endroit pourrait bien être ton avenir !

– Peut-être », j'ai répondu évasivement. Car je savais déjà ce que serait mon avenir : écrire des romans et le genre de nouvelles que publie le *New Yorker*. J'avais déjà tout prévu. Évidemment, j'avais aussi prévu le mariage avec Wendy Keegan. Et l'arrivée des enfants, mais pas avant la trentaine : quand t'as vingt et un ans, la vie est nette comme une carte routière. C'est seulement quand t'arrives à vingt-cinq que tu commences à soupçonner que tu tenais la carte à l'envers… et à quarante que t'en as la certitude. Quand t'atteins les soixante, alors là, crois-moi, t'es définitivement largué.

« Et la Rozzie Gold, elle t'a fait son numéro à la noix de Madame Fortuna ?

– Euh… »

Lane s'est marré. « Pourquoi je me fatigue à te demander ? Mais souviens-toi, petit, que quatre-vingt-dix pour cent de ce qu'elle te sert, c'est que de la salade de conneries. Les dix pour cent qui restent… disons qu'elle a déjà coupé la chique à plus d'un…

– Et vous ? j'ai demandé. Elle vous en a fait, des révélations qui vous ont coupé la chique ? »

Il a souri jusqu'aux oreilles. « Le jour où je laisserai la Rozzie me lire les lignes de la main, ça sera le jour où je reprendrai du service dans la caravane du Sud, circuit Ouragans et Tripes Frites. Le grand fils à Mrs. Hardy a rien à faire des planches de ouija et des boules de cristal. »

Voyez-vous une belle jeune femme brune dans mon avenir ? avais-je demandé.

Non. Celle-là est dans ton passé.

Lane Hardy me dévisageait. « Kess' t'as ? T'as avalé une mouche ?

– Non, non, c'est rien, j'ai dit.

– Allez, fiston. Raconte à papa. Elle t'a sorti la vérité ou des conneries ? Du solide ou des clowneries ?

– Des conneries, évidemment. » J'ai regardé ma montre. « Je ferais mieux d'y aller. J'ai un bus à prendre à cinq heures, si je veux pas rater le train de sept heures pour Boston.

– Bah, t'as encore le temps. Où k'tu vas crécher cet été ?

– J'y avais même pas pensé…

– Tu devrais aller rendre une petite visite à Mrs. Shoplaw avant d'aller prendre ton bus. Il y a pas mal de gens l'été qui louent aux saisonniers, mais c'est elle la meilleure. Elle en a hébergé, des Gentils Assistants, au cours des ans. Sa maison est facile à trouver : tout au bout de Main Street, la dernière avant la plage. Une grande bicoque gothique peinte en gris. Tu verras le nom accroché au perron. Tu peux pas le louper parce qu'il est écrit en coquillages et qu'il y en a toujours deux ou trois qui manquent. GÎTE DE LA PLAGE DE MRS. SHOPLAW. Dis-lui k'tu viens de ma part.

– OK, je ferai ça. Merci.

– Si tu prends une chambre chez elle, tu pourras venir travailler à pied par la plage, comme ça t'économiseras ton essence pour tes sorties, les jours de congé. Bonne chance, petit. Ça sera un plaisir de travailler avec toi. » Il m'a tendu la main. Je la lui ai serrée en le remerciant encore une fois.

Et comme il m'avait mis l'idée dans la tête, j'ai décidé d'essayer tout de suite le chemin de la plage. Ça m'économiserait vingt minutes d'attente pour un taxi que je n'avais pas vraiment les moyens de m'offrir. J'avais presque atteint l'escalier de bois qui permettait de descendre la dune quand Lane Hardy m'a rappelé :

« Hé, Jonesy ! Tu veux savoir un truc que la Rozzie te racontera jamais ?

– Ouais, bien sûr.

– On a une maison hantée à Joyland… La Maison de l'Horreur. La vieille Rozzita la fuit comme la peste. Elle déteste les apparitions en carton, la chambre des tortures et les voix enregistrées, mais la vraie raison, c'est qu'elle a peur de voir la vraie fille fantôme.

– Ah bon ?

– Et elle n'est pas la seule. Les gens de chez nous qui l'ont vue se comptent sur les doigts d'une main, mais ils jurent qu'ils l'ont vue.

– Vous me faites marcher ? » C'est juste le genre de truc qu'on dit quand on n'en croit pas ses oreilles. Sauf que je le croyais…

« Je te raconterais bien l'histoire, mais ma pause cigarette est terminée. J'ai quelques mâts à changer aux Skooters et les types de la sécurité passent à trois heures pour le Thunderball. Quelle barbe, ces inspecteurs. Demande à Emmalina Shoplaw de te parler de la fille fantôme. Question Joyland, la Shoplaw en sait plus que moi. On pourrait dire qu'elle est une spécialiste de l'endroit. Comparé à elle, je ne suis qu'un débutant.

– Vous ne plaisantez pas, là ? C'est pas à votre tour de me faire votre petit numéro pour impressionner les nouvelles recrues ?

– J'ai l'air de plaisanter ? »

Non, mais il avait l'air de bien s'amuser. Il m'a même fait un clin d'œil pour conclure. « Qu'est-ce qu'un bon parc d'attractions sans fantôme ? Tu la verras peut-être toi-même. Les ploucs la voient jamais, ça c'est sûr. Allez, file, fiston. Va te réserver une piaule avant de reprendre ton bus pour Wilmington. Tu me diras merci plus tard. »

*

Un nom comme Emmalina Shoplaw, ça évoque irrésistiblement une logeuse enjouée tout droit sortie d'un roman de Dickens, une bonne femme aux joues roses et au buste généreux se déplaçant telle une abeille affairée dans sa maison avec à la bouche des expressions comme *Dieu ait pitié de nous*. Je la voyais bien servir du thé et des scones sous le regard approbateur d'une joyeuse clique de candides excentriques ; elle me pincerait même peut-être affectueusement la joue pendant que nous ferions griller des châtaignes sur un feu de bois crépitant.

Mais nos fantaisies se réalisent rarement en ce bas monde, et la vieille fille qui m'ouvrit sa porte était une grande perche, la cinquantaine, le buste plat et le teint aussi pâle qu'une vitre en verre dépoli. Elle avait un cendrier à l'ancienne en forme de haricot dans une main et une cigarette allumée dans l'autre. Ses cheveux d'une couleur indescriptible étaient enroulés sur les côtés en deux gros macarons qui lui couvraient les oreilles. On aurait dit une princesse de conte de Grimm vieillie. Je lui ai exposé la raison de ma visite.

« Alors comme ça, on va travailler à Joyland ? Bien, dans ce cas, entrez. Vous avez des références ?

– Non, pas de références de propriétaire, non : je suis en chambre universitaire. Mais j'ai une lettre de mon patron à la cafétéria de l'UNH. C'est l'uni…

– Je sais de quelle université il s'agit. Je suis née la nuit, mais pas la nuit dernière. » Et elle m'invita à entrer dans son salon, une pièce tout en longueur s'étendant d'un bout à l'autre de sa maison et garnie d'un mobilier dépareillé sur lequel régnait un gros téléviseur posé sur une table à roulettes. Elle le désigna du doigt. « Couleur. Mes locataires peuvent en profiter – ainsi que du salon – jusqu'à dix heures du soir en semaine et minuit le week-end. Il m'arrive de regarder un film le soir avec mes jeunes, ou le baseball le samedi après-midi. Nous commandons une pizza ou je fais du pop-corn. Nous sommes tous très guillerets. »

Guillerets. Elle parlait comme un personnage de Dickens.

« Dites-moi, Mr. Jones, êtes-vous porté à boire et faire du tapage ? Je considère ce genre de comportement comme antisocial, bien que tout le monde ne partage pas cet avis.

– Non, madame. » Je buvais un peu, mais je faisais rarement du tapage. Après une ou deux bières, j'étais généralement trop somnolent pour ça.

« Il serait naïf de vous demander si vous faites usage de drogues, n'est-ce pas ? Vous me répondriez que non même si c'est oui. Mais ce genre de choses finit par se révéler avec le temps, et lorsque cela se produit, je prie gentiment mes locataires de se trouver un nouveau toit. Marijuana comprise, nous sommes clairs là-dessus ?

– Oui. »

Elle m'évalua du regard. « Vous ne ressemblez pas à un fumeur de marijuana.

– Non, je n'en fume pas.

– J'ai de la place pour quatre pensionnaires. Mais je n'ai qu'une seule personne en résidence actuellement : miss Ackerley, notre bibliothécaire. Mes chambres sont simples, mais beaucoup plus agréables que ce que vous trouveriez dans un motel. Celle que je pense vous attribuer se situe au premier étage. Cabinet de toilette individuel avec douche, luxe dont ne disposent pas les chambres du deuxième. Elle donne aussi sur un escalier extérieur, ce qui est commode si vous devez recevoir une jeune amie. Je n'ai rien contre les jeunes amies, ayant moi-même été jeune et étant restée amicale. Avez-vous une jeune amie, Mr. Jones ?

– Oui, mais elle travaillera à Boston cet été.

– Bien, peut-être rencontrerez-vous quelqu'un. Vous savez ce que dit la chanson : l'amour est partout. »

Je me suis contenté de sourire à ces mots. Au printemps 73, l'idée d'aimer toute autre fille que Wendy Keegan m'était un concept parfaitement étranger.

« Vous aurez une voiture, j'imagine. Je dispose seulement de deux places de parking à l'arrière. L'été, c'est donc premier arrivé, premier servi. Vous êtes le premier arrivé et je pense que nous allons nous entendre. Si je découvre que ce n'est pas le cas, la porte sera grande ouverte. Cet arrangement vous paraît-il correct ?

– Oui, madame.

– Bien, parce que c'est ma façon de faire. Vous me verserez le premier mois, le dernier mois, et une caution, comme cela se fait habituellement. » Et elle annonça un chiffre, correct lui aussi, même s'il allait foutre le bordel dans mon compte à la First New Hampshire Trust.

« Vous prenez les chèques ?

– En bois ?

– Non, madame, il sera approvisionné. »

Mrs. Shoplaw renversa la tête en arrière et éclata de rire. « Alors, je le prendrai. Pour peu que vous vouliez toujours la chambre après l'avoir vue… » Elle écrasa sa cigarette et se leva. « Au fait, on ne fume pas à l'étage : question d'assurance. Et pas de cigarette non plus ici, une fois que nous avons fait le plein de pensionnaires. Question de politesse. Savez-vous que le vieux Mr. Easterbrook est en train d'instaurer un règlement non-fumeurs dans le parc ?

– J'en ai entendu parler. Il va sûrement perdre des clients.

– Au début, peut-être. Par la suite il pourrait bien en gagner. Je ferais confiance à Brad les yeux fermés. C'est un malin. Forain de chez forain. » J'ai voulu lui demander ce qu'elle entendait exactement par là, mais elle avait déjà enchaîné : « Bon, on va la voir, cette chambre ? »

Un simple coup d'œil à la chambre à coucher du premier étage suffit à me convaincre qu'elle serait parfaite. Il y avait un lit à deux places – bien – et une fenêtre donnant sur l'océan – encore mieux. En revanche, le cabinet de toilette était ridiculement petit : assis sur les W-C, j'aurais les pieds dans la douche… mais les étudiants qui raclent les miettes dans leurs fonds de placards peuvent difficilement faire la fine bouche. Et la vue était imprenable. Je doutais que les richards en aient une meilleure depuis leurs palaces d'été le long de la plage. Je me voyais déjà y amener Wendy, admirer avec elle l'océan immense… et dans ce grand lit, au rythme du va-et-vient suggestif des vagues…

Ça. Enfin, *ça.*

« Je la veux », j'ai dit. Et j'ai senti mes joues s'empourprer. Ce n'était pas juste de la chambre que je parlais.

« Je le savais. On lit sur votre visage comme dans un livre. » Comme si Mrs. Shoplaw savait exactement ce que j'avais pensé… Et peut-être bien qu'elle le savait. Elle m'a souri : un grand sourire guilleret qui a presque donné un air dickensien à son visage malgré son teint cireux et sa poitrine plate. « Votre petit nid à vous. Pas le château de Versailles, mais bien à vous. Pas comme un lit dans un dortoir, hein ? Ni même une chambre individuelle d'étudiant, pas vrai ?

– Non, rien à voir. » J'étais en train de me dire que je devrais demander à mon père de me renflouer de cinq cents dollars pour pouvoir rester à flot le temps d'encaisser mes premiers chèques. Il rouspéterait mais se laisserait convaincre. J'espérais juste ne pas avoir à jouer la carte de la Maman Décédée… Voilà quatre ans qu'elle l'était, mais papa gardait toujours une collection de photos d'elle dans son portefeuille et continuait à porter son alliance.

« Votre propre emploi et votre propre maison, dit ma logeuse, le ton vaguement rêveur. Que du positif, Devin. Je peux vous appeler Devin ?

– Vous pouvez même m'appeler Dev.

– Très bien, je n'y manquerai pas. »

Elle promena le regard sur la petite chambre en soupente – celle-ci était située sous un avant-toit – et soupira. « Le frisson de l'indépendance ne dure pas longtemps, mais tant qu'il dure, il est bien bon. Ce sentiment d'indépendance et de liberté... Je pense que vous vous sentirez chez vous à Joyland. Vous avez un petit quelque chose de forain en vous.

– Vous êtes la deuxième personne à me dire ça. » Puis j'ai repensé à ma conversation avec Madame Fortuna. « Non, la troisième, en fait.

– Et je parie que je sais qui sont les deux autres. Autre chose que je peux vous montrer ? Le cabinet de toilette est un peu rudimentaire, certes, mais ce sera quand même mieux que d'avoir à démouler un cake au petit matin dans les toilettes communes pendant qu'aux lavabos les autres garçons pètent en se racontant des bobards sur les filles avec qui ils ont couché la veille. »

J'ai éclaté de rire. Et Mrs. Emmalina Shoplaw ne s'est pas fait prier pour m'imiter.

*

Nous sommes redescendus par l'escalier extérieur. « Comment va Lane Hardy ? me demanda Mrs. Shoplaw en arrivant en bas. Toujours affublé de son stupide bonnet ?

– Il m'a semblé que c'était un chapeau melon. »

Mrs. Shoplaw haussa les épaules. « Bonnet, melon, c'est du pareil au même.

– Il va bien. Mais il m'a raconté quelque chose… »

Elle me considérait maintenant en penchant la tête, souriant presque, mais pas tout à fait.

« Il m'a dit que le train fantôme de Joyland – il l'a appelé la Maison de l'Horreur – est hanté. Je lui ai demandé s'il se fichait de moi, et il m'a certifié que non. Il m'a dit que vous étiez au courant.

– Il vous a dit ça ?

– Oui. Il prétend que sur Joyland, vous en savez plus que lui.

– Eh bien, commenta-t-elle en plongeant la main dans la poche de son pantalon dont elle retira un paquet de Winston. J'en connais un rayon, en effet. Mon mari était responsable technique là-bas avant qu'il meure d'une crise cardiaque. C'est quand j'ai découvert que son assurance vie était une arnaque – et hypothéquée jusqu'à la garde – que j'ai commencé à louer mes chambres. Que pouvais-je faire d'autre ? Nous n'avions qu'un enfant, et elle est maintenant à New York, elle travaille dans une agence de publicité… » Mrs. Shoplaw alluma sa cigarette, inhala et recracha la fumée dans un rire. « … Elle travaille aussi à perdre son accent du Sud, mais ça c'est une autre histoire. Ce gros monstre de bicoque était le passe-temps et le joujou de Howie, et je ne lui en ai jamais tenu rigueur. Du moins est-elle payée en intégralité, à présent. Et oui, j'aime bien rester en contact avec la vie du parc, car c'est un peu comme si j'étais encore en contact avec lui. Pouvez-vous comprendre cela, Dev ?

– Bien sûr. »

Elle me considéra à travers une volute de fumée, sourit et secoua gentiment la tête. « Non… vous êtes mignon, mais vous êtes trop jeune pour ça.

– J'ai perdu ma mère il y a quatre ans. Mon père est encore en deuil. Il dit que ce n'est pas pour rien qu'on appelle son épouse sa moitié. Il n'est plus que la moitié de lui-même. Moi, au moins, j'ai mes études et ma jeune amie. Mon père tourne en rond dans une maison trop grande pour lui. Il sait qu'il devrait la vendre pour en acheter une plus petite et plus proche de son lieu de travail – et je le sais aussi bien que lui – mais il la garde. Alors, oui, je sais ce que vous voulez dire.

– Je suis navrée pour votre maman, Dev, m'assura Mrs. Shoplaw. Un de ces jours, je vais ouvrir ma bouche trop grand et tomber dedans. Votre bus, c'est celui de cinq heures dix ?

– Oui.

– Alors, venez à la cuisine. J'ai le temps de vous faire griller un croque-monsieur et de vous réchauffer un bol de soupe à la tomate. Et pendant que vous mangerez, je vous raconterai la triste histoire du fantôme de Joyland, si du moins vous voulez l'entendre.

– Il y a vraiment une histoire de fantôme ?

– Je ne puis l'affirmer, je n'ai jamais mis les pieds dans ce fichu train fantôme. Mais il y a une histoire de meurtre. De *ça*, je suis sûre. »

*

Sa soupe, c'était juste de la Campbell en boîte, mais le croque-monsieur était au munster (mon fromage préféré), et Dieu qu'il était bon. Elle m'a aussi servi un verre de lait en insistant pour que je le boive : j'étais en pleine croissance, d'après Mrs. Shoplaw. Elle s'est assise en face de moi avec son propre bol de soupe, mais pas de croque-monsieur (« Je dois surveiller ma ligne de jeune fille »), et elle m'a raconté l'histoire. Elle en connaissait certains détails par les journaux et la télévision, mais le principal lui venait de ses contacts à Joyland, et elle en avait encore un certain nombre.

« C'était il y a quatre ans, donc j'imagine approximativement à la date où votre mère est morte. Et vous savez ce qui me vient à l'esprit à chaque fois que j'y pense ? La chemise de l'assassin… Et ses gants… J'en frémis rien que d'y penser. Parce que ça signifie qu'il l'avait *prémédité*…

– J'ai l'impression que vous avez sauté le début… »

Mrs. Shoplaw se mit à rire. « Ah, on dirait, en effet. Commençons par le nom de ce prétendu fantôme : elle s'appelait Linda Gray et elle était originaire de Florence, en Caroline du Sud. Elle et son fiancé – s'il l'était bien, car les flics ont vérifié toutes ses relations et n'ont trouvé aucune trace de ce supposé fiancé –, elle et son fiancé ont donc passé la dernière nuit sur terre de cette pauvre fille au Luna Inn, un peu plus bas sur la plage. Le lendemain, ils sont arrivés à Joyland à onze heures du matin. Le fiancé leur a pris des forfaits pour la journée, payés en espèces. Ils ont fait quelques tours de manège puis ils ont déjeuné tard, au Rock Lobster, le restaurant de poissons à côté de la salle de spectacle. Il était un peu plus d'une heure. Quant à l'heure de sa mort… vous savez certainement comment ils l'établissent… contenu de l'estomac, etc.

– Oui, oui, je sais. » J'avais avalé mon croque-monsieur et je me suis attaqué à mon bol de soupe. Cette histoire de meurtre ne me coupait aucunement l'appétit. J'avais vingt et un ans, ne l'oubliez pas, et je me croyais immortel. Même la mort de ma mère n'avait pas réussi à entamer cette croyance que j'avais chevillée au corps.

« Après lui avoir rempli le ventre, il l'a fait monter sur la Carolina Spin – un manège lent, facile pour la digestion – et puis il l'a emmenée dans la Maison de l'Horreur. Ils y sont entrés ensemble, mais lui seul en est sorti. À peu près à la moitié du parcours, qui prend environ neuf minutes, il lui a tranché la gorge et l'a jetée à côté du rail sur lequel circulent les wagonnets. Il l'a jetée là comme un déchet. Il devait savoir qu'il se tacherait de sang, parce qu'il portait deux chemises l'une sur l'autre, et des gants de travail en cuir jaune. On a retrouvé la chemise du dessus – celle qui avait épongé le plus de sang – à une centaine de mètres du corps. Et les gants encore un peu plus loin. »

Je visualisais parfaitement les choses : d'abord le corps, chaud et palpitant, puis la chemise, enfin les gants. Et le tueur, pendant ce temps, assis, impassible, et terminant son tour de piste. Si Mrs. Shoplaw disait vrai, c'était à frémir...

« À la fin du tour, ce saligaud est descendu et s'en est allé comme si de rien n'était. Il a essuyé le wagonnet avec la chemise – celle qui a été retrouvée plus tard – mais il n'a pas ôté tout le sang. Un des Assistants a repéré quelques taches sur le siège avant que le prochain tour ne démarre. Il l'a nettoyé, sans s'en alarmer. Dans les parcs d'attractions, il n'est pas rare de trouver du sang sur les manèges : la plupart du temps, c'est juste un gosse surexcité qui a saigné du nez. Vous vous en apercevrez par vous-même. Veillez simplement, vous aussi, à porter des gants quand vous nettoierez les dégâts. À cause des maladies. Ils en ont des jetables dans tous les postes de secours, et il y a des postes de secours à tous les carrefours du parc.

– Personne ne s'est aperçu qu'il sortait de l'attraction sans sa petite amie ?

– Eh non : c'était la mi-juillet, le pic de la saison, et ça grouillait de monde. On n'a trouvé le corps qu'à une heure du matin, le lendemain, longtemps après la fermeture, quand les projecteurs de la Maison de l'Horreur sont allumés. Pour l'équipe de nuit, vous comprenez. Vous y passerez, vous aussi : tous les Gentils Assistants sont de corvée de nettoyage une semaine par mois, et mieux vaut avoir rattrapé son sommeil en retard avant, si vous voyez ce que je veux dire, parce que ce rythme de nuit est harassant.

– Et les gens ont continué à faire leurs tours de manège et à passer à côté d'elle sans la voir jusqu'à la fermeture du parc ?

– S'ils l'ont vue, ils ont dû penser qu'elle faisait partie du décor. Mais le plus probable, c'est que son cadavre est passé complètement inaperçu. Souvenez-vous, la Maison de l'Horreur est un train fantôme, une attraction obscure. La seule de Joyland, en fait, mais d'autres parcs en ont plusieurs. »

Une attraction obscure... Ces mots ont fait vibrer en moi une corde inquiétante, mais pas assez fort pour m'empêcher de terminer ma soupe.

« Et personne n'a pu fournir une description de cet homme ? Un des serveurs du restaurant, par exemple ?

– Oh, ils ont eu mieux que ça. Des photos. Et soyez sûr que la police a pris soin de les faire diffuser à la télévision et imprimer dans les journaux.

– Des photos ? Comment est-ce possible ?

– Les Hollywood Girls, m'expliqua Mrs. Shoplaw. Il y en a toujours toute une ribambelle qui sillonne le parc quand il tourne à plein régime. Il n'y a jamais eu de baraque de peep-show à Joyland, jamais de la vie, mais le vieil Easterbrook n'a pas passé toute sa vie dans les caravanes foraines pour rien. Il sait que les gens apprécient un soupçon de sex-appeal pour assaisonner leurs tours de manège et leurs hot-dogs. Chaque équipe de Gentils Assistants a sa Hollywood Girl. Vous aurez la vôtre, et votre rôle, avec les autres garçons de l'équipe, sera de veiller sur elle comme un grand frère et de voler à son secours si quelqu'un l'embête. Elles sont la plus jolie attraction de Joyland, dans leurs petites robes vertes, juchées sur leurs hauts talons verts. Avec leurs mignons petits chapeaux verts sur la tête, elles me font toujours penser à Robin des Bois et à ses Joyeux Compagnons. Mais elles, ce sont les Joyeuses Luronnes. Elles trimbalent de bons gros vieux Speed Graphic comme on en voit dans les films d'autrefois, et elles prennent les ploucs en photo. » Mrs. Shoplaw s'interrompit. « Mais je vous déconseille de donner vous-même ce nom aux clients.

– Mr. Dean m'a déjà mis au parfum.

– Logique. Toujours est-il que les Hollywood Girls ont pour instructions de se concentrer sur les familles et les couples d'un âge visiblement supérieur à vingt et un ans. Les adolescents se soucient peu de ramener des photos-souvenirs ; ils préfèrent dépenser leur argent dans la nourriture et les jeux. Donc, la procédure est la suivante : les filles déclenchent l'appareil photo, et elles approchent ensuite le client. » Mrs. Shoplaw prit alors une petite voix fébrile à la Marilyn Monroe : « "Bonjour, bienvenue à Joyland ! Je m'appelle Karen ! Si vous souhaitez un tirage de la photo que je viens de prendre, merci de me donner votre nom et de passer par le Kiosque Hollywood sur Howie Way avant de quitter le parc !" Aussi simple que cela.

« L'une d'elles a pris une photo de Linda Gray et de son petit copain au Tir de l'Ouest, mais quand elle les a approchés, le type l'a rembarrée. *Méchamment* rembarrée. Plus tard, elle a raconté aux policiers qu'elle avait presque eu peur qu'il lui arrache son appareil photo pour le fracasser. Elle a dit que ses yeux lui avaient fait froid dans le dos. Gris comme de l'acier. » Mrs. Shoplaw haussa les épaules en souriant. « Sauf qu'après vérification, il portait des lunettes de soleil ! Vous savez comment certaines filles adorent l'exagération. »

Je le savais. Renée, la copine de Wendy, était capable de transformer un banal rendez-vous chez le dentiste en scénario de film d'épouvante.

« Sa photo était la meilleure. Mais ce n'était pas la seule. Les flics ont passé en revue tous les clichés des Hollywood Girls ce jour-là et en ont trouvé au moins quatre où la demoiselle Gray et son cavalier figuraient en arrière-plan. Dans l'une des meilleures, ils font la queue pour les Whirly Cups et il a la main posée sur son popotin… Plutôt familier pour quelqu'un que ni sa famille ni ses amies n'avaient jamais vu avant.

– Dommage qu'il n'y ait pas de caméras de surveillance dans le parc, ai-je fait remarquer. Ma copine a un job d'été chez Filene à Boston et elle m'a dit qu'ils en ont quelques-unes et qu'ils continuent d'en faire installer. Pour lutter contre le vol à l'étalage.

– Un jour viendra où il y en aura partout, observa Mrs. Shoplaw. Comme dans ce livre de science-fiction avec la Police de la Pensée… J'avoue que je ne suis pas pressée de voir ce jour arriver. Mais il n'y en aura jamais dans des attractions comme la Maison de l'Horreur. Même pas des caméras infrarouges qui voient dans le noir.

– Non ?

– Non, non. Il n'y a pas de Tunnel de l'Amour à Joyland, mais la Maison de l'Horreur est le Tunnel du Pelotage, ça c'est sûr. D'après mon mari, les jours où les nettoyeurs de nuit ne trouvaient pas au moins trois petites culottes au bord de la voie n'étaient pas des jours fastes !

« Mais les flics ont quand même pu avoir cette excellente photo du gars au stand de tir. Un portrait, quasiment. Ils l'ont fait passer dans les journaux et à la télé pendant une semaine. Lui collé à elle, hanche contre hanche, comme font toujours les hommes pour vous montrer comment tenir la carabine. Pas un habitant des deux Caroline n'a pu passer à côté. Elle sourit, mais lui est sérieux comme la mort…

– Tout ce temps avec son couteau et ses gants dans les poches », j'ai dit. Atterré par l'idée.

« Rasoir.

– Hein ?

– Il s'est servi d'un rasoir, ou de quelque chose dans ce goût-là, c'est ce qu'a conclu le médecin légiste. Mais pour en revenir aux photos, ils en ont trouvé au moins quatre ou cinq, y compris l'excellentissime, et vous savez quoi ? On ne distingue son visage sur aucune d'entre elles !

– À cause des lunettes de soleil.

– Oui, ça pour commencer. Et d'un bouc qui lui mange tout le menton, et d'une casquette de baseball à longue visière qui cache tout ce que les lunettes de soleil et le bouc ne dissimulent pas. Ça aurait pu être n'importe qui. Ça aurait pu être vous, Dev, sauf que vous êtes brun et pas blond et que vous n'avez pas une tête d'oiseau tatouée sur la main. Ce type-là, oui. Une tête d'aigle, ou peut-être de faucon. Son tatouage se voyait très nettement sur la photo du stand de tir. Ils l'ont fait paraître en gros plan dans le journal pendant une semaine, en espérant que quelqu'un le reconnaîtrait. Peine perdue.

– Aucune piste à l'auberge où ils avaient passé la nuit précédente ?

– Chou blanc là aussi. L'homme y avait présenté un permis de conduire de Caroline du Sud, mais c'était un permis de conduire volé un an auparavant. Elle, personne ne l'a seulement vue. Elle a dû rester dans la voiture pendant qu'il réglait à la réception. Son identité est restée inconnue pendant près d'une semaine, puis la police a diffusé un portrait. Arrangé pour qu'elle ait juste l'air de dormir et pas d'être morte égorgée… Quelqu'un l'a vue et l'a reconnue – une fille qui avait fait l'école d'infirmières avec elle, je crois bien. Elle a prévenu les parents de Linda Gray. J'imagine ce qu'ils ont dû éprouver, ces pauvres gens, en faisant le déplacement en voiture jusqu'ici et en espérant de toutes leurs forces qu'en arrivant à la morgue, ce serait l'enfant bien-aimé de quelqu'un d'autre qu'ils découvriraient. » Elle secoua lentement la tête. « Les enfants représentent un tel risque, Dev. Cela vous était-il déjà venu à l'esprit ?

– Je crois, oui…

– Ce qui veut dire que non… Moi… si c'était ma fille que l'on me donnait à voir, là sous ce drap, je sais que j'en perdrais l'esprit.

– Vous ne pensez pas vraiment que Linda Gray hante la Maison de l'Horreur, si ?

– Je ne peux absolument pas répondre à cette question, vu que je n'ai aucune opinion, pour ou contre, sur la vie après la mort : je découvrirai le fin mot de l'histoire en y arrivant, voilà ce que je crois, et cela me suffit. Tout ce que je sais, c'est que des tas d'employés de Joyland prétendent l'avoir vue debout près du rail, vêtue de la jupe bleue et du corsage bleu sans manches qu'elle portait ce jour-là. Et personne n'a pu avoir connaissance de ces couleurs d'après les clichés diffusés au grand public car les Speed Graphic des Hollywood Girls ne prennent que des photos en noir et blanc. Plus rapides et plus faciles à développer, je suppose.

– Peut-être la couleur des vêtements était-elle mentionnée dans les articles ? »

Mrs. Shoplaw haussa les épaules. « C'est possible. Je n'en ai pas souvenir. Mais plusieurs témoins ont signalé que la fille debout près du rail du train fantôme portait un serre-tête bleu dans les cheveux, et *ça*, la presse n'en a rien dit. Ils ont retenu l'information pendant un an, en espérant pouvoir s'en servir contre un éventuel suspect, s'ils en arrêtaient un.

– Lane m'a dit que les ploucs ne la voient jamais.

– Non, elle se montre seulement après les heures d'ouverture. Ce sont surtout des Gentils Assistants de l'équipe de nuit qui la voient, mais je connais au moins un inspecteur de sécurité de Raleigh qui dit l'avoir vue, parce que j'ai pris un verre avec lui un jour au Sand Dollar. Il l'a vue, debout, là, pendant qu'il faisait son tour d'inspection, et il a d'abord cru que c'était une apparition en carton-pâte, jusqu'à ce qu'elle lève les mains vers lui comme ceci. »

Mrs. Shoplaw a tendu les mains vers moi, paumes tournées vers le ciel, dans un geste de supplication.

« Il m'a dit qu'il avait eu l'impression que la température chutait de dix degrés. Une poche d'air froid, voilà ses propres mots. Et quand il s'est retourné pour regarder en arrière, elle avait disparu. »

J'ai repensé à Lane, avec son jean étroit, ses bottes râpées et son chapeau melon d'artiste. *La vérité ou des conneries ?* m'avait-il demandé. Du *solide ou des clowneries ?* Je me suis dit que le fantôme de Linda Gray était très certainement des conneries, mais j'espérais que non. J'espérais que je la verrais. Ce serait une histoire fantastique à raconter à Wendy, et, à l'époque, mes pensées revenaient toujours à elle. Si j'achetais telle chemise, est-ce que Wendy l'aimerait ? Si j'écrivais une nouvelle sur une jeune fille qui recevait son premier baiser lors d'une excursion à cheval, est-ce que Wendy l'apprécierait ? Si je voyais le fantôme d'une jeune femme assassinée, Wendy serait-elle fascinée ? Suffisamment en tout cas pour vouloir descendre dans le Sud se rendre compte par elle-même ?

« Le *News and Courier* de Charleston a repris l'histoire quelque six mois après le meurtre, poursuivit Mrs. Shoplaw. Il semblerait que, depuis 1961, il y ait eu quatre meurtres semblables en Géorgie et dans les deux Caroline. Toutes des jeunes filles. L'une poignardée, trois autres égorgées. Le journaliste a dégoté au moins un flic convaincu que toutes les quatre pourraient avoir été tuées par le type qui a assassiné Linda Gray.

– Attention, Attention, Méfiez-Vous du Tueur de la Maison de l'Horreur ! j'ai dit en prenant une voix de bateleur.

– C'est exactement ainsi que les journaux l'ont baptisé. Mais vous étiez affamé, dites-moi ? Vous avez tout mangé, sauf le bol ! Maintenant, je crois que vous feriez bien de me rédiger votre chèque et de filer dare-dare à la gare routière, sans quoi vous risquez de devoir passer la nuit sur mon divan. »

Qui me paraissait assez confortable, ma foi, mais j'avais hâte de remonter vers le Nord. Encore deux jours de vacances et je serais de retour à l'université, mon bras autour de la taille de Wendy Keegan.

J'ai sorti mon chéquier, mon stylo, et d'un trait de plume, loué une chambre meublée avec une magnifique vue sur l'océan que Wendy Keegan – ma *jeune amie* – n'a jamais eu l'occasion d'étrenner… C'est dans cette chambre que j'ai passé pas mal de nuits assis dans mon fauteuil près de la fenêtre avec Jimi Hendrix ou les Doors en sourdine sur ma stéréo, à entretenir de fugitives idées de suicide. Des pensées plus juvéniles que sérieuses, juste les fantasmes d'un jeune homme à l'imagination hyperactive et au cœur meurtri... C'est en tout cas ce que je me dis à présent, tant d'années après, mais qui le sait vraiment ?

S'agissant du passé, on écrit *tous* de la fiction.

*

J'ai essayé d'appeler Wendy depuis la gare routière mais sa belle-mère m'a dit qu'elle était sortie avec Renée. À l'arrivée du bus à Wilmington, j'ai réessayé, mais elle n'était toujours pas rentrée. J'ai demandé à Nadine – sa belle-mère – si elle avait une idée de l'endroit où elles pouvaient être allées. Nadine m'a répondu que non. À son ton, il m'a semblé que j'étais l'interlocuteur le moins intéressant qu'elle ait eu de toute la journée... Peut-être même de toute l'année... Peut-être même de toute sa vie... Je m'entendais assez bien avec le père de Wendy, mais Nadine Keegan n'avait jamais été une de mes plus grandes fans.

Finalement (j'étais déjà arrivé à Boston, à ce moment-là), j'ai pu avoir Wendy. Elle avait la voix tout ensommeillée, alors qu'il était à peine onze heures du soir, autrement dit le début de la soirée pour la plupart des étudiants en vacances. Je lui ai dit que j'avais décroché le job.

« Hourra, je te félicite, m'a-t-elle dit. Tu es en route pour chez toi, là ?

– Oui, je récupère ma voiture et je rentre. » Pourvu que je n'aie pas un pneu à plat... À cette époque, je roulais toujours avec des pneus lisses et on aurait dit qu'il y en avait toujours un pour être à plat. Un pneu de secours, vous dites ? Très drôle, *señor*... « Je pourrais passer la nuit à Portsmouth au lieu de rentrer direct à la maison, et on pourrait se voir demain, si…

– Non, ce serait pas une bonne idée. Renée dort à la maison et Nadine n'est pas d'humeur à recevoir quelqu'un d'autre. Tu sais comment elle a du mal à supporter les gens. »

Certains, peut-être… mais à mon humble avis, Renée et Nadine avaient toujours été comme cul et chemise, à boire café sur café en papotant sur leurs stars de cinéma préférées comme si elles les connaissaient personnellement… Enfin, ce n'était pas vraiment le moment d'en faire état.

« J'adorerais bavarder avec toi, Dev, mais là, j'étais prête à aller me coucher. Ren et moi on n'a pas arrêté de la journée. Les magasins… tout ça… »

Elle ne s'est pas étendue sur le « *tout ça* » et je me suis rendu compte que je préférais ne pas la questionner. Encore un signal d'alarme…

« Je t'aime, Wendy.

– Je t'aime aussi. » Une réponse plus machinale que passionnée. *Elle est fatiguée, c'est tout*, je me suis dit.

J'ai roulé vers le Nord avec un indéniable sentiment de malaise. Quelque chose dans son ton désinvolte ? Son manque d'enthousiasme ? Je ne sais pas. Je ne suis pas certain que j'avais envie de savoir. Mais je m'interrogeais. Encore aujourd'hui, après tant d'années, il m'arrive de m'interroger. Elle n'est plus rien pour moi qu'une cicatrice et un souvenir, quelqu'un qui m'a blessé comme une jeune femme peut parfois blesser un jeune homme. Une jeune femme dans une autre vie… Pourtant, je ne peux pas m'empêcher de me demander où elle était allée ce jour-là. Ce qu'était ce *tout ça*. Et si c'était vraiment avec Renée St. Clair qu'elle se trouvait…

Vous serez peut-être en désaccord avec moi, mais à mon avis, les paroles de chanson les plus inquiétantes de toute l'histoire de la musique pop se trouvent dans une des premières chansons des Beatles. En fait, c'est John Lennon qui chante : *Je préférerais te voir morte, fillette, plutôt qu'avec un autre homme...* Si je vous disais que je n'ai jamais ressenti ça pour Wendy à la suite de notre rupture, je mentirais. Ça n'a jamais viré à l'obsession mais j'ai bel et bien pensé à elle avec un degré certain de malveillance. J'ai passé de longues nuits sans sommeil à me dire qu'elle méritait une bonne leçon – ou peut-être une *méchante* leçon – pour la façon dont elle m'avait traité. Ça me consternait de penser ça, mais je le pensais. Et aussitôt après, je pensais à l'homme qui était entré dans la Maison de l'Horreur, tenant Linda Gray enlacée et vêtu de deux chemises superposées. L'homme au tatouage d'oiseau sur la main et au rasoir affilé dans la poche.

*

Au printemps de 1973 – la dernière année de mon enfance, quand j'y repense – je visualisais un avenir dans lequel Wendy Keegan serait Wendy Jones... ou Wendy Keegan-Jones, si elle voulait être une femme moderne et conserver son nom de jeune fille. Je voyais une maison au bord d'un lac dans le Maine ou le New Hampshire (peut-être même l'ouest du Massachusetts) remplie des cris et du tapage d'une paire de petits Keegan-Jones, une maison où j'écrirais des livres qui ne seraient pas exactement des best-sellers mais qui jouiraient d'une popularité suffisante pour nous assurer une vie confortable et qui surtout – *plus important* – bénéficieraient de critiques suffisamment bonnes. Wendy poursuivrait son rêve d'ouvrir une petite boutique de prêt-à-porter (bien vue par la critique elle aussi), et j'assurerais quelques séminaires d'écriture créative à l'université, du genre auxquels les étudiants doués se bousculent. Bien entendu, rien de tout cela ne s'est concrétisé, ce qui rend assez pertinent le fait que notre ultime rencontre ait eu lieu dans le bureau de l'immatériel Professeur George B. Nako…

À la rentrée 1968, les étudiants de retour à l'université du New Hampshire découvrirent le « bureau » du Professeur Nako installé sous l'escalier du sous-sol dans le bâtiment Hamilton Smith. Les murs étaient tapissés de faux diplômes, d'aquarelles étranges signalées comme étant de l'art albanais et de plans d'attribution des places à des dîners de gala avec, écrits au crayon dans les cases, les noms d'Elizabeth Taylor, Robert Zimmerman et Lyndon Beans Johnson… Y étaient aussi affichées des dissertations d'étudiants n'ayant jamais existé. Je me souviens de l'une d'elles intitulée « Les stars sexuelles de l'Orient ». Et d'une autre : « La poésie primitive de Cthulhu : étude analytique ». Il y avait trois cendriers sur pied et un écriteau scotché sous l'escalier : LE PROFESSEUR NAKO DÉCRÈTE LA PERMISSION PERMANENTE DE FUMER ! Le mobilier se composait de quelques fauteuils élimés et d'un canapé tout aussi pelé, très pratique pour les couples en quête d'un endroit confortable où se tripoter.

Le mercredi avant mon dernier examen de l'année fut inhabituellement chaud et humide pour la saison. En début d'après-midi, de gros nuages avaient commencé à s'amonceler et, autour de quatre heures, heure à laquelle Wendy avait convenu de me retrouver dans le « bureau » souterrain de George B. Nako, l'orage éclata et une pluie torrentielle s'abattit. J'arrivai le premier à notre rendez-vous. Wendy, cinq minutes plus tard, trempée jusqu'aux os mais de fort bonne humeur. Des gouttes d'eau étincelaient dans ses cheveux. Elle se jeta dans mes bras et frétilla contre moi en riant. Le tonnerre roula, les quelques ampoules suspendues dans le sous-sol obscur se mirent à clignoter.

« Serre-moi serre-moi serre-moi, dit-elle. Cette pluie est si *froide.* »

Je l'ai réchauffée et elle m'a réchauffé. Il n'a pas fallu longtemps pour que nous nous retrouvions enlacés sur le canapé râpé, ma main gauche refermée sur son sein sans soutien-gorge, la droite remontée assez haut sous sa jupe pour effleurer de la dentelle et de la soie. Elle m'a laissé faire une minute ou deux, puis elle s'est redressée en s'éloignant de moi et en faisant bouffer ses cheveux.

« Arrêtons ça, dit-elle en prenant un ton guindé. Et si le Professeur Nako arrivait ?

– J'ai pas l'impression qu'il y ait de risque ! Toi oui ? » Je souriais, mais sous la ceinture, j'éprouvais une pulsation familière. Parfois, Wendy me soulageait de cette tension : elle était devenue assez experte dans l'art de « la gâterie à travers le pantalon », comme on disait. Mais je n'avais pas l'impression que j'y aurais droit ce jour-là…

« Ou alors, une de ses étudiantes, répondit-elle. Pour le supplier de lui donner la moyenne. “S'il vous plaît, Professeur Nako, je vous en *supplie*, je ferai tout ce que vous voudrez.” »

Ça non plus, ça ne risquait pas d'arriver, mais les chances d'être dérangés existaient, évidemment, elle avait raison là-dessus. Il y avait toujours des étudiants qui débarquaient pour afficher de nouveaux devoirs bidon et de toutes récentes œuvres d'art albanais. Le canapé était parfait pour se peloter, mais le local en lui-même, non. Il l'avait peut-être été dans les débuts, mais plus depuis qu'il était devenu une sorte de point de ralliement mythique pour les étudiants du département des sciences humaines.

« Comment s'est passé ton exam' de socio ? je lui ai demandé.

– Bien. J'ai pas troué le plafond, mais j'aurai au moins la moyenne, et ça me suffit. Surtout que c'est notre dernière note. » Elle s'étira, touchant du bout des doigts les contremarches d'escalier au-dessus de notre tête, ce qui souleva sa poitrine de la plus fascinante façon. « Je vide les lieux dans… – elle consulta sa montre – …exactement une heure et dix minutes.

– Tu pars avec Renée ? » Je n'aimais pas tellement la copine de chambrée de Wendy, mais je préférais ne rien dire. La seule fois où j'avais osé, on s'était pris le bec, Wendy et moi, et elle m'avait accusé de vouloir régenter sa vie.

« Affirmatif. Elle me dépose chez mon père et ma belle-mère, et dans une semaine, nous serons employées officielles chez Filene ! »

À l'entendre, on aurait pu croire qu'elles avaient décroché des boulots d'hôtesses à la Maison-Blanche. Mais j'ai préféré la fermer aussi sur le sujet. J'avais d'autres préoccupations. « Tu viens toujours à Berwick samedi, hein ? » On avait convenu qu'elle arriverait le matin, passerait la journée à la maison et resterait dormir. Dans la chambre d'amis, bien sûr. Mais elle ne serait qu'à quelques pas de la mienne dans le couloir. Compte tenu du fait qu'on risquait de ne pas se revoir avant la rentrée, je me disais que la probabilité que *ça* arrive était assez forte… Évidemment, les petits enfants croient au Père Noël aussi, et les étudiants de première année passaient parfois tout un trimestre à croire que George B. Nako était un vrai prof, qui enseignait vraiment à l'université.

« *Affirmatif.* » Elle jeta un coup d'œil en direction de la porte et, ne voyant personne, glissa une main le long de ma cuisse.

Lorsque sa main parvint à mon entrejambe, elle pressa doucement ce qu'elle y trouva. « Viens ici, toi. »

C'est ainsi que j'eus droit à ma gâterie à travers le pantalon. Ce fut l'une de ses plus belles performances, lente et bien rythmée. Le tonnerre grondait et, à un moment donné, le gémissement de la pluie battante s'est transformé en un tambourinement sourd quand l'averse a viré à la grêle. À la fin, Wendy a savamment pressé, augmentant et prolongeant le plaisir de mon orgasme.

« Tâche de passer sous la pluie et d'arriver bien mouillé à ton dortoir, sans ça tout le monde saura ce qu'on fabriquait ici en bas. » Elle bondit sur ses pieds. « Il faut que j'y aille, Dev. J'ai encore plein d'affaires à préparer.

– Je passe te prendre samedi matin. Mon père nous prépare son célèbre poulet au citron pour déjeuner. T'aimes ça ? »

Elle me lança un dernier *affirmatif*. Comme se mettre sur la pointe des pieds pour m'embrasser, c'était la marque de fabrique de Wendy Keegan. Mais le vendredi soir, j'ai reçu un coup de fil me disant que ses plans avec Renée avaient changé et qu'elles partaient deux jours plus tôt pour Boston. « Je regrette, Dev, mais c'est elle qui conduit.

– Tu pourrais prendre le bus, j'ai dit, sachant déjà qu'elle n'en ferait rien.

– J'ai promis de partir avec elle, chéri. Et on a des billets pour l'Imperial, pour aller voir *Pippin*. Le père de Renée nous a fait la surprise. » Elle a marqué une pause. « Sois content pour moi. Toi, tu vas passer l'été en Caroline du Nord, et je suis contente pour *toi*.

– Content, j'ai dit.

– Ah, c'est mieux comme ça. » Elle a baissé la voix, pris un ton confidentiel : « La prochaine fois, je me rattraperai. Promis. »

C'est une promesse qu'elle n'a jamais tenue, et qu'elle n'a jamais eu l'occasion de trahir non plus, car après ce dernier jour dans le « bureau » du Professeur Nako, je n'ai jamais revu Wendy Keegan. Je ne lui ai pas non plus passé de dernier appel téléphonique plein de larmes et d'accusations. J'ai suivi en cela les conseils de Tom Kennedy (j'en viendrai à lui très vite), et j'ai probablement été bien inspiré. Wendy s'attendait peut-être à un appel de ce genre, peut-être même l'espérait-elle. Dans ce cas, elle a dû être déçue.

J'espère qu'elle l'a été. Tant d'années après, avec toutes mes anciennes fièvres et mes vieux délires relégués dans le passé, j'espère encore qu'elle l'a été.

L'amour, ça laisse des cicatrices.

*

Je n'ai jamais écrit ces livres rêvés, ces best-sellers bien accueillis par la critique, mais je mène bien ma barque en tant que rédacteur, et je m'estime heureux : quantité d'aspirants écrivains n'ont pas eu cette chance. J'ai régulièrement gravi les échelons de la promotion sociale et salariale jusqu'au point où j'en suis aujourd'hui, au sein de l'équipe éditoriale de *Commercial Flight*, un magazine dont vous n'avez probablement jamais entendu parler.

Un an après ma nomination au poste de rédac' chef, je me suis vu de retour sur le campus de l'université pour un colloque de deux jours sur l'avenir des magazines professionnels au XXIe siècle. Au cours d'une pause, le deuxième jour, je me suis aventuré jusqu'au bâtiment Hamilton Smith et, sur une impulsion, je suis allé jeter un coup d'œil sous l'escalier du sous-sol. Les dissertations, les plans de table truffés de célébrités, les œuvres d'art albanais, tout avait disparu. Y compris les fauteuils, le canapé, les cendriers sur pied. Et pourtant, quelqu'un n'avait pas oublié... Scotché sur une contremarche sous l'escalier, là où naguère était placardé le décret du Professeur Nako sur la liberté permanente de fumer, j'ai découvert une bande de papier comportant une seule ligne dactylographiée en caractères si petits que j'ai dû me rapprocher et me mettre sur la pointe des pieds pour la lire :

Le Professeur Nako enseigne aujourd'hui à l'École de Magie et de Sorcellerie de Poudlard.

Ben, ma foi, pourquoi pas ?

Pourquoi foutre pas ?

Quant à Wendy, j'en sais autant que vous. Je suppose que je pourrais utiliser Google, cette boule de cristal du XXIe siècle, pour tenter de la retrouver et savoir si elle a réalisé son propre rêve, celui de la chic petite boutique de prêt-à-porter, mais à quoi bon ? Le passé est le passé. Fini, c'est fini. Et après mon passage à Joyland (à quelques encablures par la plage d'une petite bourgade nommée Heaven's Bay, autant dire tout près du Ciel, ne l'oubliez pas), mon cœur brisé fut ramené à des proportions nettement moins démesurées. Mike et Annie Ross n'y furent pas étrangers.

*

Mon père et moi, on s'est retrouvés seuls tous les deux pour manger son fameux poulet au citron. Ce qui, pour Timothy Jones, était probablement aussi bien, car même si par égard pour moi il avait toujours cherché à le cacher, je savais que ses sentiments envers Wendy étaient à peu près équivalents à ceux que j'éprouvais envers sa copine Renée. À l'époque, je pensais que c'était parce que mon père était un peu jaloux de la place que Wendy avait prise dans ma vie. Aujourd'hui, je pense qu'il avait vu plus clair que moi dans son jeu. Je ne saurais l'affirmer : nous n'en avons jamais parlé. Je ne suis pas sûr que les hommes sachent parler des femmes d'une façon tant soit peu éclairée.

Repas terminé et vaisselle faite, on s'est installés sur le canapé avec une bière et du pop-corn devant un film où Gene Hackman jouait un drôle de flic fétichiste du pied. Wendy me manquait – je l'imaginais en train d'écouter la troupe de *Pippin* chanter *Spread a Little Sunshine* – mais l'avantage du scénario à deux bonshommes, c'est qu'on peut roter et péter en toute quiétude sans être obligés de s'en cacher.

Le lendemain – mon dernier jour à la maison –, on est allés faire une balade le long de la voie ferrée qui passait dans les bois derrière chez nous. Moi et mes copains, on avait toujours eu l'interdiction formelle de ma mère de nous approcher de ces rails. Ça faisait plus de dix ans que le dernier train de marchandises de la GS&WM les avait empruntés, ils étaient rouillés et envahis d'herbes folles, mais maman s'en fichait. Elle était convaincue qu'il nous suffirait d'aller y jouer pour qu'un ultime convoi (genre Train Express Mangeur d'Enfants) arrive en trombe et nous réduise en bouillie. L'ironie, c'est que c'est elle qui s'est fait renverser par un train-surprise : cancer du sein métastasé à l'âge de quarante-sept ans. Vous parlez d'un putain de rapide.

« Tu vas me manquer, cet été, m'a dit mon père.

– Toi aussi.

– Ah ! avant que j'oublie… » Il a fouillé dans sa poche de poitrine et en a sorti un chèque. « Ne tarde pas trop à l'encaisser. »

J'ai regardé le montant : non pas les cinq cents dollars que j'avais sollicités, mais mille. « Tu es sûr que tu peux, papa ?

– Oui, grâce à toi. Avec ton job à la cafétéria, j'ai pas eu à t'entretenir toute l'année. Considère ça comme une prime. »

Je l'ai embrassé ; il ne s'était pas rasé ce matin-là et il piquait. « Merci, papa.

– Bah, tu le mérites bien plus que tu ne le crois. » Il a sorti un mouchoir de sa poche et s'est essuyé les yeux ouvertement, sans honte. « Désolé pour les grandes eaux. Mais c'est dur de voir ses enfants partir. Tu le découvriras par toi-même un jour, j'espère seulement que tu auras une bonne épouse à tes côtés pour te tenir compagnie après leur départ. »

J'ai repensé à Mrs. Shoplaw me disant *Les enfants représentent un tel risque.* « Papa, tu es sûr que ça va aller ? »

Il a remis son mouchoir dans sa poche et m'a adressé un grand sourire, franc et lumineux. « Si tu m'appelles de temps en temps, oui, ça va aller. Et aussi, ne les laisse pas te faire grimper trop haut sur une de leurs maudites montagnes russes pour aller réparer je ne sais quoi. »

Ça m'aurait bien plu, à moi, mais je l'ai rassuré.

« Et puis… » Mais, conseil ou mise en garde, je n'ai jamais su ce qu'il s'apprêtait à me dire. Il a tendu le doigt. « Regarde ! »

À cinquante mètres de nous, une biche était sortie des bois. Elle enjamba délicatement un rail et s'arrêta sur la voie envahie d'herbes sauvages et de verges d'or si hautes qu'elles lui caressaient les flancs. Là, elle demeura un instant à nous regarder, calme et immobile, les oreilles pointées en avant. Le souvenir que j'ai gardé de cet instant, c'est le silence. Pas un oiseau ne chantait, pas un avion ne grondait. Ma mère, si elle avait été là, aurait pris photo sur photo avec l'appareil qu'elle emportait partout. D'y penser m'a rendu son absence plus sensible qu'elle ne l'avait été pour moi depuis ces quatre ans.

J'ai donné à mon père une brève et fougueuse étreinte. « Je t'aime, papa.

– Je sais, qu'il m'a fait. Je sais. »

Quand j'ai de nouveau regardé, la biche s'en était allée. Et un jour plus tard, c'était mon tour.

*

L'écriteau en coquillages avait disparu du porche de la grande maison grise de Heaven's Bay. Mrs. Shoplaw avait fait le plein de pensionnaires pour l'été et j'ai béni intérieurement Lane Hardy de m'avoir fait penser à réserver un logement à l'avance. La troupe des saisonniers de Joyland était arrivée et il ne restait pas une chambre libre en ville.

J'occupais le premier étage avec Tina Ackerley, la bibliothécaire. Les chambres du deuxième étage avaient été louées à une jolie rousse svelte, Erin Cook, étudiante en arts plastiques à la faculté de Bard, et à un grand costaud, Tom Kennedy, étudiant à Rutgers. Erin, qui prenait des cours de photo depuis le lycée, avait été embauchée en qualité d'Hollywood Girl. Quant à Tom et moi...

« Gentil Assistant, me dit-il. Affecté à des tâches diverses, autrement dit. C'est la case que Fred Dean a cochée sur mon formulaire de candidature. Et toi ?

– Idem. Agent d'entretien, quoi.

– Je pense pas.

– Ah bon, pourquoi ?

– On est blancs », répondit Tom. Et il s'est avéré qu'il avait raison. Nous avons beau avoir effectué notre part de travaux de nettoyage, cet été-là, l'équipe d'entretien proprement dite – une vingtaine d'hommes et plus d'une trentaine de femmes en combinaison ornée d'un badge à l'effigie de Howie le Chien Gentil brodé sur la poche de poitrine – ne comptait que des Haïtiens et des Dominicains. Sans doute sans papiers aussi... Ils étaient logés dans un petit village à quinze kilomètres à l'intérieur des terres et trimballés dans deux anciens bus scolaires pour venir au parc et en repartir. Tom et moi étions payés quatre dollars de l'heure, Erin un peu plus. Dieu seul sait combien les hommes et les femmes de ménage étaient payés. Ils étaient exploités, ça c'est sûr, et invoquer le fait que c'était il y a quarante ans et qu'à l'époque il y avait dans tout le Sud des travailleurs sans papiers qui travaillaient dans des conditions bien pires ne change rien à l'affaire. Leur seul avantage sur nous : ils n'ont jamais eu à porter la fourrure. Erin non plus.

Tom et moi, oui.

*

La veille de notre premier jour de travail, nous avons passé la soirée tous les trois dans le salon de la Maison Shoplaw à faire connaissance et à nous livrer à des pronostics sur l'été qui nous attendait. Alors que nous bavardions, la lune se levait sur l'Atlantique, avec la même beauté sereine que la biche que nous avions vue, mon père et moi, traverser la vieille voie ferrée.

« C'est un parc d'attractions, les gars, nous dit Erin. Le travail ne peut pas être si dur que ça.

– Facile à dire pour toi, répliqua Tom. Personne ne va te demander de passer les Whirly Cups au jet quand toute une troupe de louveteaux aura vomi son quatre-heures pendant le tour de manège.

– Je ferai ma part, répondit Erin. Si ça inclut nettoyer du vomi aussi bien que prendre des photos, pas de problème. J'ai besoin de ce job. J'attaque ma dernière année de fac l'an prochain et je suis presque ruinée.

– On devrait essayer de faire partie de la même équipe », dit Tom. Et c'est ce qu'on a fait. Toutes les équipes de travail à Joyland portaient des noms de races de chiens, et la nôtre était l'Équipe Beagle.

Mrs. Shoplaw a choisi ce moment pour entrer dans le salon munie d'un plateau avec cinq flûtes à champagne dessus. Miss Ackerley, une autre grande perche au nez chaussé d'énormes lunettes qui lui donnaient un air très Joyce Carol Oates, la suivait, bouteille à la main. Tom Kennedy s'illumina. « C'est du soda français, ou je rêve ? La bouteille est un peu trop belle pour que ce soit du mousseux de supermarché !

– Champagne pour tout le monde, confirma Mrs. Shoplaw. Mais si vous espériez du Moët-et-Chandon, jeune Mr. Kennedy, je crains de vous décevoir. Je n'ai pas pris un vulgaire Cold Duck, mais pas non plus du haut de gamme.

– Je ne peux pas parler à la place de mes collègues, dit Tom, mais pour quelqu'un comme moi qui a tété de l'Apple Zapple toute son enfance, c'est tout sauf une déception ! »

Mrs. Shoplaw a souri. « Je sabre toujours le champagne au début de l'été, pour la chance. Jusqu'à présent, ça a l'air de marcher. Je n'ai encore jamais perdu un seul de mes pensionnaires. Prenez tous un verre, je vous prie. » Nous avons obtempéré. « Tina, je vous laisse servir ? »

Quand nos flûtes furent pleines, Mrs. Shoplaw leva la sienne et nous l'avons tous imitée.

« À la santé d'Erin, Tom et Devin, dit-elle. Qu'ils passent un formidable été et n'aient pas à porter la fourrure par des températures supérieures à vingt-cinq degrés. »

Nous avons trinqué et bu. Peut-être pas du haut de gamme, mais diablement bon tout de même, et il en restait assez pour que chacun de nous en reprenne. Cette fois, c'est Tom qui porta le toast : « À la santé de Mrs. Shoplaw qui nous offre un havre dans la tempête !

– Oh, je vous remercie, Tom, c'est très joli. Mais cela ne vous vaudra pas de ristourne sur le loyer. »

Nous avons bu et quand j'ai reposé mon verre, je me sentais déjà un tout petit peu pompette. « C'est quoi cette histoire de porter la fourrure ? » j'ai demandé.

Mrs. Shoplaw et Miss Ackerley se sont regardées en souriant. C'est la bibliothécaire qui m'a répondu, mais sa réponse n'en était pas vraiment une. « Vous verrez, m'a-t-elle dit.

– Ne vous couchez pas trop tard, les enfants, nous conseilla Mrs. Shoplaw. Vous vous levez de bonne heure, demain matin. Votre carrière dans le showbiz vous attend. »

*

Nous nous sommes levés de bonne heure, en effet : sept heures du matin, soit deux heures avant l'ouverture du parc. Et nous sommes partis à pied par la plage, tous les trois. Tom a parlé pendant pratiquement tout le trajet. Il parlait tout le temps. Ça aurait pu être assommant s'il n'avait pas été aussi amusant et d'une gaieté si communicative. À la façon qu'elle avait de le regarder, je voyais bien qu'Erin (qui marchait à la lisière de l'eau, ses sandales à la main) était charmée et fascinée. J'enviais à Tom sa capacité à se comporter comme ça. Il était un peu enrobé et pas très beau, mais il débordait d'énergie et possédait un sens de l'humour qui me faisait cruellement défaut.

« Oh, dites donc, les gars, à quel genre de fortunes appartiennent ces bicoques, à votre avis ? » a-t-il demandé en agitant le bras en direction des demeures bordant la plage. Nous étions en train de passer devant la grande verte qui ressemblait à un château, mais il n'y avait pas trace de la femme et du petit garçon en fauteuil roulant ce jour-là. Annie et Mike Ross arriveraient plus tard.

« Des millionnaires, forcément, a répondu Erin. C'est pas les Hamptons, mais comme dirait mon père, c'est pas non plus de la gnognote.

– La présence du parc d'attractions doit faire baisser un peu leur valeur », j'ai dit. J'avais les yeux fixés au loin sur les trois repères les plus distinctifs de Joyland découpés contre le bleu du ciel du matin : Thunderball, Delirium Shaker, Carolina Spin.

« Mais non, mon vieux, tu piges pas la mentalité des riches, contesta Tom. C'est comme quand ils croisent un clochard dans la rue. Ils l'effacent de leur champ de vision, c'est tout. Des clodos ? Où ça, des clodos ? Et ce parc : idem. Quel parc ? Les gens à qui appartiennent ces baraques vivent, genre, dans un autre plan du réel. » Il s'arrêta, la main en visière, pour contempler la grande demeure victorienne qui allait jouer un si grand rôle dans ma vie à l'automne, une fois Erin Cook et Tom Kennedy repartis, en couple cette fois, à l'université. « Celle-là, elle sera à moi. Je compte en prendre possession, voyons… disons… le 1er juin 1987.

– J'apporterai le champagne », annonça Erin. Et nous avons ri tous les trois.

*

Ce matin-là, j'ai vu réunie en un seul lieu, pour la première et la dernière fois, l'équipe des saisonniers de Joyland au complet. On nous avait tous rassemblés dans l'Auditorium Océan, la salle de concerts où tous ces artistes country de seconde zone et ces rockeurs vieillissants se produisaient. Nous étions bien une centaine. La plupart, comme Tom, Erin et moi, étaient des étudiants prêts à bosser tout l'été pour des cacahuètes. Quelques employés à l'année étaient là aussi. J'ai reconnu Rozzie Gold, vêtue de pied en cap pour la circonstance de ses fringues de bohémienne, avec ses grands anneaux d'or aux oreilles. Lane Hardy était sur scène, occupé à installer un micro sur le podium et à le tester en le tapotant du bout des doigts. Son chapeau melon était toujours vissé sur sa tête, incliné juste ce qu'il fallait. Je ne sais pas comment il m'a repéré dans cette foule de gamins, mais il m'a glissé un petit salut militaire en effleurant le bord de son chapeau. Je lui ai répondu de même.

Il a terminé son boulot, hoché la tête et sauté de la scène pour rejoindre le siège que Rozzie lui avait gardé. Venant des coulisses, Fred Dean s'avança d'un petit pas plein d'entrain. « Asseyez-vous tous, je vous en prie, asseyez-vous. Avant qu'on ne vous attribue vos équipes, le propriétaire de Joyland – votre employeur – aimerait vous dire quelques mots. Je vous demande d'applaudir Mr. Bradley Easterbrook ! »

Nous avons obéi, et un grand vieillard incroyablement maigre a émergé des coulisses et s'est avancé vers le devant de la scène d'une démarche d'échassier, prudente et saccadée, qui trahissait soit des hanches rouillées, soit des vertèbres rouillées, soit les deux. Il était vêtu d'un costume noir qui lui donnait plus l'air d'un croque-mort que d'un propriétaire de parc d'attractions. Sa longue figure pâle était couverte de verrues et de boutons, et se raser devait être une torture pour lui, mais il était rasé de près. Il avait une chevelure d'ébène, sans doute tout droit sortie d'un flacon, soigneusement peignée en arrière, dégageant un front tout plissé. Il se planta à côté du podium, ses énormes mains tout en phalanges osseuses nouées devant lui. Il avait de grosses poches sous des yeux profondément enfoncés dans leurs orbites.

Le grand âge observait la jeunesse, et les applaudissements de la jeunesse décrurent, puis moururent…

Je ne sais pas très bien à quoi nous nous attendions : peut-être bien à une voix aussi lugubre qu'une corne de brume nous annonçant que la Mort Rouge s'abattrait prochainement sur nous. Et puis Mr. Easterbrook a souri, et son sourire a illuminé son visage comme un juke-box. On a presque entendu un soupir de soulagement parcourir la foule des jeunes saisonniers. J'ai plus tard découvert que Bradley Easterbrook avait eu quatre-vingt-treize ans cet été-là.

« Mes amis, nous a-t-il dit. Bienvenue à Joyland. » Et là, avant de rejoindre le pupitre, il s'est carrément incliné devant nous. Il a pris quelques secondes pour ajuster le micro, déclenchant une série de craquements amplifiés, sans nous quitter un seul instant de ses yeux profondément enfoncés.

« Je vois beaucoup de visages d'habitués, a-t-il commencé, ce qui a le don de me réjouir. Pour les bleus, j'espère que cet été sera le meilleur de votre vie, l'aune à laquelle vous jugerez tous vos emplois futurs. Il s'agit là d'un souhait bien extravagant, je le reconnais, mais quiconque dirige bon an mal an un parc d'attractions comme celui-ci doit forcément être un personnage quelque peu extravagant. Il y a fort à parier que vous n'exercerez jamais plus par la suite un emploi comme celui qui vous attend ici. »

Il nous examina attentivement, tout en infligeant une nouvelle torsion au cou articulé du micro.

« Dans quelques instants, Mr. Dean et Mrs. Brenda Rafferty, qui règnent sur nos bureaux, vous communiqueront vos équipes d'affectation. Vous serez sept par équipe et serez tenus de vous comporter comme une équipe et de travailler en équipe. Vos tâches vous seront assignées par votre chef d'équipe et pourront varier d'une semaine à l'autre, parfois d'un jour à l'autre. Si la variété est le piment de la vie, les trois prochains mois ne manqueront pas de saveur pour vous. Je compte sur vous, jeunes demoiselles et jeunes messieurs, pour garder *un* précepte au premier plan de vos esprits. Voulez-vous faire cela pour moi ? »

Il s'interrompit, comme s'il s'attendait à recevoir une réponse de notre part, mais personne n'a moufté. Nous nous contentions de l'observer, ce très vieil homme en costume noir et chemise blanche à l'encolure ouverte. Lorsqu'il reprit la parole, on aurait pu croire qu'il se parlait à lui-même, c'est du moins l'impression que nous firent ses premières phrases :

« C'est un monde bien malade et brisé que celui-ci, empli de guerres, de cruauté et d'innommables tragédies. Chaque être humain qui l'habite reçoit son lot de malheur et d'insomnies. Ceux d'entre vous qui l'ignorent encore ne manqueront pas de l'apprendre. Compte tenu de ces faits indéniablement tristes relatifs à la condition humaine, vous avez reçu un cadeau inestimable cet été : vous êtes ici pour *vendre du bonheur*. En échange des dollars chèrement gagnés de vos clients, vous distribuerez de la joie. Les enfants s'en retourneront chez eux en rêvant de ce qu'ils ont vu ici et de ce qu'ils ont fait ici. J'espère que vous vous souviendrez de cela toutes les fois où le travail sera dur, et il le sera parfois, toutes les fois où les gens se montreront grossiers, et cela leur arrivera souvent, ou lorsque vous aurez le sentiment que vos meilleurs efforts n'ont pas été appréciés à leur juste valeur. Ce monde-ci est différent, il a ses propres coutumes et son propre langage, que nous appelons simplement la Parlure. Vous commencerez à l'apprendre dès aujourd'hui. Et à joindre le geste à la Parlure. Mais ces gestes-là, je ne vous les expliquerai pas car ils ne s'expliquent pas ; ils ne peuvent que s'apprendre. »

Tom se pencha vers moi pour me glisser : « Apprendre la Parlure ? Joindre le geste à la Parlure ? On est tombés dans une réunion des AA, ou quoi ? »

Je lui ai fait signe de se taire. J'étais entré dans l'auditorium en pensant recevoir une liste de commandements, du genre *vous ne ferez pas* ; au lieu de quoi, j'avais entendu un petit morceau de poésie brute, et j'en étais ravi. Bradley Easterbrook nous examinait toujours, et soudain il exposa de nouveau sa grande dentition chevaline dans un autre sourire. Qui paraissait assez large pour engouffrer le monde entier. Erin Cook, de son côté, contemplait le vieillard avec extase. De même que la plupart des autres nouveaux venus. Exactement comme les étudiants dévorent des yeux un prof qui leur offre une nouvelle perspective sur la réalité.

« J'espère que vous apprécierez votre travail ici. Mais lorsqu'il vous pèsera – lorsque, par exemple, ce sera votre tour de porter la fourrure –, tâchez de vous rappeler combien vous êtes privilégiés. Dans un monde triste et sombre, nous sommes un petit îlot de bonheur. Nombre d'entre vous savent déjà ce qu'ils veulent faire plus tard : vous espérez devenir médecins, avocats, que sais-je encore, politiciens...

– *OH NON PITIÉ !* » s'écria une voix. Et un rire général lui répondit.

J'aurais dit que la banane d'Easterbrook ne pouvait décemment pas s'agrandir, mais elle le fit pourtant. Tom secouait la tête, incrédule, mais lui aussi s'était laissé séduire. « OK, ça y est, je pige, me chuchota-t-il à l'oreille. Ce type est le Jésus de l'Attraction. »

« Vous mènerez des vies intéressantes et enrichissantes, mes jeunes amis. Vous accomplirez beaucoup de bonnes choses et ferez beaucoup de remarquables expériences. Mais j'espère que vous jetterez toujours un regard en arrière sur votre passage à Joyland comme sur une époque très spéciale. Nous ne vendons pas de meubles. Nous ne vendons pas de voitures. Nous ne vendons ni des terrains, ni des maisons, ni des fonds de pension. Nous n'avons pas de programme politique. *Nous vendons du bonheur !* Ne l'oubliez jamais. Merci de votre attention. Maintenant, à vous de jouer. »

Il se détacha du pupitre, s'inclina à nouveau et quitta la scène de sa douloureuse démarche d'échassier. Il avait presque disparu avant que les applaudissements ne fusent. C'était l'un des plus beaux discours que j'avais jamais entendus. Parce que c'était la vérité et pas des conneries. Non mais, sérieusement : combien de ploucs peuvent inscrire *Été 1973 : vendeur de bonheur pendant trois mois* sur leur CV ?

*

Tous les chefs d'équipe étaient des employés de longue date de Joyland qui partaient rejoindre le circuit des fêtes foraines à la morte-saison. La plupart étaient aussi membres de la Commission d'Exploitation du Parc, ce qui signifiait qu'ils devaient veiller à l'application des règlements fédéraux et de l'État (relativement peu contraignants en 1973) et prendre en charge les réclamations des clients. Cet été-là, je me suis laissé dire que la plupart des réclamations concernèrent la nouvelle réglementation non-fumeur du parc…

Notre chef d'équipe était un petit type énergique du nom de Gary Allen. Il avait dans les soixante-dix ans et tenait le Tir à la Carabine d'Annie Oakley, ou « Tir de l'Ouest », en Parlure, et c'est ainsi que, passé ce premier jour, nous l'avons tous appelé. Gary Allen était donc le patron du Tir de l'Ouest, et c'est à son stand que nous, les sept membres de l'Équipe Beagle, sommes allés le trouver. Il était en train d'attacher des carabines à des chaînettes. Mon premier travail officiel à Joyland – avec Erin, Tom et les quatre autres gars de l'équipe – fut de garnir de lots les étagères. Les lots qui héritaient des meilleures places étaient les gros animaux en peluche colorés que personne ne gagnait jamais, ou rarement… même si Gary nous expliqua qu'il en faisait toujours gagner un par soirée quand le client était sympa.

« J'aime bien les pigeons, nous dit-il. Oui, vrai de vrai. Et les pigeons que je préfère, c'est les pigeonnes, par quoi j'entends les jolies petites donzelles. Et les pigeonnes que je préfère, c'est celles qu'ont un décolleté pigeonnant, 'turellement ! Et qui s'penchent bien en avant pour tirer, comme ça. » Il attrapa une carabine .22

long rifle modifiée pour tirer des plombs (et produire un claquement sonore et satisfaisant à chaque pression de gâchette) et se pencha en avant pour nous faire la démonstration.

« Quand un gars fait ça, j'ui signale qu'y dépasse la ligne autorisée. Quand une pigeonne le fait ? Jamais ! »

Ronnie Houston, un jeune mec à lunettes et à l'air anxieux coiffé d'une casquette de l'Université de Floride, fit remarquer : « Je vois aucune ligne d'indiquée, Mr. Allen. »

Gary le regarda, les poings remontés sur ses hanches informes. Son jean semblait tenir autour de sa taille par l'opération du Saint-Esprit. « Écoute-moi bien, fils, j'ai trois choses à te dire. Prêt ? »

Ronnie acquiesça d'un signe de tête. On aurait dit qu'il mourait d'envie de prendre des notes. On aurait dit qu'il mourait aussi d'envie de se planquer derrière nous.

« Primo : tu peux m'appeler Gary ou Pop ou "rapplique ici vieux débris", je m'en balance, mais je suis pas un maître d'école, alors ton monsieur, tu peux te le mettre où je pense. Deuzio : je veux plus jamais revoir cette foutue casquette universitaire sur ton crâne. Tertio : la ligne autorisée, elle est là où que j'dis qu'elle est quand que j'dis qu'elle y est. Passqu'elle est dans ma *têêête* ! » Et pour que les choses soient bien claires, il tapota du doigt l'une de ses tempes creuses et veinées, puis esquissa un geste en direction des lots, des cibles et du comptoir où les lapins – les ploucs – déposaient leur flouze. « Tout ça c'est dans ma *têêête. Le métier est mental !* Compris ? »

Ronnie n'avait rien compris, mais il hocha vigoureusement la sienne, de tête.

« Main'nant, vire-moi ce képi en forme d'étron de ta cafetière. Tu m'feras le plaisir de porter une visière Joyland ou un shako d'Howie le Chien Gentil. Première des choses à te procurer aujourd'hui. »

Ronnie ôta promptement sa casquette et la fourra dans sa poche arrière. Plus tard ce jour-là – dans l'heure qui suivit, je crois bien –, il la remplaça par une casquette Howie, connue sous le nom de « shako » en Parlure. Au bout de trois jours de mise en boîte, à se faire traiter de bleu, Ronnie emporta son shako tout neuf sur le parking, dénicha un coin bien graisseux et l'y piétina copieusement. Et quand il le remit sur sa tête, son bitos avait la gueule de l'emploi. Ou à peu près… Quant à Ronnie Houston lui-même, il n'a jamais vraiment réussi à avoir la gueule de l'emploi : certains sont destinés à rester des bleus toute leur vie. Je me souviens de Tom lui glissant à l'oreille que s'il pissait un peu dessus, ça lui donnerait cette touche finale qui fait toute la différence… Quand il a vu Ronnie à deux doigts de le prendre au sérieux, Tom a changé de disque et lui a assuré qu'un bain dans l'océan produirait absolument le même effet.

Pendant ce temps, Pop nous observait.

« En parlant de jolis brins de filles, je m'aperçois que nous en avons une parmi nous. »

Erin sourit avec modestie.

« Hollywood Girl, ma jolie ?

– Oui, d'après ce que Mr. Dean m'a dit.

– Alors, faut k't'ailles trouver Brenda Rafferty. C'est la patronne en second ici, et un peu la Maman des Filles du parc aussi. Elle va t'attifer d'une de ces mignonnes robes vertes au ras des fesses. Dis-lui bien que tu veux la tienne courte-courte.

– Vous pouvez toujours courir, espèce de vieillard lubrique ! » répliqua Erin. Et quand il aboya de rire, la tête renversée en arrière, elle l'imita avec un naturel confondant.

« Effrontée ! Culottée ! Est-ce que j'aime ça ? J'adore ! Quand tu ne seras pas occupée à tirer le portrait des lapins, reviens vite voir ton vieux Pop et il te trouvera quelque chose à faire... mais d'abord tu iras enlever ta robe. Il s'agirait pas de la tacher de cambouis. *Kapish* ?

– Compris », dit Erin. Elle avait repris un sérieux tout professionnel.

Pop Allen consulta sa montre. « Le parc ouvre dans une heure, les mioches, vous apprendrez sur le tas. En commençant par les manèges. » Il nous les désigna un à un, en nous attribuant nos postes. J'ai hérité de la Carolina Spin, ce qui m'a réjoui. « On a le temps pour une question ou deux, mais pas plus. Quelqu'un a kek'chose à demander, ou vous êtes tous parés à virer ? »

J'ai levé la main. Il m'a fait un signe de tête et m'a demandé mon nom.

« Devin Jones, m'sieur.

– Appelle-moi encore monsieur et j'te vire, garçon.

– Devin Jones, Pop. » J'allais certainement pas l'appeler *rapplique ici vieux débris*, du moins pas tout de suite... Peut-être quand on se connaîtrait un peu mieux.

« Vas-y, me fit-il avec un nouveau signe de tête. Qu'est-ce que t'as en tête, Jonesy ? À part cette superbe pin-up rousse.

– Qu'est-ce que ça veut dire, forain de chez forain ?

– Ça veut dire que t'es comme le vieil Easterbrook. Son père travaillait déjà sur le voyage dans les années trente, pendant les années de poussière de la Grande Dépression, et son grand-père y travaillait à l'époque où ils tournaient avec le spectacle indien d'opérette et le Grand Chef Yowlatcha.

– Vous *déconnez* ! » s'exclama Tom, complètement exalté.

Pop lui décocha un regard sévère qui le refroidit instantanément, ce qui n'était pas une chose si facile à faire. « Fiston, tu sais ce que c'est, l'Histoire ?

– Euh… ce qui arrivé dans le passé ?

– Nan, mon p'tit père, le détrompa Pop Allen en attachant autour de sa taille sa sacoche de marchand. L'Histoire, c'est la merde collective et ancestrale du genre humain, un énorme tas de fumier qui n'arrête pas de monter. À l'heure où je te parle, on est plantés debout au sommet, mais dans pas longtemps, on sera enfouis sous le caca des générations à venir. C'est pour ça que les habits de tes parents paraissent toujours si drôles sur les photos d'époque, juste pour te donner un exemple. Et sachant que t'es destiné à être enfoui sous la merde de tes enfants et petits-enfants, j'estime que tu *pourrayes* te montrer un peu *plussse* charitable. »

Tom ouvrit la bouche, sans doute pour tenter une remarque finaude, puis la referma sagement.

George Preston, un autre membre de l'Équipe Beagle, prit la parole :

« Et vous, êtes-vous forain de chez forain ?

– Nan. Mon vieux était éleveur de bétail en Oregon ; maintenant, c'est mes frères qui s'occupent de l'exploitation. Moi, je suis la brebis galeuse de la famille, et foutrement fier de l'être. OK, les enfants, si y a rien d'aut' pour votre gouverne, on va arrêter là les finasseries et se retrousser les manches.

– Je peux vous en poser une dernière ? demanda Erin.

– Juste passque t'es jolie.

– Ça veut dire quoi, “porter la fourrure” ? »

Pop Allen sourit. Il appuya les deux mains sur le comptoir de sa boutique. « Dis voir, p'tite madame, t'aurais-tu une idée de s'ke ça pourrait être ?

– Ben… voui. »

Le sourire du vieux s'agrandit en une banane qui dévoila chaque croc jaunissant de sa denture. « Alors, probab' que tu as raison. »

*

Qu'est-ce que j'ai fait à Joyland cet été-là ? Tout ! J'ai vendu des billets. Poussé un wagonnet à pop-corn. Vendu des beignets, de la barbe à papa et des milliers de hot-dogs (qu'on appelait aussi des Hot-Howies – vous vous en doutiez certainement). En fait, c'est grâce à un Hot-Puppie que j'ai eu ma photo dans le journal, mais celui-là, ce n'est pas moi qui l'ai vendu, c'est George Preston. J'ai travaillé comme maître nageur sur la plage et à Howie Lake, le bassin intérieur où aboutissait le toboggan aquatique du Splash & Crash. J'ai dansé en ligne au Wiggle-Waggle Village avec les autres membres de l'Équipe Beagle au son de *Bird Dance Beat*, de *Does Your Chewing Gum Lose Its Flavor on the Bedpost Overnight*, de *Rippy-Rappy, Zippy-Zappy*, et cinquante autres chansons sans queue ni tête. J'ai aussi passé pas mal d'heures – la plupart très heureuses – comme moniteur sans diplôme au jardin d'enfants. Au Wiggle-Waggle, le cri de ralliement homologué pour redonner le sourire à un mouflet en larmes, c'était : « Allez viens, on va remettre ce petit museau à l'endroit ! », et je ne me suis pas contenté de l'adopter, j'y ai excellé. C'est en travaillant au Wiggle-Waggle que j'ai décidé que mon désir d'enfant était une Vraie Bonne Idée plutôt qu'une Rêverie au Parfum de Wendy...

Moi et tous les autres Gentils Assistants, on a appris à courir comme des flèches d'un bout à l'autre de Joyland, soit par les allées longeant l'arrière des boutiques, roulottes, manèges et attractions, soit en empruntant l'un des trois tunnels de service appelés Souterrain Joyland, Souterrain Howie et le Boulevard. J'ai convoyé des tonnes de sacs-poubelles, en général au volant d'une voiturette électrique le long du Boulevard, un passage obscur et sinistre éclairé par de vieux néons qui grésillaient et crachotaient. J'ai même travaillé plusieurs fois comme roadie pour décharger des amplis et des micros quand l'un de nos artistes débarquait en retard et sans équipe technique.

Et j'ai appris à causer en Parlure. Certains mots comme une « boutique » pour une baraque foraine et un « raquedal » pour un client râleur et grippe-sou, certaines expressions comme « aller au métier » pour aller au boulot et « faire un peu de plomb » pour faire un peu de monnaie, étaient du pur parler forain, vieux comme le monde. D'autres termes, comme « des sucettes en ouate » pour la barbe à papa et « la niche à Médor » pour la cabine de commande d'un manège étaient du jargon Joyland breveté. Je suppose que tous les parcs ont leur version brevetée de Parlure, mais le fond est toujours forain de chez forain. Un « mouton bêlant » est un lapin (généralement un raquedal) qui râle de devoir faire la queue. La dernière heure d'ouverture de la journée (à Joyland, c'était de dix heures à onze heures du soir), c'est le « badaboum ». Un lapin qui perd à un stand et réclame qu'on lui rembourse son flouze, c'est un « pétardier ». Les « ouas-ouas », c'est les toilettes, comme dans « Hé, Jonesy, file dare-dare aux ouas-ouas près du Moon Rocket : un con de lapin a dégueulé dans un lavabo ! »

Tenir un stand (ou une boutique en Parlure), c'est venu tout seul pour la plupart d'entre nous. Et vraiment, quiconque est capable de rendre la monnaie peut pousser le wagonnet à pop-corn ou vendre des souvenirs derrière un comptoir. Faire tourner les manèges n'était pas beaucoup plus compliqué, simplement plus intimidant et effrayant au début, parce que des vies étaient entre nos mains, pour la plupart celles de petits enfants.

*

« Première leçon ? me demanda Lane Hardy quand je l'ai rejoint à la Carolina Spin. Bien. Pile à l'heure. Le parc ouvre dans vingt minutes. Ici, on fait comme dans la marine : tu vois une fois, tu fais une fois, tu enseignes une fois. Le mec un peu costaud avec qui t'étais tout à l'heure…

– Tom Kennedy.

– OK. Tom est en train d'apprendre aux Bobtail Skooters en ce moment. Ensuite – pas plus tard qu'aujourd'hui, sans doute –, il va t'apprendre ce qu'il sait, et toi tu lui apprendras ce que tu as appris à la Carolina. Qui, je te le dis en passant, est une roue australienne, ce qui veut dire qu'elle tourne dans le sens inverse des aiguilles d'une montre.

– C'est important ?

– Du tout. Mais je trouve que c'est intéressant. On n'en a pas beaucoup, des Aussie Wheels, aux États-Unis. Celle-ci a deux vitesses : lent et *super*-lent.

– Parce que c'est une attraction de grand-mère…

– Tout juste, Auguste ! » Il me fit une démonstration à l'aide du long levier que je l'avais vu manipuler le jour de ma première visite, puis me fit prendre en main la poignée caoutchoutée. « Tu sens cliqueter quand ça s'enclenche ?

– Oui.

– Et là, c'est stop. » Il posa sa main sur la mienne et repoussa le levier jusqu'en haut. Cette fois, le cliquètement fut plus sonore et l'énorme roue s'arrêta aussitôt, ses nacelles oscillant doucement. « C'est bon, jusque-là ?

– Oui, je crois. Mais, dites-moi, je n'ai pas besoin d'avoir un permis, un certificat ou quelque chose pour conduire cette machine ?

– T'as ton permis de conduire, n'est-ce pas ?

– Oui, bien sûr, de l'État du Maine, mais…

– En Caroline du Nord, c'est tout ce dont tu as besoin, un permis de conduire en cours de validité. Ils trouveront bien tôt ou tard à instaurer de nouvelles réglementations – ils y viennent toujours – mais pour cette année encore, tu t'en tires bien. Maintenant, fais bien attention, parce que c'est la partie la plus importante. Tu vois cette bande jaune sur le côté du carter ? »

Je la voyais, elle était juste à droite de la rampe d'accès au portillon d'embarquement.

« Toutes les cabines ont le portrait de Howie le Clebs Gentil sur la portière. Quand tu vois Howie s'aligner avec la ligne jaune, tu pousses en position stop, comme ça la cabine suivante s'arrête juste là où les gens l'attendent. » Il ramena le levier en position marche. « Vu ?

– Vu.

– Tant que la roue n'est pas blindée…

– Quoi ?

– Blindée. Ça veut dire qu'elle est chargée jusqu'à la gueule. Me demande pas pourquoi. Tant que la roue n'est pas blindée, tu te contentes de passer alternativement de lent à super-lent et stop. Quand ta cargaison est complète – et si on fait une bonne saison, ça t'arrivera la plupart du temps –, tu passes à la vitesse normale. Ils ont droit à quatre minutes. » Il montra du doigt sa radio portative. « Ça, c'est ma stéréo perso, mais la règle veut que celui qui contrôle le manège contrôle la musique. Juste pas de rock plein pot. Les Who, Led Zep, les Stones, des trucs comme ça… jusqu'après le coucher du soleil. Pigé ?

– Ouais. Et pour les faire descendre ?

– Exactement pareil. Super-lent et stop. Super-lent et stop. Aligne toujours la bande jaune avec la bobine d'Howie et tu auras toujours une cabine pile au portillon. Tu devrais pouvoir faire dix tours par heure. Si la roue est pleine à chaque tour, ça fait plus de sept cents clients de l'heure. »

Je l'ai regardé avec une certaine crainte. « Je vais pas vraiment devoir faire ça, si ? C'est votre manège, après tout ?

– C'est le manège à Brad Easterbrook, gamin. Ils sont tous à lui. Moi je suis juste un employé, même si je suis là depuis des années. Je m'occupe du monte-charge la plupart du temps, mais pas *tout* le temps. Hé, ça va, arrête de transpirer. Y a des foires où des bikers couverts de tatouages et à moitié bourrés font ça, alors s'ils peuvent le faire, toi aussi tu peux.

– Si vous le dites. »

Lane a tendu le bras. « La grille est ouverte : v'là les lapins qui déferlent dans Joyland Avenue. Tu vas rester avec moi pour les trois premiers tours. Ensuite, tu pourras l'enseigner au reste de ton équipe. Y compris ta Hollywood Girl ? OK ? »

C'était loin d'être OK : j'étais censé envoyer des gens à cinquante mètres au-dessus du sol après un cours de cinq minutes ? C'était marteau.

Il m'a empoigné l'épaule. « Tu peux le faire, Jonesy. Alors pas de "si vous le dites". Dis-moi que c'est OK.

– C'est OK, j'ai dit.

– Bon gars. » Il a allumé sa radio, branchée maintenant sur un haut-parleur fixé en hauteur sur l'armature de la roue. Les Hollies ont commencé à chanter *Long Cool Woman in a Black Dress*, pendant que Lane sortait une paire de gants de travail en cuir jaune de la poche arrière de son jean. « Et trouve-toi une paire de ces gants-là : tu en auras besoin. Et tant qu'on y est, autant que t'apprennes tout de suite à faire le boniment. » Il se pencha, attrapa un micro dans sa caisse à oranges, posa un pied dessus et se mit à haranguer la foule :

« Salut, les amis, bienvenue au paradis, on s'dépêche, on s'dépêche, l'été durera pas toute la vie, v'nez donc faire un tour dans les airs, vue imprenab' sur la terre, mettez-vous kek'chose sous les canines, embarquez dans la Carolina Spin ! »

Il abaissa son micro et me fit un clin d'œil. « Ça c'est ma tirade à moi, à quelques variantes près ; file-moi un p'tit coup de jaja ou deux, et je fais nettement mieux ! Tu t'inventeras la tienne. »

La première fois que j'ai fait marcher la grande roue tout seul, j'en avais les mains qui tremblaient de terreur, mais à la fin de cette première semaine, je savais la piloter comme un pro (même si Lane disait que mon boniment manquait encore de jus). J'étais aussi capable de faire tourner les Whirly Cups et les Bobtail Skooters, ce qui se réduisait en fait à appuyer sur le bouton marche vert et le bouton arrêt rouge. Mais dans le cas des autos tampo, il fallait en plus courir sur l'autodrome démêler le trafic quand les ploucs restaient coincés pare-chocs en caoutchouc contre pare-chocs en caoutchouc, ce qui arrivait au moins quatre fois par tour de quatre minutes. Sauf que quand tu faisais tourner les Bobtail Skooters, tu n'appelais pas ça un tour, mais une course.

J'ai donc appris la Parlure ; j'ai appris la géographie, tant aérienne que souterraine, de Joyland ; j'ai appris comment tenir une boutique, animer une loterie, et faire gagner des peluches aux mignonnes pigeonnes. Il m'a fallu une semaine ou à peu près pour pratiquement tout intégrer, et encore deux semaines avant que je me sente vraiment à l'aise. Quant à porter la fourrure, j'ai compris ce qu'il en était dès midi et demi le premier jour, et ce fut bien ma veine que Bradley Easterbrook se trouve pile à ce moment-là au Wiggle-Waggle Village, assis sur un banc en train de déguster son déjeuner habituel de germes de soja au tofu – pas vraiment de la bouffe de parc d'attractions, mais n'oublions pas que l'usine de traitement interne du vieux n'était déjà plus de la première jeunesse au temps du bathtub gin et des garçonnes…

Après ma première performance impromptue dans la peau d'Howie le Chien Gentil, j'ai beaucoup porté la fourrure. Parce que j'étais doué pour ça, voyez. Et que Mr. Easterbrook le *savait*. Je la portais encore, environ un mois plus tard, quand j'ai rencontré la fillette à la casquette rouge dans Joyland Avenue…

*

Ce premier jour, ça a été la folie, sûr. J'ai fait tourner la grande roue avec Lane jusqu'à dix heures, et puis tout seul les quatre-vingt-dix minutes suivantes, pendant qu'il courait à droite et à gauche dans tout le parc pour éteindre les incendies inhérents au jour d'ouverture. J'avais commencé à ne plus craindre que la roue dysfonctionne et échappe à mon contrôle, comme le manège dans le film d'Hitchcock. Le plus terrifiant, c'était de voir à quel point les gens étaient *confiants* ! Pas un seul père de famille chargé de mioches n'a interrompu mon boniment pour me demander si je savais de quoi je parlais et ce que je faisais. Je n'ai pas enquillé autant de tours que j'aurais voulu – je m'appliquais tellement à ajuster cette maudite ligne jaune que je me suis chopé une migraine – mais tous les tours que j'ai assurés ont été blindés !

Erin est passée me voir une fois, adorable comme tout dans sa petite robe verte d'Hollywood Girl, et elle a pris en photo quelques familles qui attendaient leur tour. Elle en a pris une de moi aussi – je dois encore l'avoir quelque part. Quand la roue est repartie, elle m'a serré le bras, des gouttelettes de sueur luisaient sur son front, ses lèvres étaient entrouvertes sur un sourire et ses yeux brillaient.

« C'est pas génial, tout ça ? elle m'a dit.

– Tant que je tue personne, ouais, c'est génial, j'ai répondu.

– Si un petit gosse tombe, arrange-toi pour qu'il atterrisse dans tes bras ! » Et là-dessus, m'ayant donné un autre motif d'angoisse, elle est partie au trot en quête d'autres sujets de photos. Les gens prêts à poser pour une superbe rousse un matin d'été étaient légion ! Et elle avait raison, vraiment. Tout ça était plutôt génial.

Autour de onze heures et demie, Lane est revenu. À ce moment-là, j'avais commencé à me sentir vraiment bien aux commandes de la roue et je lui ai refilé le manche à regret.

« C'est qui, ton chef d'équipe, Jonesy ? Gary Allen ?

– Exact.

– Bon, ben, va le trouver et vois ce qu'il a pour toi. Avec un peu de chance, il t'enverra aux catacombes becqueter.

– C'est quoi, les catacombes ?

– C'est là qu'on va tous quand on a un peu de temps libre. Dans la plupart des fêtes foraines et des foires, c'est juste sur le parking ou derrière les camions, mais à Joyland, on est gâtés. On a une chouette salle de repos souterraine, au croisement du Boulevard et du Souterrain Howie. L'entrée de l'escalier de service est entre le Tir aux Ballons et le Lancer de Couteaux. Tu vas aimer, mais t'as le droit d'aller becqueter que si Pop Allen te dit que c'est OK. Moi, j'veux pas me brouiller avec ce vieux zigomar. Son équipe, c'est son équipe. Moi, j'ai la mienne. T'as ta gamelle ?

– Je savais pas qu'on devait en apporter une. »

Il m'adressa un grand sourire.

« Ben maint'nant, tu l'sais. Pour aujourd'hui, passe donc à la roulotte à Ernie : le Palais du Poulet Frit avec la grande crête en plastique rouge au-dessus. Montre-lui ton badge Joyland et il te fera la ristourne maison. »

J'ai fini par manger du poulet frit chez Ernie, mais pas avant deux heures de l'après-midi. Pop avait d'autres plans pour moi : « Va faire un tour à l'atelier costumes : c'est le mobile home entre les Services Techniques et l'Atelier Menuiserie. Dis à Dottie Lassen que c'est moi qui t'envoie. Cette foutue bonne femme va nous péter sa gaine, si elle voit personne arriver.

– Vous ne voulez pas que je vous donne un coup de main d'abord ? » Le Tir de l'Ouest était blindé lui aussi, le comptoir pris d'assaut par des lycéens pressés de remporter ces grandes peluches impossibles à gagner. D'autres ploucs (j'avais déjà commencé à les appeler comme ça en mon for intérieur), au moins trois par tireur, attendaient derrière. Pendant tout le temps qu'il m'adressa la parole, les mains de Pop Allen ne cessèrent pas un instant de s'activer.

« Ce que je veux, c'est que t'enfourches ton cheval et que tu cravaches. Je faisais déjà ce boulot que t'étais pas encore né. T'es lequel, au fait, Jonesy ou Kennedy ? Je sais que t'es pas le crétin à la casquette, mais à part ça, j'me souviens pas.

– Moi c'est Jonesy.

– Eh ben, Jonesy, tu vas aller passer une heure d'éclate au Wiggle-Waggle. Les mômes, eux, vont s'éclater, en tout cas. Toi, peut-être pas tant que ça... » Il m'a dévoilé ses grands crocs jaunes dans un pur sourire à la Pop Allen, celui qui le faisait ressembler à un vieux requin. « Prends ton pied, sous la fourrure ! »

*

À l'atelier costumes aussi, c'était la folie. Une multitude de femmes couraient en tous sens. Dottie Lassen, une maigrichonne qui avait autant besoin d'une gaine que moi de talonnettes, me tomba dessus dès que j'eus franchi le seuil. Elle m'empoigna sous l'aisselle d'une main pourvue d'ongles longs et acérés et m'entraîna vers le fond. Nous longeâmes des déguisements de clown, des déguisements de cow-boy, un gigantesque costume d'Oncle Sam (avec des échasses posées contre le mur à côté), quelques panoplies de princesse, un portant chargé de robes vertes d'Hollywood Girls et un autre de costumes de bain style 1900… J'appris par la suite que nous serions condamnés à les porter pour le service de surveillance de la piscine… Tout au fond de sa caverne d'Ali Baba s'alignaient une douzaine de chiens aplatis. C'étaient tous des Howie, en fait, un costume intégral comprenant le sourire bêta-et-j'aime-ça du Chien Gentil Ravi, les grands yeux bleus rêveurs et les douces oreilles en pointe. Tous les costumes se fermaient dans le dos par une longue fermeture Éclair courant de la nuque à la base de la queue.

« Bon sang, ce que tu es grand ! s'exclama Dottie. Dieu merci, j'ai raccommodé la taille extra-large la semaine dernière. Le dernier GA à l'avoir porté me l'avait déchiré sous les deux bras, et il y avait un trou sous la queue, aussi… Il avait dû manger du chili con carne. » Elle attrapa le Howie XL, le décrocha du portant et me le fourra dans les bras. Sa queue s'enroula autour de ma jambe comme un python. « On t'attend au Wiggle-Waggle, et fissa. Butch Hadley était censé s'en occuper avec son Équipe Corgi – c'est du moins ce que je pensais – mais il dit maintenant que toute son équipe fait la course à la clé du palc. » Je ne comprenais rien à ce qu'elle me racontait, mais elle ne m'a pas laissé le temps de l'interroger. Elle a roulé des yeux d'une façon qui pouvait aussi bien indiquer l'amusement que l'approche de la crise de nerfs et a poursuivi : « Pourquoi tant de panique, tu te dis, hein ? Je vais te dire, mon grand, pourquoi c'est la panique : Mr. Easterbrook prend son déjeuner là-bas, il prend *toujours* son déjeuner là-bas les jours d'ouverture quand on tourne à plein, et si y a aucun Howie en vue, il va être très déçu !

– Déçu… au point de virer quelqu'un ?

– Non, déçu comme dans déçu. Si tu restes avec nous assez longtemps, tu comprendras que c'est déjà assez mauvais comme ça. Personne ne veut le décevoir, ce cher Brad, c'est la crème des hommes. Un grand homme, certes, mais surtout un type bien. Et dans ce métier, les types bien se comptent sur les doigts d'une main. » Elle me regarda et lâcha un petit bruit d'animal blessé. « *Bon sang* de bonsoir, ce k't'es grand ! Et plus bleu qu'un bleu ! Mais kesse j'peux y faire ? »

J'avais une foule de questions à poser, mais ma langue était paralysée. Tout ce que je pouvais faire, c'était regarder fixement le Howie aplati. Qui me retournait mon regard. Et vous savez l'impression que j'ai eue à cet instant ? Je me suis senti comme James Bond dans *Goldfinger*, quand il est attaché à cette espèce de planche à laser. *Vous espérez que je vais parler ?* demande-t-il à Goldfinger, et Goldfinger répond avec une bonne humeur glaçante : *Non, Mr. Bond, j'espère que vous mourrez !* Moi, j'étais attaché à la machine du bonheur… mais bon, c'est la même idée. J'ai eu beau m'accrocher pour rester dans la course, ce premier jour, la foutue machine n'arrêtait pas de s'emballer.

« File aux catacombes, mon grand. Pitié, dis-moi que tu sais où c'est ?

– Je sais. » Dieu merci, Lane me l'avait dit…

« Bien, un point pour l'équipe à domicile, je suppose. Quand tu y seras, déshabille-toi. Ne garde que ton caleçon quand tu portes la fourrure, sinon tu cuiras. Et… quelqu'un t'a déjà parlé de la Règle Numéro Un de la Fête Foraine, mon grand ? »

J'ai pensé que oui, mais j'ai jugé plus prudent de ne rien dire.

« Toujours savoir où est ton portefeuille. Ce parc est largement moins craignos que certains où j'ai pu travailler dans la fleur de ma jeunesse – Dieu merci –, mais ça reste quand même la Règle Numéro Un. Donne-le-moi, je vais te le garder. »

Je lui ai remis mon portefeuille sans protester.

« Maintenant, file. Encore une chose, avant de te déshabiller, veille à boire beaucoup d'eau. Je veux dire, à en avoir la panse qui éclate. Et ne mange rien. Je me fous que tu aies la fringale. J'en ai connu qui ont eu un coup de chaleur et qui ont vomi dans leur costume d'Howie, et c'était pas beau à voir. Le costume a pratiquement toujours fini à la poubelle. Tu bois, tu te déshabilles, tu enfiles la fourrure, tu trouves quelqu'un pour te remonter la fermeture Éclair et tu descends au galop le Boulevard jusqu'au Wiggle-Waggle. Il y a un panneau, tu ne peux pas le manquer. »

J'ai regardé d'un air dubitatif les yeux bleus de Howie.

« Ils sont garnis d'un fin grillage, m'a-t-elle dit. Ne t'inquiète pas, on y voit très bien.

– Oui, mais qu'est-ce qu'on doit *faire* ? »

Elle m'a regardé, en souriant pour commencer, puis son visage – pas seulement sa bouche et ses yeux, mais tout son visage – s'est fendu d'hilarité. Un grand rire l'a secouée, avec comme un bruit de trompette qui lui sortait par le nez. « Tu t'en sortiras », elle m'a fait. C'est ce que tout le monde n'arrêtait pas de me dire. « Applique la Méthode, mon grand. Trouve ton chien intérieur. »

*

Quand je suis arrivé dans les catacombes, il y avait déjà là, en train de déjeuner, une bonne dizaine de jeunes saisonniers, dont deux Hollywood Girls et une poignée de vieux employés. Mais je n'avais pas le temps de jouer les timides. Après avoir bu d'un trait deux litres d'eau à la fontaine, je me suis foutu presque à poil, j'ai déplié le costume d'Howie et je l'ai enfilé en prenant soin de bien enfoncer mes pieds jusqu'au fond dans les pattes arrière.

« Four-rure ! gueula l'un des vieux briscards, et il abattit son poing sur la table. Four-rure ! Four-rure ! Four-rure ! »

Les autres reprirent en chœur et l'air des lampions résonna dans les catacombes pendant que j'étais planté là, en caleçon, la fourrure aplatie d'Howie en tire-bouchon sur les chevilles. C'était comme me retrouver au milieu d'une émeute dans le réfectoire d'une prison. Je me suis rarement senti aussi délicieusement stupide… ou aussi étrangement héroïque. On était dans le showbiz, après tout, et je faisais mon entrée en scène ! Peu importait que je n'aie pas la moindre foutue idée de ce que je faisais…

« *Fourrure ! Fourrure ! FOURRURE ! FOURRURE !*

– *Qui peut me remonter la fermeture Éclair, putain ?* j'ai gueulé. *Il faut que je file au Wiggle-Waggle dare-dare !* »

Une des filles s'est avancée, et j'ai tout de suite compris pourquoi porter la fourrure était une telle histoire. Les catacombes étaient climatisées – tout Joyland souterrain l'était – et je transpirais déjà à grosses gouttes.

L'un des vieux de la vieille s'est avancé et m'a donné une tape amicale sur ma tête d'Howie. « Je vais t'emmener, fils, m'a-t-il dit. Le chariot est juste là. Grimpe.

– Merci. » J'avais la voix étouffée.

« Ouaf, ouaf, Bowser ! » cria quelqu'un. Et tous de hurler de rire.

Et on est partis le long du Boulevard, avec ses inquiétants tubes au néon clignotants : un vieux mec grisonnant en salopette verte d'agent d'entretien aux commandes d'un chariot motorisé et un berger allemand aux yeux bleus sur le siège du copilote. Quand il a freiné devant les escaliers marqués d'une flèche et de la mention WIGWAG peints sur les blocs de béton brut, le mec m'a dit : « Ne parle pas. Howie ne parle jamais, il se contente de leur donner de petites tapes sur la tête et de les prendre dans ses bras. Bonne chance. Et si tu commences à te sentir tout chose, redescends vite te foutre au frais. Les gosses n'ont pas envie de voir Howie foudroyé par un coup de chaleur sous leurs yeux.

– Je n'ai aucune idée de ce que je dois faire, j'ai dit. Personne ne me l'a expliqué. »

J'ignore si ce type-là était forain de père en fils ou pas, mais question Joyland, il s'y connaissait. « Peu importe. Les gosses adorent tous Howie. *Eux* sauront quoi faire. »

Je suis descendu maladroitement du chariot, en manquant marcher sur ma queue qui traînait par terre. J'ai dû tirer un bon coup sur la ficelle dissimulée dans ma patte avant gauche pour la redresser. J'ai gravi les escaliers en titubant et tâtonné au sommet pour actionner le levier à bascule de la porte. J'entendais de la musique, quelque chose qui me rappelait vaguement ma toute petite enfance. J'ai enfin réussi à actionner le levier vers le bas. Le battant de la porte s'est ouvert et, m'aveuglant momentanément, la vive lumière de juin s'est engouffrée dans les yeux bleus d'Howie derrière leurs hublots grillagés.

La musique était plus forte soudain, elle sortait de gros haut-parleurs placés en hauteur, et j'ai pu mettre un nom dessus : la danse du Hokey Pokey… cette immortelle comptine de jardin d'enfants. J'ai aperçu des balançoires suspendues et à bascule, des toboggans, une cage à écureuils sophistiquée, des trampolines, un tourniquet poussé par un bleu comme moi coiffé de longues oreilles de caniche et affublé d'une queue en toupet blanc épinglée à son fond de jean. Le Tchoo-Tchoo Wiggle, le train miniature du village des enfants, capable d'approcher la vitesse remarquable de six kilomètres à l'heure, est passé en crachant un panache de vapeur blanche, chargé de tout-petits agitant docilement la main en direction de parents munis d'appareils photo. Une véritable fourmilière de gamins m'entourait, surveillée par une armée de jeunes saisonniers, plus un couple à plein temps, un homme et une femme qui, eux au moins, devaient être titulaires d'un diplôme d'animateur. Leurs sweat-shirts arboraient le slogan VIVE LES ENFANTS HEUREUX. Juste en face se dressait le long bâtiment du jardin d'enfants appelé la Cabane du Jardin d'Howie.

J'ai aussi aperçu Mr. Easterbrook. Il était assis sur un banc à l'abri d'un parasol Joyland, vêtu de son costume de croque-mort, en train de manger son déjeuner dans un bol avec des baguettes. Il ne m'a pas vu tout de suite : il regardait une file indienne de gamins emmenée vers la Cabane d'Howie par deux bleus pleins de bonne volonté. Les parents pouvaient laisser leurs mioches là (je l'ai su plus tard) pendant deux heures maximum, le temps d'emmener leurs enfants plus âgés dans les manèges à sensations fortes ou d'aller s'offrir un repas au Rock Lobster, le restaurant gastronomique du parc.

J'ai aussi appris plus tard que seuls les enfants âgés de trois à six ans étaient admis dans la Cabane du Jardin d'Howie. La plupart de ceux qui approchaient en file indienne paraissaient accepter leur sort de bon gré, sans doute parce qu'ils étaient déjà des habitués des crèches et garderies quand leurs deux parents travaillaient. D'autres ne prenaient pas les choses aussi bien. Ils avaient peut-être réussi à faire bonne figure au début, quand papa et maman avaient dit qu'ils se retrouveraient tous dans une heure ou deux à peine (comme si un petit de quatre ans avait la moindre idée de ce que pouvait représenter une durée d'une heure), mais maintenant voilà qu'ils se retrouvaient tout seuls, dans un endroit empli de bruit et de confusion, entourés d'inconnus, sans plus trace de papa et maman. Certains pleuraient à chaudes larmes. Engoncé dans mon costume d'Howie, regardant le monde à travers mes hublots grillagés et transpirant déjà comme un porc, j'ai eu l'impression d'être le témoin d'une entreprise typiquement américaine de maltraitance d'enfants. Pourquoi diable emmener son gosse – son *bébé*, autant dire – dans la jungle gigantesque d'un parc d'attractions si c'est pour le refiler, même pour pas longtemps, à une bande de baby-sitters inconnus ?

Les bleus désignés volontaires auprès des mouflets voyaient bien que les larmes se propageaient (l'angoisse est juste une maladie infantile comme les autres, aussi contagieuse que la rougeole, croyez-moi), mais leurs mines traduisaient une incapacité totale à y remédier. Comment aurait-il pu en être autrement ? C'était le Premier Jour, et ils avaient été jetés dans le grand bain avec aussi peu de préparation que moi lorsque Lane Hardy m'avait planté là, aux commandes d'une grande roue gigantesque. *Les gosses de moins de huit ans ne peuvent pas monter sur la Carolina sans être accompagnés d'un adulte*, ai-je pensé. *Mais ici, ces marmots sont quasiment livrés à eux-mêmes.*

Moi non plus, je ne savais pas quoi faire, mais il m'a semblé que je devais tenter quelque chose. Je me suis dirigé vers la file indienne de gosses en levant mes pattes avant et en agitant ma queue comme un malade (je ne la voyais pas, mais je la sentais remuer). Et juste au moment où les deux ou trois premiers mômes m'ont aperçu et ont pointé leur doigt vers moi, j'ai été frappé d'inspiration. C'était la musique… Je m'étais arrêté à l'intersection de l'Allée Dragées et de l'Avenue Sucre-d'Orge, qui se trouvait juste en dessous de deux haut-parleurs tonitruants. M'élevant à près de deux mètres de haut de la pointe de mes pattes arrière jusqu'à celle de mes oreilles dressées, je devais avoir une sacrée prestance. Je me suis penché vers les gosses, qui me regardaient maintenant de tous leurs yeux, la bouche grande ouverte, et je me suis mis à danser le Hokey Pokey !

Le chagrin et la terreur d'avoir perdu papa et maman furent oubliés, du moins temporairement. Les enfants se mirent à rire, certains avaient encore les joues mouillées de larmes. Ils n'osaient pas tout à fait s'approcher, pas tant que je me livrais à ma petite danse maladroite, mais ils s'attroupèrent. Il y avait de l'émerveillement sur leur visage, et aucune peur. Ils connaissaient tous Howie : les petits habitants des deux Caroline le voyaient dans les émissions de télé de l'après-midi, et même ceux venus d'endroits aussi exotiques et lointains que St. Louis et Omaha avaient vu les brochures et les réclames au milieu de leurs programmes de dessins animés du samedi matin. Ils comprenaient qu'Howie était un *grand* chien, mais un *gentil* chien. Jamais il ne les mordrait. C'était leur ami.

J'ai mis ma patte gauche devant, j'ai mis ma patte gauche derrière, j'ai mis ma patte gauche devant et je l'ai remuée dans tous les sens. J'ai fait le Hokey Pokey et j'ai tourné sur moi-même, parce que – tous les petits Américains le savent – voilà, c'est comme ça ! J'ai oublié que j'avais chaud et que je transpirais. Je n'ai plus pensé que mon caleçon collant me rentrait dans la raie des fesses. Après coup, j'allais me taper un foutu mal de crâne, mais sur le moment, je me sentais bien – super bien, en fait. Et vous savez quoi ? Je n'ai pas pensé un seul instant à Wendy Keegan…

Quand la musique a changé et que le thème de *Rue Sésame* a remplacé la comptine, j'ai arrêté de danser, j'ai posé un de mes genoux rembourrés à terre et j'ai ouvert les bras comme Al Johnson !

« *HOWWWIE !* » a hurlé une fillette. Et tant d'années après, j'entends encore nettement l'accent de pure béatitude de sa voix. Elle s'est précipitée vers moi, sa jupette rose virevoltant autour de ses genoux potelés. Et les autres l'ont imitée. La file indienne s'est disloquée.

Les gosses sauront quoi faire, m'avait dit le vieux briscard, et il ne s'était pas trompé. D'abord, ils vrombirent autour de moi comme un essaim, puis ils me renversèrent, puis ils se jetèrent sur moi et m'enlacèrent et me caressèrent en riant. La petite fille en jupe rose me fit plein de bises sur le bout de la truffe en scandant : « Howie ! Howie ! Howie ! »

Quelques parents, qui s'étaient aventurés dans le Village pour prendre des photos, s'approchèrent, fascinés eux aussi. J'ai pédalé des pattes pour faire un peu d'espace autour de moi, j'ai roulé sur le flanc et je me suis relevé avant qu'ils ne m'étouffent sous leur amour. Même si, à ce moment-là, moi aussi je les aimais très fort ! Jamais je n'aurais imaginé un truc pareil…

Je n'ai pas vu Mr. Easterbrook plonger la main dans la poche de son veston de croque-mort, en extraire son talkie-walkie et parler brièvement dans le micro. Tout ce que je sais, c'est que la musique de *Rue Sésame* s'est arrêtée et que la danse du Hokey Pokey a recommencé. J'ai mis ma patte droite devant, j'ai mis ma patte droite derrière, et les gamins m'ont emboîté le pas, me dévorant des yeux, soucieux de ne pas rater un seul mouvement et rester en rade.

Bientôt, tout le monde faisait le Hokey Pokey à l'intersection de Dragées et de Sucre-d'Orge ! Les bleus baby-sitters se sont joints à la danse, et je crois bien que quelques parents aussi nous ont imités. J'ai même mis ma longue queue devant, et puis ramené ma longue queue derrière ! Riant comme des fous, les enfants se sont retournés pour faire de même avec leurs queues invisibles…

Comme la chanson se terminait, j'ai fait un extravagant geste de la patte gauche signifiant « Suivez-moi, les enfants ! » (j'ai bien failli m'arracher ma foutue queue en tirant par inadvertance sur la ficelle) et j'ai entraîné toute la joyeuse équipe vers la Cabane d'Howie. Ils m'ont suivi avec autant d'empressement que les enfants de Hamelin le joueur de flûte, et pas un seul ne pleurait, je vous assure. Ce ne fut pas tout à fait le jour le plus mémorable de ma brillante (et si c'est moi qui la qualifie ainsi, vous pouvez me croire) carrière d'Howie le Chien Gentil, mais il s'en faut de très peu.

*

Une fois les bambins sagement entrés dans la Cabane d'Howie (la mignonne en jupette rose resta longtemps à la porte pour me faire au revoir de la main), j'ai fait demi-tour et, quand je me suis arrêté, le monde a continué à tourner autour de moi. La sueur qui me ruisselait dans les yeux me faisait voir en double le Village des Enfants et tout ce qu'il contenait. J'ai tangué sur mes pattes arrière. Ma performance dans son ensemble, de la première danse du Hokey Pokey jusqu'au coucou d'adieu de la petite fille, n'avait pas duré plus de sept minutes – neuf, maxi – mais j'étais rétamé. J'ai commencé à repartir d'un pas lourd dans la direction d'où je venais, sans très bien savoir quoi faire ensuite.

« Fils, a dit une voix. Viens par là. »

C'était Mr. Easterbrook. Il tenait une porte ouverte à l'arrière du Snack-Bar le Puits aux Souhaits. Peut-être celle par laquelle j'étais arrivé, sans doute la même, mais j'étais trop angoissé et excité pour avoir enregistré où elle se trouvait.

Il me fit entrer, referma la porte derrière nous et tira sur la fermeture Éclair dans le dos de mon costume. La tête étonnamment lourde d'Howie tomba de la mienne et mon torse inondé de sueur reçut comme un baume la caresse de l'air conditionné. Ma peau, encore d'une blancheur hivernale (elle n'allait pas le rester très longtemps), se hérissa de chair de poule. Je respirais à grandes goulées.

« Assieds-toi sur les marches, me dit Mr. Easterbrook. J'appellerai une voiturette d'ici quelques minutes, mais pour l'instant, tu as besoin de reprendre ton souffle. Les premiers tours dans la peau d'Howie sont toujours difficiles, et la performance à laquelle tu viens de te livrer a été particulièrement éprouvante. Elle était fantastique, aussi.

– Merci. » C'était tout ce que je pouvais articuler. Jusqu'à ce que je retrouve le calme et la fraîcheur du souterrain, je n'avais pas réalisé à quel point j'avais frôlé mes limites. « Merci beaucoup.

– Baisse ta tête entre tes genoux si tu te sens tout chose.

– Non, ça va. Mais j'ai mal au crâne. » J'ai extirpé un bras de la peau d'Howie pour essuyer ma figure ruisselante. « On dirait que vous m'avez sauvé la vie.

– Les jours d'été, en plein mois de juillet et août, quand l'air est saturé d'humidité et que la température monte dans les quarante degrés, la durée maximum pour porter la fourrure est de quinze minutes, me dit Mr. Easterbrook. Si quelqu'un veut te faire croire autre chose, envoie-le-moi. Et je te conseillerais d'avaler aussi un ou deux comprimés de sel à chaque fois. On veut que nos jeunes saisonniers travaillent dur, mais on ne tient pas à les tuer. »

Il sortit son talkie-walkie et parla brièvement à quelqu'un à voix basse. Cinq minutes plus tard, le vieux briscard se ramenait sur son chariot avec deux comprimés d'Anacine et une bouteille d'eau d'une fraîcheur merveilleuse. Pendant ce temps, Mr. Easterbrook s'était assis à côté de moi, abaissant son long corps maigre sur les marches du souterrain avec la précaution qu'on emploie pour manipuler du cristal.

« Comment t'appelles-tu, fils ?

– Devin Jones, monsieur.

– Est-ce qu'ils t'appellent Jonesy ? » Il n'attendit pas ma réponse. « Évidemment qu'ils t'appellent Jonesy, c'est la manière foraine, la manière de Joyland, qui n'est en fait rien d'autre qu'une fête foraine à peine déguisée. Des endroits comme ça, on n'en trouvera plus très longtemps. Les Disney et les Knott's Berry Farms de ce monde ne vont pas tarder à faire la loi sur toute l'industrie de l'attraction, sauf peut-être ici en Centre-Sud... Dis-moi, Jonesy, la chaleur mise à part, comment as-tu trouvé cette première expérience sous la fourrure ?

– Ça m'a plu.

– Parce que… ?

– Parce que certains petits pleuraient et… »

Le vieux a souri. « Et ?

– Et il n'aurait pas fallu longtemps pour qu'ils pleurent *tous*, mais j'ai réussi à les faire rire à la place.

– Oui. Tu as dansé le Hokey Pokey : un coup de génie ! Comment as-tu su que ça marcherait ?

– Je ne le savais pas. » Mais en fait, si… d'une certaine manière, je le savais.

Il m'a encore souri. « À Joyland, on jette nos bleus dans le bain sans beaucoup de préparation, parce que chez certains d'entre eux, les *doués*, cela suscite une sorte de spontanéité très spéciale et très précieuse, autant pour nous que pour nos clients. As-tu appris quelque chose sur toi-même à l'instant ?

– Pfff… je ne sais pas trop. Peut-être. Mais… je peux vous dire quelque chose, monsieur ?

– Libre à toi. »

J'ai hésité, puis décidé de le prendre au mot : « Mettre ses mômes à la garderie – aller à la garderie dans un parc d'attractions ! – ça me paraît, je sais pas, plutôt moche… » J'ai ajouté vivement : « Même si le Village a l'air vraiment chouette pour les petits enfants. Vraiment sympa.

– Il faut que tu comprennes une chose, fils. À Joyland, nous sommes dans le vert, mais pas de beaucoup. » À l'appui, il écarta d'un poil le pouce et l'index. « Si les parents savent qu'il y a une garderie pour les tout-petits – même juste pour deux heures –, ils amèneront toute la famille. S'ils devaient prendre une baby-sitter pour les garder à la maison, ils ne viendraient peut-être pas, et notre faible marge de bénéfice s'envolerait. Je comprends ton argument, mais j'ai aussi le mien. La plupart de ces petits mouflets ne sont jamais allés dans un endroit comme ça avant. Ils s'en souviendront comme ils se souviendront de leur premier film ou de leur premier jour d'école. Grâce à toi, ils ne se rappelleront pas qu'ils ont pleuré parce que leurs parents les avaient abandonnés ; ils se rappelleront qu'ils ont dansé le Hokey Pokey avec Howie le Chien Gentil qui leur est apparu comme par magie !

– Je vois. »

Il tendit la main non pas vers moi, mais vers Howie, dont il caressa la fourrure de ses doigts noueux tout en parlant : « Dans les parcs Disney, tout est scénarisé, codifié, et je déteste ça. *Je déteste*. Ce sont les maquereaux du divertissement. Moi, je suis adepte de l'inattendu, de l'improvisé, le côté rock'n'roll de la vie, et j'ai parfois la chance de tomber sur un vrai petit génie. Ce pourrait être toi, Jonesy. Trop tôt pour l'affirmer, mais oui, ça pourrait. » Il plaça sa main sur ses reins et s'étira. J'ai entendu une série alarmante de craquements bruyants. « Puis-je partager ta voiturette jusqu'aux catacombes ? Je crois que j'ai assez pris le soleil pour aujourd'hui.

– Ma voiturette est la vôtre », ai-je répondu. Et, vu que Joyland était son parc, c'était une réponse d'une vérité littérale.

« Je pense que tu porteras souvent la fourrure cet été. La plupart des jeunes gens prennent ça pour une corvée, voire une punition. À mon avis, ce ne sera pas ton cas. Je me trompe ? »

Il ne se trompait pas. J'ai fait des tas de boulots depuis, et mon job actuel de rédacteur de presse (probablement le dernier de ma vie avant que la retraite ne me flingue en plein vol) est fantastique, mais je ne me suis jamais senti aussi incroyablement heureux, aussi parfaitement à ma place qu'à l'âge de vingt et un ans, à porter la fourrure et à danser le Hokey Pokey par une chaude journée de juin !

Rock'n'roll, fils…

*

Après cet été-là, je suis resté ami avec Tom et Erin et je suis toujours ami avec Erin même si, ces derniers temps, on communique plutôt par mails et sur Facebook, mais on se voit de temps en temps pour déjeuner ensemble à New York. Je n'ai jamais rencontré son deuxième mari. Elle dit que c'est un mec chouette, et je la crois. Pourquoi en douterais-je ? Après avoir été mariée avec la version originale du Mec Super Chouette pendant dix-huit ans de sa vie, je vois mal comment elle aurait pu choisir un tocard.

Au printemps 1992, on a diagnostiqué une tumeur au cerveau chez Tom. Six mois plus tard, il était mort. Quand il m'a appelé pour m'annoncer qu'il était malade – son débit de moulin à paroles ralenti par le boulet de démolition qui pendulait dans sa tête –, j'ai été stupéfié et anéanti, comme n'importe qui le serait, je pense, en apprenant qu'un type qui devrait être à l'été de sa vie s'apprête à plonger dans l'hiver. On se sent pris d'une envie de demander pourquoi et en quoi une chose pareille peut être juste. N'était-il pas prévu quelques bonheurs supplémentaires pour Tom ? Un ou deux petits-enfants et peut-être ces vacances tant rêvées à Maui ?

Un jour, pendant mon séjour à Joyland, j'ai entendu Pop Allen parler de flouser le chaland. En Parlure, ça signifie arnaquer grossièrement les ploucs à un jeu censé ne pas être truqué. J'y ai repensé, pour la première fois depuis de longues années, quand Tom m'a appelé pour m'annoncer la mauvaise nouvelle.

Mais l'esprit se défend aussi longtemps qu'il peut… Lorsque le choc initial produit par une telle nouvelle se dissipe, on se dit : *OK, c'est grave, je ne me fais pas d'illusions, mais ce n'est pas non plus inéluctable ; il reste peut-être encore une chance. Même si quatre-vingt-quinze pour cent des gens qui tirent cette carte n'en réchappent pas, il en reste quand même cinq pour cent qui ont de la chance. Et puis, les médecins font tout le temps des erreurs de diagnostic. Et en dehors de tout ça, il y a aussi la part de miracle.*

On pense ça jusqu'au jour où arrive le coup de fil suivant. Et la voix qui est au bout du fil est celle d'une femme qui fut naguère cette fille superbe qui cavalait dans Joyland en petite robe verte virevoltante, coiffée d'un espiègle chapeau de brigand de la forêt de Sherwood, avec en bandoulière un de ces gros vieux appareils photo Speed Graphic, et les lapins qu'elle alpaguait ne disaient pratiquement jamais non. Comment auraient-ils pu dire non à cette flamboyante chevelure rousse et à ce sourire avenant ? Qui aurait pu dire non à Erin Cook ?

Ben, Dieu lui avait dit non. Dieu avait flousé Tom Kennedy et Il l'avait flousée elle aussi par la même occasion… Quand j'ai décroché mon téléphone à cinq heures et demie, par un magnifique après-midi d'octobre à Westchester, cette fille était devenue une femme, et dans sa voix brouillée par les larmes résonnait un accent de vieillesse et d'épuisement mortel : « Tom est mort cet après-midi à deux heures. Ça s'est passé très paisiblement. Il ne pouvait pas parler, mais il était conscient. Il… Dev, il a pressé ma main quand je lui ai dit au revoir. »

J'ai dit à Erin : « J'aurais voulu être là.

– Oui. » Sa voix a vacillé, puis s'est raffermie : « Oui, ç'aurait été bien. »

On pense, *OK, je ne me fais pas d'illusions, je me prépare au pire*, mais on se cramponne à ce petit espoir, vous le savez bien, et c'est ça qui nous fout en l'air. C'est ce foutu espoir qui nous flingue.

Je lui ai parlé, je lui ai dit combien je l'aimais, et combien j'avais aimé Tom, je lui ai dit que oui, je serais là pour l'enterrement, et s'il y avait quoi que ce soit que je puisse faire d'ici là, qu'elle n'hésite pas. Elle pouvait m'appeler jour et nuit. Puis j'ai raccroché, j'ai laissé retomber ma tête et j'ai pleuré comme un veau.

La fin de mon premier amour n'a eu aucune commune mesure avec la mort d'un de mes deux plus vieux amis et avec le chagrin de l'autre, mais ma période de deuil a suivi le même schéma. Absolument le même. Et si ça m'a paru être la fin du monde – d'abord avec des idées de suicide (stupides et à moitié sincères, mais quand même...), puis avec un bouleversement sismique dans le cours précédemment sans histoire et sans remise en question de ma vie –, vous devez bien comprendre qu'à l'époque, je n'avais aucune échelle à laquelle le mesurer. C'est ce qu'on appelle la jeunesse.

*

Le mois de juin touchant à sa fin, je finis par comprendre que ma relation avec Wendy était aussi malade que la rose de William Blake mais je refusais de croire qu'elle puisse être *mortellement* malade, alors même que les signes devenaient de plus en plus flagrants.

Les lettres, par exemple. Ma première semaine chez Mrs. Shoplaw, j'ai écrit quatre longues lettres à Wendy, alors que je rentrais crevé de Joyland et que je me traînais jusqu'à ma chambre à l'étage, la tête farcie d'informations et d'expériences nouvelles et avec l'impression d'être un Première Année largué en plein milieu du semestre dans un cours d'université de haut niveau (genre Physique Avancée du Divertissement). Tout ce que j'obtins en retour, ce fut une unique carte postale avec une vue du jardin public de Boston d'un côté et un message bizarrement écrit à deux mains de l'autre. Tout en haut, d'une écriture que je ne reconnaissais pas, il y avait ceci : C'est Wenny qui écrit pendant que Renée conduit ! Dessous, d'une écriture que là, je reconnaissais, Wendy – ou Wenny, si vous préférez : moi personnellement je détestais – avait écrit d'un trait, dans une sorte d'excitation frivole : Youhou ! C'est nous, les petites vendeuses en balade à Cape Cod ! On s'éclate ! Zizique cool ! T'inquiète, je tenais le volant pendant que Renée écrivait son truc. Espère que ça baigne pour toi. W.

Zizique cool ? Espère que ça baigne pour toi ? Même pas de bises, ni de je te manque ? Rien que *j'espère que ça baigne pour toi* ? Et même si je voyais bien, aux ratures, aux lettres de travers et aux taches d'encre, qu'elles avaient écrit la carte pendant qu'elles roulaient dans la voiture de Renée (Wendy n'avait pas de voiture), leur style indiquait qu'elles étaient soit défoncées, soit complètement biturées. La semaine suivante, j'ai envoyé quatre autres lettres plus une photo de moi portant la fourrure prise par Erin. Toujours pas de réponse de Wendy.

Tu commences par t'inquiéter, et puis tu commences à piger, et ensuite tu sais. Peut-être que tu n'as pas envie de savoir, peut-être que tu penses que les amoureux, c'est comme les médecins, ça commet toujours des erreurs de diagnostic fatales, mais au fond de ton cœur, tu sais…

Par deux fois, j'ai tenté de l'appeler. La même vieille fille ronchon m'a répondu les deux fois. Je l'imaginais avec des lunettes papillon sur le nez, une robe de mémé longue jusqu'aux pieds, et sans rouge à lèvres. Pas là, me dit-elle la première fois. Sortie avec Ren. Pas là, et aucune chance qu'elle soit là à l'avenir, me dit Vieille Fille Ronchon la deuxième fois. Déménagé.

« Déménagé où ? » j'ai demandé, alarmé. J'étais dans le salon de la Maison Shoplaw, où un carnet pour les appels longue distance était posé à côté du téléphone. Mes doigts serraient tellement fort le vieux combiné en bakélite noire que je ne les sentais plus. Wendy, tout comme moi, traversait ses années d'université sur un tapis volant fait d'un patchwork de bourses, de prêts et de jobs d'étudiants. Elle ne pouvait pas se permettre de se payer un logement indépendant. Pas sans une aide extérieure, non.

« Je n'en sais rien et je m'en moque, répondit Vieille Fille Grognon. Je ne supportais plus ces beuveries et ces soirées entre filles jusqu'à deux heures du matin. Incroyable mais vrai, il y en a parmi nous qui ont envie de dormir un peu la nuit. »

Mon cœur battait si fort que je sentais les pulsations dans mes tempes. « Renée a déménagé avec elle ?

– Non, elles se sont disputées. À propos de ce garçon. Celui qui a aidé Wennie à déménager. » Elle disait *Wennie* avec une sorte de mépris flamboyant qui me donnait la nausée. Non, ça ne pouvait pas être cette histoire de gars qui me rendait malade : puisque c'était *moi*, son gars. Si un ami à elle, quelqu'un qu'elle avait rencontré au travail, s'était proposé pour l'aider à déménager ses affaires, qu'est-ce que cela me faisait ? Bien sûr qu'elle pouvait avoir des amis masculins. Je m'étais bien fait une amie féminine, pas vrai ?

« Est-ce que Renée est là ? Est-ce que je peux lui parler ?

– Non, elle est sortie. » Quelque chose a dû finir par tilter dans son cerveau, parce que tout d'un coup Vieille Fille Ronchon a montré un intérêt pour la conversation : « Hééé, vous ne seriez pas Devin, par hasard ? »

J'ai raccroché. Ça n'a pas été un geste délibéré, c'est juste quelque chose que j'ai fait. Je me suis dit que non, je n'avais pas entendu Vieille Fille Ronchon se changer subitement en Vieille Fille Ronchon *Amusée*, comme s'il y avait une espèce de farce dans l'air, et que j'en faisais partie. Que j'en étais même le dindon. L'esprit se défend aussi longtemps qu'il peut, comme je crois l'avoir déjà dit...

*

Trois jours plus tard, j'ai reçu la seule lettre que je devais recevoir de Wendy Keegan cet été-là. Sa dernière lettre. Rédigée sur son papier à lettres à bordure dentelée illustré de mignons chatons jouant avec des pelotes de laine. Un papier à lettres d'écolière... mais cette pensée ne m'a frappé que beaucoup plus tard. Il y avait trois pages enfiévrées, pour me dire essentiellement qu'elle était désolée, qu'elle avait essayé de résister à la tentation mais que ç'avait été plus fort qu'elle, qu'elle savait que je serais blessé alors mieux valait sûrement que je n'essaie pas de l'appeler ni de la revoir avant un certain temps, qu'elle espérait qu'on resterait bons amis une fois que je serais remis du choc, et que c'était un chouette mec, il allait entrer à Dartmouth, il jouait à la crosse, elle savait qu'il me plairait, si je voulais elle pourrait me le présenter à la rentrée, etc. Putain d'etc.

Ce soir-là, je suis allé me poser sur la plage à une cinquantaine de mètres du gîte de Mrs. Shoplaw, avec l'intention de me prendre une cuite. Au moins, je me disais, ça ne me coûterait pas cher. À l'époque, il me suffisait d'un pack de six pour me blinder. Au bout d'un moment, Tom et Erin sont venus me rejoindre et on a regardé les vagues déferler sur le rivage ensemble : les Trois Mousquetaires de Joyland.

« Qu'est-ce que tu as ? » m'a demandé Erin.

J'ai haussé les épaules, comme on fait quand il n'y a pas de quoi fouetter un chat mais que c'est quand même la merde. « Ma copine m'a quitté. Elle m'a envoyé la lettre de rupture classique : "Cher John, je ne voulais pas mais c'est comme ça"…

– Sauf que dans ton cas, a fait Tom, ça aurait dû commencer par "Cher Dev".

– Arrête de faire le clown, l'a prié Erin. Sois un peu compatissant. Il est triste et blessé et il essaie de ne pas le montrer. Tu es trop ballot pour voir ça ?

– Non », a dit Tom. Il m'a passé un bras autour des épaules et m'a étreint brièvement. « Je suis désolé de te voir souffrir, mon pote. Je sens la douleur qui sort de toi comme un vent froid venant du Canada ou même de l'Arctique. J'peux te prendre une bière ?

– Vas-y, sers-toi. »

On est restés un bon moment là assis dans le sable, et sous la pression des douces questions d'Erin, je me suis livré un peu, mais pas entièrement. Oui, j'étais triste. Oui, j'étais malheureux. Mais il y avait bien plus, et je ne voulais pas qu'ils le voient. Parce que j'étais le fils de parents pour qui déballer ses sentiments aux autres était le summum de l'impolitesse, mais surtout parce que j'étais décontenancé par la force et la profondeur de ma jalousie. Je ne voulais même pas qu'ils se doutent de la présence de ce ver malsain en moi (il allait entrer à *Dartmouth*, bon sang, et il allait sans doute intégrer l'une des meilleures fraternités et conduire la Mustang que ses parents lui avaient offerte comme cadeau de fin d'études secondaires). Mais ce n'était pas la jalousie le pire. Le pire, c'était cette horrible prise de conscience – ce soir-là, elle commençait tout juste à s'installer – que j'avais été bel et bien rejeté pour la première fois de ma vie. Elle en avait terminé avec moi, mais moi je ne pouvais pas imaginer en avoir terminé avec elle.

Erin aussi prit une bière et leva sa canette. « Portons un toast à la prochaine élue de ton cœur. J'ignore qui elle sera, Dev, mais je sais déjà que ce sera son jour de chance quand elle te rencontrera.

– Santé ! » lança Tom en levant sa canette. Et parce que c'était Tom, il crut bon d'ajouter : « Mais pas des pieds ! »

Je pense que ni lui ni elle n'ont mesuré ce soir-là, ni tout le reste de l'été, le gouffre qui s'était ouvert devant moi. Et combien je me sentais perdu. Je ne voulais pas qu'ils le sachent. C'était plus qu'embarrassant ; c'était humiliant. Alors je me suis forcé à sourire, j'ai levé ma propre canette de mousse, et j'ai bu.

Au moins, avec eux pour m'aider à liquider les six, je ne me suis pas réveillé avec la gueule de bois le lendemain matin pour couronner mon chagrin d'amour. Et heureusement, parce que, à notre arrivée à Joyland, ce matin-là, Pop Allen m'a annoncé que j'étais réquisitionné pour porter la fourrure sur Joyland Avenue dans l'après-midi : trois prestations de quinze minutes, à trois heures, quatre heures et cinq heures. J'ai rouspété pour la forme (tout le monde était censé rouspéter de devoir porter la fourrure) mais j'étais content. J'aimais me faire chahuter par les gosses et, durant les quelques semaines suivantes, me mettre dans la peau d'Howie a aussi acquis une certaine valeur humoristique. Pendant que je me trémoussais en remuant la queue dans Joyland Avenue, suivi d'armées de gosses hilares, je me disais qu'il ne fallait pas s'étonner que Wendy m'ait largué. Son nouveau copain allait entrer à Dartmouth et jouait à la crosse. L'ancien passait l'été dans un parc d'attractions de troisième zone. À faire le chien.

*

Mon été à Joyland.

J'ai fait tourner des manèges. J'ai fait du réassort le matin – ce qui signifie que je reconstituais les stocks de lots dans les boutiques, et j'en ai tenu certaines l'après-midi. J'ai décoincé des autos tamponneuses à la pelle, appris à cuire des beignets sans me brûler les doigts, et peaufiné mon boniment pour la Carolina Spin. J'ai dansé et chanté avec les autres bleus sur la Scène des Histoires du Wiggle-Waggle Village. Plusieurs fois, Fred Dean m'a envoyé racler le palc, un vrai signe de confiance vu que ça signifiait faire la collecte des recettes de midi et cinq heures sur les différentes attractions. J'ai fait des courses à Heaven's Bay ou à Wilmington pour porter des pièces détachées à réparer ou à changer et je suis resté après la fermeture les mercredis soir – en général avec Tom, George Preston et Ronnie Houston – pour graisser les Whirly Cups et un autre chahut-bahut appelé le Zipper. Ces deux-là consommaient de l'huile comme des chameaux de l'eau dans une oasis. Et bien sûr, j'ai porté la fourrure.

Malgré tout ça, je n'arrivais pas à fermer l'œil de la nuit. Allongé sur mon lit, je coiffais parfois mes vieux écouteurs raccommodés au scotch et j'écoutais mes disques des Doors. (J'avais une prédilection pour des titres éminemment joyeux comme *Cars Hiss By*

My Window, *Riders on the Storm* et – évidemment – *The End*.) Quand la voix de Jim Morrison et l'orgue tintinnabulant et mystique de Ray Manzarek n'arrivaient plus à m'apaiser, je descendais en douce l'escalier extérieur et j'allais marcher sur la plage. Il m'est même arrivé d'y *dormir*. Le bon côté des choses, c'est que lorsque j'arrivais à le trouver, mon sommeil n'était pas peuplé de mauvais rêves. Je ne me rappelle pas avoir fait un seul rêve de tout cet été-là.

Le matin, en me rasant, je voyais les poches que j'avais sous les yeux, et je me suis parfois senti tout chose après une performance particulièrement éprouvante dans la peau d'Howie (les goûters d'anniversaire dans la Cabane du Jardin transformée en maison de fous surchauffée étaient les pires), mais ça, c'était normal : Mr. Easterbrook me l'avait dit. Un petit moment de repos dans les catacombes me remettait toujours d'aplomb. Dans l'ensemble, j'avais l'impression que *j'assurais*, comme on dit aujourd'hui. Mais le premier lundi de juillet, deux jours avant notre Glorieux Quatre, j'ai déchanté.

*

Avec le reste de mon équipe – les Beagle – on s'est présentés comme d'hab au stand de Pop Allen dès notre arrivée et il nous a distribué nos tâches pendant qu'il installait ses carabines à air comprimé. Généralement, une de nos premières corvées du matin consistait à se coltiner des cartons de lots (MADE IN TAIWAN écrit sur la plupart) et à faire le réassort des stands jusqu'aux Premiers Guichets, comme on appelait l'ouverture. Mais ce matin-là, Pop m'a dit que Lane Hardy voulait me voir. Ça m'a surpris : Lane remontait rarement des catacombes plus de vingt minutes avant les Premiers Guichets. Je suis parti dans cette direction mais Pop m'a gueulé :

« Non, non, il est au monte-crétins. » C'était un sobriquet désobligeant pour la grande roue qu'il se serait bien gardé d'employer devant Lane. « Magne-toi, Jonesy. On a pas k'ça à faire, aujourd'hui. »

Je me suis magné, mais je n'ai vu personne en arrivant à la Carolina qui se dressait, immobile et silencieuse, dans l'attente des premiers clients.

« Par ici », appela une voix de femme. J'ai regardé vers la gauche et aperçu Rozzie Gold debout près de son kiosque étoilé, déjà coiffée d'une de ses perruques vaporeuses de Madame Fortuna assortie d'un fichu bleu électrique dont les extrémités nouées lui pendaient presque jusqu'en bas du dos. Lane était debout à côté d'elle, dans sa tenue habituelle : jean étroit délavé et débardeur moulant mettant en valeur ses biscoteaux. Son éternel melon avait l'inclinaison parfaite, à la mauvais garçon. À le voir, comme ça, on aurait pu croire qu'il n'avait rien dans le ciboulot, mais croyez-moi, c'était tout le contraire.

Tous les deux en tenue de scène, et tous les deux avec des têtes d'enterrement. J'ai repassé rapidement les derniers jours, cherchant à me rappeler si j'avais commis quelque erreur qui puisse justifier ces mines inquiétantes. Il m'est venu à l'esprit que Lane avait peut-être reçu des ordres pour me mettre à pied… ou carrément me virer. Mais au plus fort de la saison ? Et puis, est-ce que ça n'aurait pas dû être plutôt le rôle de Fred Dean ou de Brenda Rafferty ? Et qu'est-ce qui expliquait la présence de Rozzie ?

« Qui c'est qu'est mort, les gars ? j'ai demandé.

– Du moment que ce n'est pas toi », m'a répliqué Rozzie. Elle s'installait dans son rôle de la journée et son accent, moitié Carpates, moitié Brooklyn, était tout bizarre.

« Hein ?

– Viens avec nous, Jonesy », m'a dit Lane. Et, sans m'attendre, ils ont enfilé Joyland Avenue, presque déserte à cette heure, quatre-vingt-dix minutes avant les Premiers Guichets : les seules âmes qui vivent étaient quelques membres de l'équipe de nettoyage – des trimards, en Parlure, et probablement tous sans papiers – occupés à passer le balai, chose qui aurait dû être faite depuis la veille au soir. Rozzie s'écarta pour me faire une place entre eux deux quand je les ai eu rejoints. Je me sentais comme un bandit escorté jusqu'au violon par deux flics.

« Mais qu'est-ce que ça veut dire ?

– Tu vas voir », me fit Rozzie/Fortuna d'un ton comminatoire. Et je n'ai pas tardé à voir. À côté de la Maison de l'Horreur, il y avait la Maison aux Miroirs de Mystério – les deux étaient accolées, en réalité. Près du guichet se dressait un miroir normal surmonté d'une pancarte « **AVANT D'ENTRER, N'OUBLIEZ PAS À QUOI VOUS RESSEMBLEZ !** » Lane m'a pris par un bras, Rozzie par l'autre. Je me sentais vraiment comme un criminel emmené devant le juge. Ils m'ont arrêté devant le miroir.

« Qu'est-ce que tu vois ? m'a demandé Lane.

– Moi », j'ai dit. Et comme ça n'avait pas l'air d'être la réponse qu'ils attendaient, j'ai ajouté : « Moi qui aurais besoin de me faire couper les cheveux.

– Regarde tes habits, petit idiot », m'a dit Rozzie. Elle avait prononcé *PeuTTiTiTTiot*.

J'ai regardé. Au-dessus de mes bottes de travail, j'ai vu un jean (avec la paire de gants de cuir de la marque idoine dépassant de la poche arrière), et au-dessus de mon jean une chemise de travail en chambray bleue, assez délavée mais relativement propre. Ma tête était surmontée d'une casquette Howie admirablement amochée qui ajoutait la touche finale.

« Eh ben, quoi ? » j'ai dit. Ça commençait un peu à m'énerver.

« Ils flottent un peu sur toi, non ? m'a fait Lane. C'était pas le cas avant. Combien de kilos t'as perdus ?

– Mais qu'est-ce que j'en sais, moi... On devrait peut-être aller demander à Fat Wally. » Fat Wally tenait le stand Devine-Ton-Poids.

« Ce n'est pas drôle, m'a dit Fortuna. Tu ne peux pas continuer à porter ce maudit costume de chien sous le cagnard de juillet, t'avaler ensuite deux comprimés de sel et estimer que tu as mangé. Pleure ton amour perdu tant que tu veux, mais fais-le en mangeant. Tu dois *manger*, bon sang !

– Qui c'est qui vous a dit ça ? Tom ? » Non, ça ne pouvait pas être lui. « Erin. Elle n'avait pas à se mêler...

– Personne ne m'a rien dit », répliqua Rozzie. Elle se redressa comme un coq sur ses ergots. « J'y vois clair.

– Je ne sais pas quel degré de vision vous avez, mais vous avez un sacré culot. »

Sans préavis, elle a repris sa voix de Rozzie : « Je ne parle pas de vision psychique, gamin. Je parle de la vision d'une femme ordinaire. Tu crois que je ne sais pas reconnaître un Roméo transi quand j'en vois un ? Depuis le temps que je lis les lignes de la main et consulte la boule de cristal ? *Hah !* » Elle a fait un pas en avant, précédée par son opulente poitrine. « Je me fous de ta vie sentimentale : j'ai juste pas envie de te voir filer aux urgences le 4 Juillet – où il est prévu trente-cinq degrés à l'ombre, je te l'annonce – à cause d'un coup de chaleur, ou pire. »

Lane ôta son melon, regarda à l'intérieur et le replaça sur sa tête, incliné de l'autre côté. « Ce qu'elle ne te dira pas, parce qu'elle doit sauver les apparences et entretenir sa réputation de vieille bohémienne bourrue, c'est qu'on t'aime tous ici, petit. Tu apprends vite, tu fais ce qu'on te demande de faire, tu es honnête, tu ne fais pas de vagues, et les mouflets t'adorent quand tu portes la fourrure. Mais il faudrait être aveugle pour ne pas voir que tu ne vas pas bien. Une histoire de fille, d'après Rozzie. Peut-être qu'elle a raison. Peut-être qu'elle a tort. »

Rozzie lui décocha une œillade assassine genre doute-de-moi-si-tu-l'oses.

« Peut-être aussi que tes parents sont en train de divorcer. J'en sais quelque chose, je suis fils de parents divorcés, et ça a bien failli me tuer. Peut-être bien que ton grand frère est en taule pour trafic de drogue…

– Ma mère est morte et je suis fils unique, j'ai bougonné.

– Je me fous de ce que t'es dans le monde carré, m'a dit Lane. C'est Joyland ici. Le monde des manèges, de la *fête*. Et t'es l'un des nôtres. Ce qui veut dire que nous avons le droit de nous occuper de toi, que ça te plaise ou non. Alors, tu vas manger.

– Tu vas *beaucoup* manger, a renchéri Rozzie. Tout de suite, et à midi, et toute la journée. Et *tous* les jours. Et tu vas me faire le plaisir d'avaler autre chose que du poulet frit, autrement dit un risque d'infarctus à chaque pilon. Tu vas aller au Rock Lobster leur demander un repas complet à emporter, avec poisson *et* salade. Double portion. Tu vas reprendre du poil de la bête avant de ressembler à l'Homme-Squelette dans une galerie des monstres. » Elle se tourna pour prendre Lane à témoin. « C'est une fille, évidemment. Ça saute aux yeux.

– Peu importe ce que c'est, m'a balancé Lane, tu vas arrêter de pisser des yeux et de chier ta graisse.

– Quelle façon de parler devant une dame », s'est offusquée Rozzie. Voilà qu'elle avait repris sa voix de Fortuna. Elle n'allait pas tarder à me sortir un truc du genre : *PaSSKe léSSeSSPRRits l'eKSSigent.*

« Oh, allez vous faire voir », a dit Lane. Et, nous plantant là, il s'est dirigé vers la Carolina.

Lane parti, je me suis tourné vers Rozzie. Dans le style figure maternelle de substitution, elle se posait un peu là. Mais à cet instant, je n'avais qu'elle sous la main. « Roz, est-ce que *tout le monde* est au courant ? »

Elle a secoué la tête. « Non. Pour la plupart des vieux de la vieille, tu es juste un bleu parmi les bleus payés à tout faire… juste un peu moins bleu que tu ne l'étais en arrivant il y a trois semaines. Mais beaucoup de gens t'aiment ici, et ils voient bien qu'il y a quelque chose qui cloche. Ton amie Erin, pour commencer. Ton ami Tom ensuite. Moi aussi, je suis une amie, et je vais te dire en amie que tu ne peux pas soigner ton cœur malade. Seul le temps le guérira. Mais tu peux soigner ton corps. Mange !

– Vous ressemblez à une blague de mère juive, je lui ai dit.

– Je *suis* une mère juive, mais crois-moi, ce n'est pas une blague.

– Non, la blague, c'est *moi*, j'ai dit. Je pense à elle tout le temps…

– Ça, tu n'y peux rien, du moins pour le moment. Ce que tu peux faire, c'est chasser ces autres pensées qui viennent parfois t'importuner. »

Je crois bien que ma mâchoire s'est décrochée en entendant ça. Je ne saurais l'affirmer. Mais je sais que j'ai dévisagé Rozzie sans parler. Les gens qui sont dans le bizness divinatoire depuis de longues années, comme l'était Rozzie Gold à cette époque – en Parlure, on les appelle des paluches à cause de leurs compétences en lignes de la main –, sont particulièrement doués pour vous tirer les vers du nez et fouiller votre cerveau de telle manière que ce qu'ils vous disent semble le résultat d'une action télépathique, alors qu'en général ça découle juste d'une observation attentive.

Mais pas toujours.

« Je ne comprends pas.

– Laisse un peu tes disques sinistres en paix, tu comprends ça ? » Elle me scrutait avec sévérité, et puis soudain elle éclata de rire devant la stupeur qui avait dû se peindre sur mon visage. « Rozzie Gold n'est peut-être qu'une mère et une grand-mère juive, mais Madame Fortuna voit beaucoup de choses. »

Ma logeuse aussi… Et c'est ainsi que plus tard j'ai découvert – en les voyant toutes deux déjeuner à une terrasse de Heaven's Bay l'un des rares jours de congé de Madame Fortuna – que Rozzie et Mrs. Shoplaw était bonnes copines et qu'elles se connaissaient depuis des années… Mrs. Shoplaw faisait la poussière dans ma chambre et passait l'aspirateur une fois par semaine : elle avait forcément vu mes disques. Quant au reste – ces fameuses idées suicidaires qui me venaient parfois –, est-ce qu'une femme qui avait passé la majeure partie de sa vie à observer la nature humaine et à guetter les indices psychologiques ne pouvait pas deviner qu'un jeune homme sensible qui venait de se faire larguer caressait secrètement des idées d'overdose médicamenteuse, de pendaison et de noyade au large ?

« Je vais aller manger », j'ai promis. J'avais mille choses à faire avant les Premiers Guichets, mais j'avais surtout hâte de mettre de la distance entre elle et moi avant qu'elle ne me sorte un truc totalement effrayant du genre : *Elle s'appel' VVVendy et TTou PPenses encKKor à elle en té maSStouRRbant.*

« Et bois aussi un grand verre de lait avant de te coucher. » Elle agita un doigt menaçant. « Pas de café : du lait. PouRR ouné meilleuRR SSommeil.

– Ça coûte rien d'essayer », j'ai dit.

Elle est redevenue Roz. « Le jour où nous nous sommes rencontrés, tu m'as demandé si je voyais une belle jeune femme brune dans ton avenir. Tu te souviens de ça ?

– Oui.

– Et qu'est-ce que je t'ai dit ?

– Qu'elle était dans mon passé. »

Rozzie hocha brièvement la tête, avec sécheresse et autorité. « Elle y est. Et quand tu auras envie de l'appeler pour implorer une seconde chance – oh, ça t'arrivera, ça t'arrivera –, serre les dents. Et respecte-toi. Et souviens-toi aussi que les appels longue distance sont ruineux. »

Apprends-moi quelque chose que je ne sais pas, j'ai pensé. « Écoutez, Roz, il faut vraiment que j'y aille. On a du pain sur la planche.

– Oui, on ne va pas chômer aujourd'hui, ni les uns ni les autres. Mais avant que tu partes, Jonesy..., as-tu déjà rencontré le petit garçon ? Le petit garçon avec le chien ? Et la petite fille avec la casquette rouge et la poupée ? Je t'en ai parlé aussi, le jour où on s'est rencontrés.

– Roz, j'ai rencontré un million de gamins ces dernières...

– Ah, donc non. OK. Ça viendra. » Elle avança la lèvre inférieure et souffla, soulevant les mèches de cheveux qui dépassaient de son fichu. Puis elle me saisit le poignet. « Je vois un danger qui te menace, Jonesy. Un chagrin, et un danger. »

J'ai cru un moment qu'elle allait me chuchoter : *Méfie-toi du grand inconnu au regard ténébreux. Il n'arrivera pas à cheval mais sur un monocycle !* Au lieu de quoi, elle m'a relâché et a désigné du doigt la Maison de l'Horreur. « Quelle équipe est chargée de cette affreuse boutique ? Pas la tienne, dis-moi ?

– Non. L'Équipe Doberman. » Les Dobies étaient responsables aussi des attractions voisines : la Maison aux Miroirs de Mystério et le Musée de Cire. Ces trois attractions étant la dernière allégeance de Joyland aux vieux poncifs de l'épouvante des fêtes foraines d'antan…

« Bien. Alors tiens-toi à distance. Elle est hantée. Et un garçon qui a des idées noires a autant besoin d'aller visiter une maison hantée que de mettre de l'arsenic dans son bain de bouche. *Kapish ?*

– Ouais. » J'ai regardé ma montre.

Elle a pigé l'allusion et s'est reculée. « Guette ces deux petits mioches. Et sois prudent. Je vois une ombre sur toi. »

*

Lane et Rozzie m'ont mis un bon coup de jus, je dois l'admettre. Je n'ai pas cessé d'écouter mes disques des Doors pour autant – pas tout de suite, en tout cas – mais je me suis forcé à manger un peu plus, en commençant par avaler trois milkshakes par jour. Je sentais une énergie toute neuve se communiquer à moi comme si quelqu'un avait ouvert un robinet, et, en cette fameuse après-midi du 4 Juillet, je n'ai pu que m'en réjouir. Joyland était blindé comme jamais, et moi j'étais désigné pour exécuter dix tours de piste en portant la fourrure, une première historique…

C'est Fred Dean en personne qui descendit des bureaux pour me communiquer mes horaires et me remettre une note manuscrite de Mr. Easterbrook : *Si ça devient trop dur, arrête tout de suite et demande à ton chef d'équipe de te trouver un remplaçant.*

« Ça ira, j'ai dit.

– Peut-être, mais assure-toi que Pop voie bien ce mémo.

– OK.

– Brad t'aime bien, Jonesy. C'est rare. Les bleus, il les remarque à peine, sauf quand y en a un qui fait une connerie. »

Je l'aimais bien aussi, mais je n'ai rien dit à Fred. Je ne tenais pas à passer pour un lèche-cul.

*

Tous mes tours de piste du 4 Juillet étaient programmés pour durer dix minutes (un moindre mal, même si la plupart des tours de dix minutes finissaient généralement par en durer quinze), et la chaleur était écrasante. *Trente-cinq à l'ombre*, avait annoncé Rozzie, mais à midi ce jour-là le thermomètre accroché à la caravane des Services du Parc indiquait déjà trente-huit. Heureusement pour moi, Dottie Lassen avait recousu l'autre costume XL d'Howie et je pouvais alterner entre les deux. Pendant que j'en portais un, Dottie retournait l'autre sur l'envers et le faisait sécher devant trois ventilateurs.

En plus, j'avais appris à retirer la fourrure tout seul : j'avais fini par découvrir le secret. La patte avant droite d'Howie était un gant et, quand on connaissait le truc, descendre la fermeture Éclair sur son échine était un jeu d'enfant. Une fois qu'on avait ôté la tête, le reste suivait tout seul. C'était un atout, car je pouvais me changer derrière un paravent et ne plus exposer mes caleçons trempés et semi-transparents à la vue des costumières.

Alors que l'après-midi du 4 Juillet se déroulait, avec son accompagnement obligé de drapeaux et fanions patriotiques, j'avais été exempté de toute autre tâche. Je faisais mon tour de piste, puis je me retirais dans le souterrain de Joyland où je m'affalais sur le vieux canapé des catacombes pour respirer un moment et m'imprégner d'air conditionné jusqu'à la moelle. Quand je me sentais régénéré, je filais par les allées secondaires jusqu'à l'atelier costumes pour troquer une fourrure contre l'autre. Entre les tours de piste, j'engloutissais des litres d'eau et quelques verres de thé glacé non sucré. Jamais vous ne voudrez croire que je m'amusais, et pourtant si. Ce jour-là, même les sales gosses m'adoraient.

Et donc, voilà : quatre heures moins le quart, cet après-midi-là. Je me trémousse en descendant Joyland Avenue – notre palc à nous – pendant que les haut-parleurs suspendus déversent sur la foule *Chick-A-Boom, Chick-A-Boom, Don'tcha Just Love it* de Daddy Dewdrop. Je distribue des câlins aux gosses et des coupons Août en Fête, parce qu'à Joyland les affaires ralentissaient à mesure que l'été déclinait. Je pose pour des photos (certaines prises par les Hollywood Girls, la plupart par des hordes de Parents Paparazzi transpirants et cuits par le soleil) et continue mon chemin, poursuivi avec une splendeur de comète par un sillage d'enfants en adoration. Comme je ne suis pas loin d'être claqué, je cherche aussi du regard la porte la plus proche pour rejoindre le Souterrain Joyland. Il ne me reste plus qu'un tour de piste à faire pour la journée dans la peau d'Howie, car Howie le Chien Gentil ne montre jamais ses yeux bleus et ses oreilles en pointe après le coucher du soleil. J'ignore pourquoi ; c'est juste une tradition.

Avais-je remarqué la fillette avec une casquette rouge avant qu'elle ne tombe, prise de convulsions, sur le macadam brûlant de Joyland Avenue ? Je pense que oui, mais je n'en mettrais pas ma main à couper, car le passage du temps ajoute de faux souvenirs à la mémoire et modifie les vrais. Je n'aurais assurément pas remarqué le Hot-Puppie qu'elle brandissait avec enthousiasme, ni son shako Howie rouge vif : un enfant avec un hot-dog à la main dans un parc d'attractions n'a rien d'une vision extraordinaire, et nous avions bien dû vendre un millier de shakos rouges ce jour-là. Si je l'avais remarquée, c'était à cause de la poupée qu'elle tenait serrée contre elle de son autre main. C'était une vieille poupée de chiffon presque aussi grande qu'elle. À peine deux jours plus tôt, Madame Fortuna m'avait conseillé de guetter l'apparition d'une fillette avec une poupée, alors oui, il n'est pas impossible que je l'aie remarquée. Ou alors, je cherchais seulement à quitter le terrain avant de me trouver mal. Toujours est-il que ce n'est pas la poupée qui fut la cause de l'accident mais bien le Hot-Puppie qu'elle mangeait.

Je crois seulement me rappeler la voir courir vers moi (mais ça, tous le faisaient), par contre, ce qui s'est passé après, et pour quelles raisons, reste très clair dans ma mémoire. Elle avait un morceau de son Puppie dans la bouche, et quand elle a inspiré pour crier *HOWWWIE*, elle l'a aspiré au fond de sa trachée. Hot-dog : parfait pour s'étouffer. Heureusement pour elle, il m'était resté dans la caboche juste assez des salades de Rozzie Gold/Fortuna pour me faire passer à l'action.

Quand les genoux de la petite ont fléchi et que son expression de ravissement s'est changée d'abord en surprise, puis en terreur, j'avais déjà attrapé la tirette de ma fermeture Éclair avec ma patte-gant. La tête d'Howie culbuta et roula sur le côté, révélant la trombine rouge et en nage de Mr. Devin Jones et sa tignasse en balai O'Cedar trempé. La gamine lâcha sa poupée de chiffon. Sa casquette tomba. Elle porta une main à sa gorge.

« Hallie ? s'écria une femme. Hallie, qu'est-ce qui se passe ? »

Encore un coup de chance : non seulement je savais ce qui se passait, mais je savais quoi faire pour y remédier. Je ne suis pas certain que vous mesurez à quel point ce fut une heureuse coïncidence. C'est de l'année 1973 que je vous parle, ne l'oubliez pas : Henry Heimlich ne publierait pas avant l'année suivante l'essai concernant la technique qui porte son nom. Pourtant, cette technique a toujours été la manière la plus sensée de sauver des gens de l'étouffement, et nous l'avions apprise lors de notre première et unique session de préparation avant de commencer à bosser à la cafétéria de l'université. Notre prof était un ancien combattant des guerres de la restauration qui avait perdu son café-restaurant à Nashua après l'ouverture d'un McDonald's dans le voisinage.

« Surtout, souvenez-vous que ça ne marchera que si vous y allez fort, nous avait-il dit. Si vous voyez quelqu'un en train de mourir devant vous, ne vous inquiétez pas de lui casser une côte. »

J'ai vu le visage de la fillette devenir violet et je n'ai pas pensé à ses côtes. Je l'ai saisie à bras-le-corps dans une étreinte puissante et velue, j'ai appliqué ma patte gauche contre l'arcade osseuse de son plexus, là où les côtes se rejoignent, et j'ai exercé une seule et vigoureuse pression. Un morceau de hot-dog long d'environ trois centimètres, barbouillé de moutarde jaune, a jailli de sa bouche comme un bouchon d'une bouteille de champagne. Il a exécuté un vol plané d'environ deux mètres. Et non, je ne lui ai pas cassé de côte. Les enfants sont souples, que Dieu les bénisse.

Je ne m'étais pas rendu compte que Hallie Stanfield – c'était le nom de la petite – et moi étions cernés par un cercle grandissant d'adultes. Je n'eus absolument pas conscience que nous étions photographiés en rafales, y compris par Erin Cook, dont le cliché atterrit dans le *Weekly* de Heaven's Bay et différents autres grands quotidiens, parmi lesquels le *Star-News* de Wilmington. J'ai encore un exemplaire de cette photo encadré quelque part dans un carton au grenier. On y voit la fillette suspendue comme une marionnette dans les bras de cette étrange créature moitié chien, moitié homme, avec l'une de ses deux têtes roulant sur son épaule. La fillette, saisie avec une parfaite netteté par le Speed Graphic d'Erin, tend les bras vers sa mère juste au moment où la mère se jette à genoux devant nous.

Tout cela est flou pour moi, mais je me souviens de la maman m'enlevant la fillette des bras pour la serrer dans les siens et du papa me disant : *Jeune homme, je crois que vous lui avez sauvé la vie.* Et je me souviens – cette image-là a encore pour moi la clarté du cristal – de la gamine me regardant avec ses grands yeux bleus noyés de larmes et me disant : « Oh, mon pauvre Howie, tu t'as cassé ta tête. »

*

La grande une classique, tout le monde le sait, est celle qui annonce : UN CHIEN MORDU PAR UN HOMME. Le *Star-News* n'a pu l'égaler, mais le grand titre au-dessus du cliché d'Erin l'a quand même talonnée de près : UNE FILLETTE SAUVÉE PAR UN CHIEN. Et vous voulez savoir quelle a été ma première impulsion idiote ? De découper l'article pour l'envoyer à Wendy Keegan… Je l'aurais peut-être fait si je n'avais pas eu cet air de ragondin noyé sur la photo d'Erin. Je l'ai par contre envoyée à mon père qui m'a appelé pour me dire combien il était fier de moi. Et j'ai entendu au tremblement dans sa voix qu'il était au bord des larmes.

« Dieu t'a placé au bon endroit au bon moment, Dev », m'a-t-il dit.

Peut-être Dieu. Peut-être Rozzie Gold, alias Madame Fortuna. Peut-être un peu les deux.

Le lendemain, j'étais convoqué dans le bureau de Mr. Easterbrook, une pièce lambrissée et colorée de tout un tas de vieilles affiches de foires et de photos de fêtes foraines. L'une d'elles m'a tout particulièrement attiré l'œil : on y voyait un grand bonhomme coiffé d'un canotier et portant une moustache élégamment taillée planté à côté d'un stand de mailloche. Les manches de sa chemise blanche étaient retroussées et il était appuyé comme sur une canne sur un maillet de bois géant : sacrée dégaine, le type. Tout en haut de la colonne, près de la cloche qui tintait lorsque la force d'Hercule était atteinte, une pancarte disait : EMBRASSEZ-LE, MESDAMES, C'EST UN HOMME, UN VRAI !

« C'est vous, là ? j'ai demandé à Mr. Easterbrook.

– Eh oui, c'est moi. Mais je n'ai tenu ce stand qu'une saison. Ça ne me convenait pas. Je n'aime pas les attractions de battage. Moi, j'aime les manèges qui tournent tout seuls. Assieds-toi, Jonesy. Veux-tu un soda ou quelque chose ?

– Non, monsieur, merci. » Je n'avais pas encore digéré mon milkshake de la matinée.

« Je vais être tout à fait franc avec toi. Hier après-midi, tu as fait à notre parc une publicité qui pourrait bien nous rapporter vingt mille dollars, et je n'ai toujours pas les moyens de te gratifier d'une prime. Si tu savais… mais qu'importe… » Il se pencha en avant. « Mais j'ai les moyens de te revaloir ça de mille façons. Si tu as une quelconque faveur à me demander, n'hésite pas. Demande. Si je peux te l'accorder, je le ferai. Tu me le promets ?

– Oui, bien sûr.

– Bien. Et accepterais-tu de faire une dernière apparition – en portant la fourrure – en compagnie de la fillette ? Ses parents veulent te remercier en privé, mais une apparition publique serait une excellente chose pour Joyland. C'est toi qui vois, bien sûr.

– Quand ?

– Samedi, après la parade de midi. Nous dresserons une plate-forme à l'intersection de Joyland Avenue et Howie Way. La presse sera là.

– Ce sera avec plaisir », j'ai dit. L'idée de figurer à nouveau dans le journal ne me déplaisait pas, au contraire. Le début de l'été avait été dur pour mon ego et pour l'image que j'avais de moi-même, et j'étais prêt à tout pour me rebooster.

Mr. Easterbrook s'est levé, avec sa lenteur et sa prudence de manipulateur de cristal, et m'a tendu la main. « Encore merci, mon gars. Pour la petite fille, mais aussi pour Joyland. Les comptables qui dirigent ma maudite existence en seront ravis. »

*

Lorsque je sortis du bâtiment administratif situé dans ce que nous appelions l'arrière-cour, mon équipe au complet m'attendait. Même Pop Allen s'était déplacé. Erin, dans sa tenue verte de feu follet, s'avança, tenant dans les mains une couronne de laurier découpée dans des boîtes de soupe Campbell en aluminium. Elle posa un genou à terre. « Pour toi, mon héros. »

J'aurais juré que j'étais trop bronzé pour rougir, mais en fait non. J'ai piqué un fard. « Oh, n'importe quoi… Lève-toi.

– Le sauveur des petites filles ! s'exclama Tom Kennedy. Sans parler du fait qu'il a sauvé notre lieu de travail qui aurait encouru les foudres des services d'inspection sanitaire, et peut-être même dû fermer ses portes. »

Erin se redressa d'un bond gracieux, me posa la ridicule couronne de laurier en boîtes de soupe sur la tête, puis me fit un gros bisou sur la joue. Tous ceux de l'Équipe Beagle poussèrent des vivats.

« OK, fit Pop quand les clameurs moururent. On est tous d'accord, Jonesy, tu es un chevalier en armure. Mais tu n'es pas le premier gaillard à sauver un plouc sur le point de claquer dans l'enceinte du parc. Est-ce qu'on peut tous retourner au boulot, à présent ? »

Ça m'allait. C'est sympa, la célébrité, mais le message délivré par les lauriers en boîtes de soupe, « Prends pas la grosse tête, mec », était bien passé.

*

Je portais la fourrure ce samedi-là, sur l'estrade de fortune dressée au centre de notre terrain. J'étais heureux de prendre Hallie dans mes bras et elle était visiblement heureuse d'être là. Je jurerais qu'il y eut bien dix kilomètres de pellicule gâchée tandis qu'elle proclamait son amour pour son toutou préféré et l'embrassait encore et encore sous l'objectif des appareils photo.

Erin se tint un moment au premier rang avec son Speed Graphic, mais les photographes de presse étaient plus costauds, tous des hommes, et ils ne tardèrent pas à l'évincer. Que cherchaient-ils tous ? Ce qu'Erin avait déjà obtenu : une photo de moi sans ma tête d'Howie. Mais l'enlever, c'était une chose que je n'aurais jamais faite, même si je suis sûr que ni Fred, ni Lane, ni Mr. Easterbrook ne m'en aurait voulu. Je ne l'aurais jamais enlevée parce que ç'aurait été faire fi de la tradition du parc : Howie ne retirait *jamais* sa fourrure en public. Ç'aurait été aussi sacrilège que de dévoiler d'où vient la petite souris. Je l'avais retirée quand Hallie Stanfield s'était étouffée, mais ç'avait été une exception nécessaire. Je n'aurais pas enfreint délibérément la loi. Je suppose donc que j'étais bien un peu forain, en fin de compte (mais pas forain de chez forain quand même, non, ça je ne le serais jamais).

Plus tard, ayant réintégré mes fringues habituelles, j'ai retrouvé Hallie et ses parents au Service Clientèle de Joyland. De près, je me suis rendu compte que Maman était enceinte du numéro deux, même si elle avait sans doute encore trois ou quatre mois d'envies de cornichons et de glaces à la fraise devant elle. Elle m'a étreint en versant quelques larmes. Hallie ne semblait pas s'en faire le moins du monde. Assise sur une des chaises en plastique, balançant les jambes, elle consultait de vieux numéros de *Screen Time* en déclamant les noms des diverses célébrités sur le ton d'un page de cour annonçant des visiteurs royaux. J'ai tapoté gentiment le dos de Maman en disant là, là. Papa n'a pas pleuré, mais les larmes perlaient au coin de ses yeux lorsqu'il s'est approché de moi pour me tendre un chèque d'un montant de cinq cents dollars, libellé à mon nom. Quand je lui ai demandé ce qu'il faisait dans la vie, il m'a dit qu'il avait démarré sa petite entreprise de bâtiment l'année précédente, qu'elle était encore de taille modeste mais qu'elle commençait à bien tourner. J'ai réfléchi à ça, ajouté un gosse, plus un deuxième en route, et déchiré le chèque. Je lui ai dit que je ne pouvais pas accepter de l'argent pour quelque chose qui faisait partie de mon travail.

Rappelez-vous, je n'avais que vingt et un ans.

*

Les employés de Joyland n'avaient aucun week-end entier de libre : nous avions un jour et demi tous les neuf jours, ce qui signifie que ça ne tombait jamais les mêmes jours. Comme il y avait une feuille d'inscription, Tom, Erin et moi arrivions presque toujours à avoir nos jours de congé ensemble. C'est la raison pour laquelle on se trouvait ensemble, un mercredi soir de début août, assis autour d'un feu de bois sur la plage à partager le style de repas qui ne peut satisfaire que les très jeunes gens : bière, burgers, chips goût barbecue et coleslaw. Pour le dessert, Erin nous avait préparé des s'mores qu'elle avait fait fondre sur une grille de barbecue empruntée à la roulotte des Gaufres et Crèmes Glacées de Pete le Pirate. Ça fonctionnait très bien.

Nous apercevions d'autres feux – de grands feux de joie aux flammes bondissantes aussi bien que des feux à barbecue – tout le long de la plage jusqu'à la métropole clignotante de Joyland au loin. Ils formaient une jolie chaîne de joyaux scintillants. De tels feux de camp sont probablement interdits dans notre XXIe siècle commençant : les puissants de ce monde ont le chic pour mettre hors la loi quantité de belles et bonnes choses faites par les honnêtes gens. J'ignore pourquoi il doit en être ainsi, je sais seulement que c'est une réalité.

En mangeant, je leur ai raconté les prédictions de Madame Fortuna selon lesquelles je rencontrerais un petit garçon avec un chien et une petite fille avec une casquette rouge et une poupée. J'ai terminé en disant : « Bingo pour la deuxième, l'autre reste à prouver.

– Ouah ! a fait Erin. Peut-être qu'elle est vraiment médium ? Plein de gens me l'ont dit, mais je ne croyais pas que...

– Plein de gens comme qui ? voulut savoir Tom.

– Ben... Dottie Lassen, aux costumes, pour commencer. Tina Ackerley ensuite. Tu sais, la bibliothécaire au bout du couloir que Dev va rejoindre la nuit à pas de loup ? »

Je lui ai fait un doigt d'honneur. Elle a rigolé.

« Deux, ça ne fait pas plein de gens, a décrété Tom de son ton de Monsieur Je-Sais-Tout.

– Avec Lane Hardy, ça fait trois, j'ai ajouté. Il dit qu'elle a révélé à des gens des trucs qui leur ont coupé la chique. » Et, pour être tout à fait honnête, je me suis senti obligé d'ajouter : « Bien sûr, il dit aussi que quatre-vingt-dix pour cent de ses prédictions sont des conneries.

– Probablement plus proche des quatre-vingt-quinze, a corrigé Monsieur Je-Sais-Tout. M'ame Fortuna, c'est une rabouine, en Parlure, les mecs. Elle fourgue son boniment au populo. Prenez le truc de la casquette. Les shakos de Joyland se déclinent seulement en trois couleurs : rouge, bleu et jaune. Et le rouge est de loin le plus populaire. Quant au truc de la poupée, c'est cousu de fil blanc. Combien de mômes n'amènent pas un joujou au parc d'attractions ? C'est un lieu inconnu, et avoir un doudou avec soi, ça réconforte. Si ta petite protégée ne s'était pas étranglée avec son hot-dog juste en face de toi, si elle avait juste fait un gros câlin à Howie en passant, tu aurais remarqué une autre petite fille avec une casquette rouge et une poupée dans les bras et tu te serais dit : “Aha ! Madame Fortuna est vraiment capable de voir l'avenir, il faudra que je lui graisse un peu la patte pour qu'elle m'en dise plus.

– Qu'est-ce que tu peux être cynique, lui fit Erin en le gratifiant d'un coup de coude. Rozzie Gold ne prendrait jamais l'argent d'aucun d'entre nous.

– Elle ne m'a pas demandé d'argent », ai-je précisé. Mais j'ai pensé que ce que disait Tom était tout à fait sensé. Il est vrai qu'elle avait su (ou *semblé* savoir) que la jeune femme brune appartenait à mon passé et non pas à mon avenir, mais ça aurait pu être aussi bien une supposition fondée sur des pourcentages – ou sur l'expression de mon visage quand j'avais posé ma question.

« Bien sûr que non, a dit Tom en se servant un autre s'more. Elle s'entraînait juste sur toi. À plumer son prochain. Je parierais qu'elle en a balancé des tonnes à d'autres bleus comme nous.

– À toi, par exemple ? j'ai demandé.

– Ben… non. Mais ça ne veut rien dire. »

J'ai regardé Erin, qui a secoué la tête.

« Elle pense aussi que la Maison de l'Horreur est hantée, j'ai dit.

– Ça aussi, j'en ai entendu parler, enchaîna Erin. Par une fille qui y aurait été assassinée.

– Des conneries ! s'insurgea Tom. Bientôt, vous allez me sortir que c'est l'Homme au Crochet qui l'a fait et qu'il rôde toujours derrière le Crâne Hurlant !

– Il y a vraiment eu un meurtre, j'ai dit. Une jeune fille qui s'appelait Linda Gray. Elle était de Florence, en Caroline du Sud. Il y a des photos d'elle avec le type qui l'a tuée prises au stand de tir et à la Carolina. Pas de crochet, mais il avait un tatouage d'oiseau sur la main. Un aigle ou un faucon. »

Voilà qui a réduit Tom au silence, du moins temporairement.

« D'après Lane Hardy, Roz *croit* seulement que la Maison de l'Horreur est hantée, parce qu'elle refuse d'y entrer pour s'en assurer. Elle refuse même de s'en approcher, ce que Lane trouve le comble de l'ironie car lui-même prétend qu'elle est *effectivement* hantée. »

Erin roula de gros yeux et se rapprocha frileusement du feu – en partie pour rigoler, mais surtout, je pense, pour que Tom la prenne dans ses bras. « Il l'a *vue*... ?

– Je ne sais pas. Il m'a dit de demander à Mrs. Shoplaw, et c'est elle qui m'a raconté toute l'histoire. » Je la leur ai répétée. C'était une bonne histoire à raconter la nuit, sous les étoiles, avec le déferlement des vagues et le murmure du feu qui commençait à se réduire en braises. Tom lui-même semblait fasciné.

« Est-ce qu'*elle* prétend avoir vu Linda Gray, la Shoplaw ? » demanda-t-il quand j'arrivai au terme de mon récit.

Je me suis repassé mentalement notre conversation du jour où j'étais venu louer ma chambre. « Non, je ne pense pas. Elle me l'aurait dit. »

Il hocha la tête, satisfait. « Cela montre bien comment ces rumeurs fonctionnent. Tout le monde *connaît* quelqu'un qui a vu un ovni, et tout le monde *connaît* quelqu'un qui a vu un fantôme. Preuve par ouï-dire, irrecevable devant un tribunal. Moi, je suis comme saint Thomas, je ne crois que ce que je vois. Vous pigez ? Tom Kennedy... Saint Thomas ? »

Erin lui a balancé un autre coup de coude, un peu plus appuyé. « On a pigé. » Elle contemplait pensivement le feu. « Vous savez quoi ? L'été est aux trois quarts passé et je n'ai pas mis une seule fois les pieds dans le train fantôme de Joyland, même pas dans la partie pour les enfants. C'est une zone sans photos. Brenda Rafferty nous a dit que c'est parce que beaucoup de couples y vont pour se tripoter. » Elle me regarda d'un drôle d'air. « Pourquoi ce sourire ?

– Rien. » Je pensais à feu l'époux de la Shoplaw faisant le tour de l'attraction après les Derniers Guichets pour ramasser les petites culottes qui traînaient.

« Et vous, les gars, vous y êtes déjà allés ? »

On a secoué la tête. « La MH, c'est l'Équipe Dobie qui s'en occupe, a précisé Tom.

– Allons-y demain. Tous les trois dans un wagon. Peut-être qu'on va la voir ?

– Aller à Joyland pendant notre jour de congé alors qu'on pourrait le passer à se prélasser sur la plage ? a fait Tom. C'est le comble du masochisme. »

Cette fois, au lieu de lui balancer un coup de coude, Erin lui a enfoncé un doigt dans les côtes. J'ignore s'ils couchaient déjà ensemble, mais ça semblait probable : leur relation était certainement devenue très physique. « Crotte ! L'entrée est gratuite pour nous, et combien de temps peut bien durer le tour ? Cinq minutes ?

– Un peu plus, je crois, ai-je dit. Neuf ou dix. Plus le temps passé dans la partie pour les enfants. Disons, un quart d'heure en tout. »

Tom posa son menton sur la tête d'Erin et me regarda à travers le fin nuage de ses cheveux. « Crotte, qu'elle a dit. Tu observeras que nous avons là une jeune demoiselle nantie d'une excellente éducation universitaire. Avant qu'elle ne traîne avec les filles de sa fraternité, elle aurait dit *miel*, et cet euphémisme l'aurait comblée.

– Le jour où je traînerai avec ces pouffiasses semi-anorexiques qui ne jurent que par leurs fringues coordonnées, ça sera le jour où je m'enfoncerai la tête dans le cul ! » Je ne sais pas pourquoi, mais cette vulgarité m'a enchanté. Peut-être bien parce que Wendy était la spécialiste des fringues coordonnées… « Toi, Thomas Patrick Kennedy, tu as juste la *frousse* qu'on la voie ! et que tu sois obligé de retirer tout ce que tu as dit sur Madame Fortuna, les fantômes, les ovnis et… »

Tom leva les mains en l'air. « Je capitule. On va aller faire la queue avec les autres ploucs – euh, les lapins, je veux dire – et faire notre tour en train fantôme. Je réclame seulement que ce soit l'après-midi, j'ai besoin d'une grasse matinée pour me refaire une beauté.

– Ça c'est sûr, j'ai dit.

– Venant de toi, Jonesy, c'est l'hôpital qui se fout de la charité. File-moi une bière. »

Je la lui ai filée.

« Raconte-nous comment ça s'est passé avec les Stanfield, m'a demandé Erin. Est-ce qu'ils t'ont noyé de larmes en t'appelant leur héros ? »

On n'en était pas loin, mais je me suis refusé à le dire. « Les parents ont été cool. La petite est restée assise dans son coin à feuilleter un *Screen Time* en faisant coucou à Dean Martin et consorts.

– Laisse tomber le pittoresque et va droit au but, m'a fait Tom. Est-ce que tu as eu droit à une récompense ? »

J'étais obnubilé par la pensée que la petite Hallie, au lieu d'énumérer les célébrités avec autant de verve, aurait pu se retrouver dans le coma à la place. Ou dans un cercueil. Avec cette vision à l'esprit, j'ai répondu avec la plus parfaite candeur : « Le père m'a offert cinq cents dollars, mais j'ai refusé. »

Tom a écarquillé les yeux. « T'as fait *quoi* ? »

J'ai regardé le reste de s'more que j'avais dans la main. La guimauve me dégoulinait sur les doigts, alors je l'ai jetée dans le feu. J'étais repu, de toute façon. J'étais embarrassé aussi, et vexé de l'être. « Ce mec est en train de développer une toute petite affaire, et d'après ce que j'ai compris, il en est au tout début et ça pourrait encore capoter. Il a aussi une femme et un enfant, et un deuxième en route. Je me suis dit qu'il n'avait pas les moyens de se priver d'argent comme ça.

– *Il* n'avait pas les moyens ? Et toi alors ? »

J'ai cillé. « Quoi, moi ? »

Encore aujourd'hui, je ne sais pas si Tom était véritablement en colère ou s'il faisait semblant. Je pense qu'il a commencé par jouer la comédie puis qu'il a pris la mouche pour de bon en comprenant vraiment ce que j'avais fait. J'ignore quelle était exactement sa situation familiale, mais je sais qu'il vivait quasiment au jour le jour, d'une paye à l'autre, et il n'avait pas de voiture. Quand il voulait emmener Erin quelque part, il m'empruntait la mienne... et il veillait toujours – scrupuleusement – à faire le plein avant de me la rendre. L'argent comptait pour lui. Je n'ai jamais eu l'impression qu'il en était obsédé, mais ça comptait énormément pour lui, c'est sûr.

« C'est quasiment un miracle que t'ailles à l'université, comme Erin et moi, et c'est pas en travaillant à Joyland qu'on risque de se payer une limousine un jour. Qu'est-ce que t'as dans le citron ? Ta mère t'a laissé tomber sur la tête quand t'étais petit, ou quoi ?

– Relax », lui a fait Erin.

Il n'a rien entendu. « T'as vraiment *envie* de passer ton prochain semestre à te lever aux aurores pour aller débarrasser des assiettes sales sur le tapis roulant de la cafèt' ? Tu dois en avoir envie, parce que cinq cents dollars par semestre, c'est pile ce que ça paye à Rutgers. Je le sais, parce que j'ai vérifié avant de décrocher par chance mes heures de monitorat. Tu sais comment j'ai tenu, en première année ? En écrivant des disserts pour des fils de bourges des fraternités qui se spécialisent en Bièrologie Avancée. Si je m'étais fait gauler, j'aurais pu être exclu pour le semestre, ou viré définitivement. Je vais te dire ce que ton geste chevaleresque représente : vingt heures par semaine sacrifiées que tu aurais pu utiliser à bûcher. » Il s'entendit divaguer, s'interrompit et se fendit d'un sourire. « Ou à baratiner des jolies nanas.

– Je t'en foutrais, moi, des jolies nanas », s'insurgea Erin. Et elle se mit à le bourrer de coups de poing. Ils roulèrent dans le sable, Erin chatouillant Tom, et Tom lui criant (quoique avec un manque total de conviction) de le lâcher. Ça m'allait très bien, car je ne tenais pas à poursuivre la discussion. Je crois bien que j'avais déjà décidé de certaines orientations et tout ce qu'il restait à faire à mon esprit conscient, c'était de les assimiler.

*

Le lendemain, à trois heures et quart, nous faisions la queue devant la Maison de l'Horreur. Brady Waterman, un jeune saisonnier comme nous, tenait le guichet. Je me souviens de Brady parce que lui aussi faisait un bon Howie. (Pas aussi bon que moi, je dois préciser… par strict égard pour la vérité.) Bien rembourré au début de l'été, Brady était maintenant svelte et en forme. Comme régime minceur, porter la fourrure battait les Weight Watchers à plates coutures.

« Qu'est-ce que vous foutez là, les gars ? nous demanda-t-il. C'est pas votre jour de congé ?

– Il fallait qu'on voie la seule et unique boîte noire de Joyland, répondit Tom. Et j'entrevois déjà une belle unité de temps et de lieu : Brad Waterman et la Maison de l'Horreur. Mieux assortis, on peut pas faire. »

L'autre se rembrunit. « Vous allez prendre un seul wagon et vous serrer, OK ?

– Bien obligés », lui fit Erin. Puis, se rapprochant de lui, elle susurra dans son oreille décollée : « C'est un pari, genre Action ou Vérité… »

Brad réfléchit en sortant le bout de sa langue et en se le collant sur la lèvre supérieure. Je le voyais calculer intérieurement les possibilités.

Derrière nous, un client dans la file gueula : « Hé, les jeunes, vous pourriez vous magner le train ? Je crois qu'il y a l'air conditionné à l'intérieur, et ça serait pas de refus.

– Allez-y, nous fit Brad. Serrez-vous comme des sardines, et mettez de l'huile. »

Venant de Brad, c'était carrément de l'humour rabelaisien.

« Y a des fantômes là-dedans ? je lui ai demandé.

– Des centaines, et j'espère qu'ils vous remonteront par la raie du cul. »

*

On a commencé par entrer dans la Maison aux Miroirs de Mystério, où on s'est arrêtés juste le temps nécessaire pour voir nos reflets déformés, tour à tour géants filiformes et nains obèses. Concession faite à cette attraction mineure, nous avons suivi les minuscules points rouges situés au bas de certains miroirs et atterri directement à l'entrée du Musée de Cire. Nantis de cette carte secrète, nous sommes arrivés bien avant le reste de notre groupe qui prenait son temps et riait en se heurtant aux différents panneaux du labyrinthe de glaces.

À la déception de Tom, il n'y avait aucun assassin célèbre dans le Musée de Cire, que des politiciens et des stars. Un John Kennedy souriant et un Elvis Presley en combinaison à paillettes flanquaient l'entrée. Sans tenir compte de l'avertissement PRIÈRE DE NE PAS TOUCHER, Erin pinça les cordes de la guitare d'Elvis. « Désacc… », commença-t-elle, et elle recula d'un bond quand Elvis s'éveilla à la vie et se mit à chanter *Can't Help Falling in Love with You.*

« Bien joué ! » s'écria Tom avec allégresse. Et il la prit dans ses bras.

En sortant du Musée de Cire, on tombait sur l'Épreuve du Pont et du Tonneau des Pirates, une pièce emplie du fracas d'un mécanisme qui semblait dangereux (mais ne l'était pas) et où palpitaient des lumières stroboscopiques de toutes les couleurs. Erin traversa rapidement la pièce par le Pont de Singe branlant pendant que les deux machos qui l'accompagnaient osaient braver le Tonneau. Je l'ai franchi en titubant comme un ivrogne mais en ne tombant qu'une seule fois. Tom, lui, s'arrêta en plein milieu, bras et jambes écartés comme l'homme de Vitruve selon Léonard de Vinci, et fit un tour complet sur lui-même.

« Arrête, crétin ! s'écria Erin. Tu vas te rompre le cou !

– Il ne risque rien, l'ai-je rassurée. L'intérieur est rembourré. »

Tom nous a rejoints, hilare et rouge jusqu'à la racine des cheveux. « Ça m'a réveillé des cellules du cerveau endormies depuis que j'avais trois ans !

– Ouais, et tu as pensé à toutes celles que ça a tuées ? » répliqua Erin.

On est passés sur le Pont des Naufragés avant de rejoindre la Galerie des Jeux remplie de jeunes ados jouant au flipper et au skee ball. Erin, les bras croisés, la mine renfrognée, s'est arrêtée pour observer un moment le fonctionnement des pistes de skee ball. « Ils ne savent donc pas que ce jeu est complètement truqué ?

– Ils viennent précisément ici pour se faire arnaquer, je lui ai dit. Ça fait partie du charme de l'endroit. »

Erin a soupiré. « Et moi qui croyais que c'était *Tom* le cynique. »

Tout au fond de la Galerie des Jeux, sous un crâne vert fluorescent, une pancarte avertissait : PASSÉ CETTE LIMITE, VOUS ENTREZ DANS LA MAISON DE L'HORREUR ! ATTENTION ! LES FEMMES ENCEINTES ET LES PETITS ENFANTS PEUVENT SORTIR PAR LA GAUCHE.

Nous sommes entrés dans une antichambre où résonnaient des ricanements et des cris enregistrés. Des pulsations de lumière rouge illuminaient un unique rail et l'entrée d'un tunnel au-delà. Du fond du tunnel nous parvenaient des grondements, des éclairs de lumière et d'autres cris. Ceux-là n'étaient pas enregistrés. De loin, ils ne résonnaient pas comme des cris de joie, même si certains d'entre eux l'étaient sans doute.

Eddie Parks, gérant de la Maison de l'Horreur et chef de l'Équipe Doberman, vint à notre rencontre. Il portait des gants de cuir jaune et un shako si vieux qu'il était complètement décoloré (sauf qu'à chaque pulsation de lumière, il prenait une couleur rouge sang). Eddie renifla avec dédain. « Ça devait être un jour de congé particulièrement chiant…

– On voulait juste voir comment l'autre moitié du monde vivait », dit Tom.

Erin dédia son plus lumineux sourire à Eddie, qui ne le lui rendit pas.

« Trois dans un wagon, je suppose. C'est ça que vous voulez ?

– Oui, j'ai répondu.

– Pas de problème pour moi. Rappelez-vous juste que les règles sont les mêmes pour vous. Gardez vos foutues pattes à l'intérieur de la voiture.

– Oui, mon capitaine », obtempéra Tom en lui adressant un petit salut militaire. Eddie le dévisagea comme il aurait examiné une nouvelle espèce d'insecte et retourna à ses commandes, lesquelles consistaient en trois leviers de vitesse dépassant d'un podium qui lui arrivait à la taille. Il y avait aussi un tableau avec quelques boutons éclairés par une lampe de lecture Tensor réglée au minimum afin de réduire son éclat blanc incandescent propre à faire fuir les fantômes.

« Charmant, ce type », marmonna Tom.

Erin glissa son bras gauche sous le coude droit de Tom et son bras droit sous mon coude gauche et nous rapprocha d'elle. « Vous connaissez quelqu'un qui l'aime ? murmura-t-elle.

– Non, répondit Tom. Même pas dans sa propre équipe. Il en a déjà viré deux. »

Le reste de notre groupe commençait à nous rejoindre quand un train rempli de lapins hilares (plus quelques gosses en pleurs que leurs parents, suivant le conseil à l'entrée, auraient mieux fait de faire sortir par la gauche) arriva. Erin demanda à une fille si elle avait eu peur.

« C'est ses mains baladeuses qui m'ont fait le plus peur », répondit-elle. Et elle glapit joyeusement quand son copain l'embrassa dans le cou avant de l'entraîner vers la Galerie des Jeux.

On a embarqué. À trois dans une voiture conçue pour deux, on était plutôt serrés, et j'avais une conscience aiguë de la cuisse d'Erin collée à la mienne et du contact de son sein contre mon bras. J'ai brusquement ressenti un émoi loin d'être déplaisant dans la partie inférieure de mon corps. J'alléguerai pour ma défense – fantasmes mis à part – que les hommes sont monogames à partir du menton seulement. Sous la ceinture, en revanche, il y a un cheval de rodéo qui s'en fout complètement.

« Les mains dans la *vââtuuur* ! gueulait Eddie Parks d'un ton monocorde d'ennui mortel qui était l'antithèse absolue de la joyeuse harangue de Lane Hardy. Les mains dans la *vââtuuur* ! Si vous avez un enfant de moins de trois ans, prenez-le sur les genoux ou descendez de *vââtuuur* ! Ne bougez p'us, attention à la *bââârr* ! »

Les barres de sécurité se sont abaissées dans un claquement et quelques filles ont répondu par une répétition générale de cris : des vocalises en vuc des prochaines arias du train fantôme.

Il y a eu une secousse, et nous avons pénétré dans la Maison de l'Horreur.

*

Neuf minutes plus tard, on descendait du petit train et on ressortait par la Galerie des Jeux avec le reste des ploucs. Derrière nous, on entendait Eddie Parks exhorter sa cargaison suivante à garder les mains à l'intérieur des *vââtuuurs* et à faire attention à la *bââârr*. Il ne nous a même pas regardés.

« Le cachot n'était pas si effrayant que ça : tous les prisonniers étaient des Dobies, a fait remarquer Erin. J'ai reconnu Billy Ruggerio déguisé en pirate. » Elle avait les joues empourprées, les cheveux en bataille à cause des souffleries et je trouvais qu'elle n'avait jamais été aussi jolie. « Mais le Crâne Hurlant m'a vraiment fait de l'effet, et la Chambre des Tortures… oh là là !

– Ouais, assez horrible », ai-je convenu. J'avais regardé des films d'horreur à la pelle quand j'étais au lycée, et je me croyais vacciné, mais voir une tête aux yeux exorbités rouler sur une planche inclinée après avoir été tranchée par une guillotine m'avait glacé d'effroi. Vous imaginez, ses lèvres remuaient encore…

Au grand soleil sur Joyland Avenue, nous avons repéré Cam Jorgensen, de l'Équipe Fox-Terrier, en train de vendre de la citronnade. « Qui en veut une ? » demanda Erin. Elle était encore tout exaltée. « C'est moi qui paie !

– Oui, moi ! j'ai dit.

– Tom ? »

Il a fait oui d'un haussement d'épaules. Erin lui a jeté un regard étonné, et puis elle est partie en courant chercher nos verres. Moi aussi, j'ai jeté un coup d'œil à Tom, mais il regardait fixement la Fusée en train de tourner. Ou peut-être qu'il regardait à travers elle…

Erin est revenue avec trois grands verres en carton, un quartier de citron flottant à la surface de chaque boisson. On les a emportés jusqu'à Joyland Park, juste derrière le Wiggle-Waggle Village, et on est allés s'asseoir à l'ombre sur un banc. Erin déblatérait sur les chauves-souris à la fin du tour, disant qu'elle savait que c'était juste des jouets articulés montés sur des filins d'acier, mais que les chauves-souris l'avaient toujours terrifiée et…

C'est là qu'elle s'est tue tout d'un coup. « Tom, ça va ? Tu n'as pas dit un mot depuis tout à l'heure. C'est ton tour dans le Tonneau qui t'a barbouillé l'estomac ?

– Non, non. » Et il a pris une gorgée de citronnade, comme pour le prouver. « Comment elle était habillée, Dev ? Tu le sais ?

– Quoi ?

– La fille qui a été assassinée. Laurie Gray.

– *Linda* Gray.

– Laurie, Larkin, Linda, peu importe. Comment était-elle habillée ? Est-ce qu'elle était en jupe longue – jusqu'aux chevilles – avec un chemisier sans manches ? »

Je l'ai dévisagé attentivement. Nous l'avons dévisagé tous les deux, pensant d'abord à une farce à la Tom Kennedy. Sauf qu'il n'avait pas l'air de plaisanter. Maintenant que je le regardais de près, il avait plutôt l'air traumatisé.

« Tom ? » Erin lui a touché l'épaule. « Tu l'as vue ? Arrête de déconner, s'il te plaît. »

Tom posa sa main sur celle d'Erin, mais sans la regarder. C'était moi qu'il regardait. « Ouais, une jupe longue et un chemisier sans manches. Tu le sais, puisque la Shoplaw te l'a dit.

– Quelle couleur ? j'ai demandé.

– Difficile à dire avec les lumières qui changeaient tout le temps, mais bleus, je dirais. Jupe et chemisier bleus. »

C'est là qu'Erin a pigé. « Oh, merde alors », elle a dit dans une espèce de soupir. Ses joues ont perdu d'un coup leur belle couleur.

Il y avait autre chose. Un détail que la police avait longtemps retenu, d'après Mrs. Shoplaw.

« Et sa coiffure, Tom ? Une queue-de-cheval, c'est ça ? »

Il a secoué la tête. Pris une toute petite gorgée de citronnade. Tamponné sa bouche du dos de sa main. Ses cheveux n'avaient pas blanchi, il n'avait pas le regard vide, ses mains ne tremblaient pas, mais il ne ressemblait pas au gars qui avait parcouru en déconnant la Maison aux Miroirs et tourné dans le Tonneau des Pirates. Il ressemblait à un gars qui vient de subir un lavement de réalité, un lavement qui l'a purgé de toute sa belle insouciance de jeune-étudiant-saisonnier-en-parc-d'attractions-pour-l'été.

« Pas une queue-de-cheval, non. Elle avait les cheveux longs, oui, mais avec un de ces trucs sur le dessus de la tête pour les retenir et les empêcher de tomber dans la figure, je sais pas comment les filles appellent ça.

– Un serre-tête, a dit Erin.

– Ouais. Je crois qu'il était bleu aussi. Elle tendait des mains suppliantes. » Il tendit les mains exactement comme Emmalina Shoplaw le jour où elle m'avait raconté l'histoire. « Comme si elle appelait à l'aide.

– Tu as appris tout ça par Mrs. Shoplaw, j'ai dit. Ne dis pas le contraire. Avoue, on t'en voudra pas. Hein, Erin ?

– Non, non. »

Mais Tom secoua la tête. « Je vous raconte juste ce que j'ai vu. Aucun de vous deux ne l'a vue ? »

Non, ni Erin ni moi ne l'avions vue.

« Pourquoi moi ? a demandé Tom d'un ton plaintif. Une fois qu'on était dedans, je n'ai même plus pensé à elle. Je m'amusais, c'est tout. *Alors, pourquoi moi ?* »

*

Erin a essayé de lui soutirer quelques détails supplémentaires pendant qu'on rentrait à Heaven's Bay à bord de mon tas de boue. Tom répondit aux deux ou trois premières questions, puis décréta qu'il ne voulait plus en parler sur un ton cassant que je ne lui avais jamais entendu employer avec Erin. Je pense qu'elle non plus, parce qu'elle est restée plus silencieuse qu'une petite souris pendant tout le reste du trajet. Peut-être en ont-ils reparlé ensuite ensemble, mais je peux vous certifier que Tom n'y a plus jamais fait allusion devant moi jusqu'à un mois environ avant sa mort, et d'une façon très brève, presque à la fin d'une conversation téléphonique qui avait été particulièrement pénible à cause de sa voix nasillarde et hésitante et de ses absences.

« Au moins… je sais… qu'il y a *quelque chose*, m'a-t-il dit. Je l'ai vu… de mes yeux… cet été-là. Dans la Hutte Infernale. » Je n'ai pas pris la peine de le corriger : je savais de quoi il parlait. « Tu… te souviens ?

– Oui, je me souviens, je lui ai dit.

– Mais je ne sais pas… ce quelque chose… si c'est bon ou mauvais. » Sa voix d'agonisant s'est chargée de terreur. « Si tu avais vu sa façon… Dev, *sa façon de tendre les mains.* »

Oui.

Comme si elle appelait à l'aide.

*

Mon jour de congé suivant tomba à peu près à la mi-août, au moment où la marée de lapins refluait. Je n'avais pas besoin de raser les murs pour rejoindre la Carolina Spin et le stand de Madame Fortuna qui se tenait sous son ombre mouvante.

Lane et Fortuna – elle était en tenue sacerdotale intégrale ce jour-là, gitane de pied en cap – devisaient ensemble près du poste de contrôle de la grande roue. Lane m'aperçut et inclina son melon vers l'arrière, sa façon de reconnaître ma présence.

« Regarde un peu s'ke le chat nous ramène, dit-il. Comment k'ça va, Jonesy ?

– Bien », j'ai répondu, quoique ce ne fût pas l'absolue vérité. Les nuits d'insomnie étaient de retour, maintenant que je ne portais plus la fourrure que quatre ou cinq fois par jour. Je restais allongé dans mon lit sans dormir, à attendre que l'obscurité blanchisse, la fenêtre ouverte pour pouvoir entendre le bruit des vagues, à penser à Wendy et à son nouveau copain. Et aussi à la fille que Tom avait vue au bord du rail dans la Maison de l'Horreur, dans le tunnel de fausses briques entre le Cachot et la Chambre des Tortures.

Je me suis tourné vers Fortuna. « Je peux vous parler ? »

Elle ne me demanda pas pourquoi, se contenta de me précéder jusqu'à son kiosque, écarta le rideau de velours qui pendait sur le seuil et m'invita à entrer. Il y avait une table ronde couverte d'une nappe rose. Dessus, sa boule de cristal, recouverte elle aussi d'un tissu. Deux simples chaises pliantes étaient disposées de part et d'autre, de façon à ce que la voyante et le suppliant soient face à face au-dessus de la boule de cristal (dont je savais qu'elle était éclairée par en dessous par une petite lumière que Madame Fortuna pouvait allumer et éteindre du pied). Sur le mur du fond, il y avait une main géante drapée de soie, doigts écartés et paume ouverte. Les sept lignes de la main y étaient soigneusement identifiées : ligne de vie, ligne de cœur, ligne de tête, ligne d'amour (connue aussi sous le nom de ceinture de Vénus), ligne solaire, ligne de santé, ligne du destin.

Madame Fortuna rassembla ses jupes et s'assit. Elle m'invita de la main à en faire autant. Elle ne découvrit pas sa boule de cristal et ne me pria pas non plus de lui graisser la patte afin d'avoir connaissance de mon avenir.

« Demande ce que tu es venu demander, me dit-elle.

– Je veux savoir si la petite fille était juste une supposition éclairée, ou si vous saviez réellement quelque chose. Si vous aviez *vu* quelque chose. »

Elle me regarda, longuement et sans ciller. Dans l'antre de Madame Fortuna régnait une subtile odeur d'encens à la place de celle du pop-corn et des beignets. Les parois étaient minces, mais la musique, le brouhaha des lapins, le fracas des manèges, tout cela semblait très très éloigné. J'ai eu envie de baisser les yeux, mais j'ai réussi à soutenir son regard.

« En réalité, tu veux savoir si je suis un imposteur. N'est-ce pas ?

– Je… pour être franc, m'dame Fortuna, je ne sais *pas* ce que je veux. »

Là-dessus, elle a souri. Un bon sourire – comme si j'avais réussi une sorte de test. « Tu es un bon garçon, Jonesy, mais comme beaucoup de gentils garçons, tu es un fieffé menteur. »

J'ai ouvert la bouche pour répondre ; elle m'a fait taire d'un geste de sa main lourdement baguée. Elle a plongé la main sous la table et ramené sa caisse à pourboires sur ses genoux. Les consultations de Madame Fortuna étaient gratuites – comprises dans votre forfait d'entrée, messieurs dames, jeunes gens et jeunes filles – mais la pratique du pourboire était encouragée. Et légale, selon la loi de l'État de Caroline du Nord. Lorsqu'elle ouvrit sa caisse, j'aperçus un fouillis de billets froissés, de un dollar pour la plupart, et une simple petite enveloppe blanche. Libellée à mon nom. Elle me l'a tendue. J'ai hésité, puis je l'ai prise.

« Tu n'es pas venu à Joyland aujourd'hui juste pour me demander ça, me dit-elle.

– Eh bien… »

De nouveau, elle me réduisit au silence d'un geste de la main. « Tu sais *exactement* ce que tu veux. À court terme, en tout cas.

Et puisque le court terme est tout ce dont nous disposons tous, qui donc est Fortuna – qui donc est Rozzie Gold, au demeurant – pour discuter de ce point avec toi ? Va. Va faire ce que tu avais l'intention de faire en venant. Quand tu l'auras fait, ouvre cette enveloppe et lis ce que j'ai écrit. » Elle a souri. « Gratuit pour les employés. À plus forte raison pour les bons petits gars comme toi.

– Je ne… »

Elle se leva dans un tourbillon de jupons et un cliquetis de bijoux. « Va, Jonesy. Nous en avons terminé. »

*

J'ai quitté son alcôve exiguë tel un somnambule. Les musiques de vingt manèges, boutiques et attractions foraines m'ont assailli comme des vents contraires, et le soleil cognait sur moi comme sur une enclume. Je me suis aussitôt dirigé vers le bâtiment administratif (un double mobile home, en fait), j'ai frappé pour la forme à la porte et je suis entré en saluant Brenda Rafferty qui allait et venait entre son livre de comptes et sa fidèle machine à calculer.

« Bonjour, Devin, me lança-t-elle. Vous veillez bien sur votre Hollywood Girl ?

– Oui, m'dam', on veille tous bien sur elle.

– Dana Elkhart, c'est ça ?

– Erin Cook, m'dam'.

– Erin, bien sûr. Équipe Beagle. La jolie rouquine. Que puis-je faire pour vous ?

– Je me demandais si je pourrais parler à Mr. Easterbrook.

– Il se repose, et je déteste le déranger. Il a eu une quantité de coups de fil à passer ce matin, et nous aurons encore quelques chiffres à vérifier ensemble tout à l'heure, même si je préférerais ne pas l'enquiquiner avec ça. Il se fatigue si vite ces jours-ci.

– Je ne serai pas long. »

Elle a soupiré. « Je pense que je peux aller voir s'il est réveillé. Pouvez-vous me dire de quoi il s'agit ?

– Une faveur, j'ai dit. Il comprendra. »

*

Il a compris, et ne m'a posé que deux questions. La première pour savoir si j'étais bien sûr de ce que je faisais. J'ai dit que je l'étais. La deuxième…

« En as-tu déjà averti tes parents, Jonesy ?

– On n'est plus que mon père et moi, Mr. Easterbrook, et je fais ça ce soir.

– Très bien, dans ce cas. Mets Brenda dans la confidence en sortant. Elle te préparera toute la paperasse nécessaire, et tu n'auras qu'à la remplir… » Avant qu'il ait pu finir sa phrase, sa bouche s'ouvrit en un large bâillement qui exposa sa dentition chevaline. « Excuse-moi. J'ai eu une journée fatigante. Un *été* fatigant.

– Je vous remercie, Mr. Easterbrook. »

Il agita une main magnanime. « Il n'y a pas de quoi. Je suis persuadé que tu seras pour nous un sérieux atout, mais si j'apprends que tu as fait cela sans le consentement de ton père, je serai très déçu. Referme bien la porte en sortant, je te prie. »

J'ai tâché d'ignorer la moue de Brenda pendant qu'elle cherchait dans un classeur les différents formulaires de Joyland, Inc.

à remplir pour une embauche à plein temps. Peine perdue, car je sentais quand même le poids de sa désapprobation. J'ai replié les feuillets, les ai glissés dans ma poche arrière, et je suis sorti.

Derrière l'enfilade de ouas-ouas, tout au fond de l'arrière-cour, poussait un bosquet de grands tupelos. Je l'ai rejoint, je me suis assis par terre, adossé à l'un d'eux, et j'ai ouvert l'enveloppe de Madame Fortuna. Le billet qu'elle contenait était clair et concis :

> *Tu vas aller voir Mr. Easterbrook pour lui demander si tu peux rester au parc après Labor Day. Tu sais qu'il ne peut pas te le refuser.*

Elle avait raison : je voulais savoir si elle était un imposteur. Voilà quelle était sa réponse. Et en effet, j'avais pris ma décision concernant l'épisode suivant de la vie de Devin Jones. Elle avait vu juste aussi là-dessus.

Mais il y avait une dernière ligne :

> *Tu as sauvé la petite fille, mais, mon pauvre enfant ! tu ne peux pas sauver le monde entier !*

*

Quand j'ai dit à mon père que je ne retournais pas à l'université – que j'avais besoin d'une année sabbatique et que j'avais l'intention de la passer à Joyland –, il y a eu un long silence au bout du fil. Je pensais qu'il allait s'emporter, mais il ne l'a pas fait. Il a seulement dit d'un ton las : « C'est *cette fille*, n'est-ce pas ? »

J'avais prévenu mon père, presque deux mois auparavant, que Wendy et moi « prenions un peu de temps pour réfléchir », mais il avait vu clair dans mon jeu. Depuis lors, au cours de nos conversations téléphoniques hebdomadaires, il n'avait plus prononcé son nom une seule fois. Et maintenant, voilà qu'elle était réduite à « cette fille ». Quand il l'eut dit pour la deuxième ou troisième fois, j'ai tenté une plaisanterie en lui demandant s'il croyait que j'étais sorti avec Marlo Thomas… Il n'a pas eu l'air amusé. Je n'ai pas réitéré.

« Wendy est une des raisons, j'ai reconnu, mais pas la seule. J'ai besoin de temps pour souffler. Pour réfléchir. Et je me plais bien ici. »

Il a soupiré. « Tu as peut-être besoin de souffler, c'est vrai. Et au moins, tu travailleras, plutôt que de parcourir l'Europe en stop comme est en train de le faire la fille de Dewey Michaud. Quatorze mois à aller d'auberge de jeunesse en auberge de jeunesse ! Et ce n'est pas fini ! Mon Dieu ! Elle risque de rentrer couverte de teigne ou avec un polichinelle dans le tiroir.

– Hum, j'ai dit, je crois que je peux éviter d'attraper les deux. Si je fais attention.

– Fais surtout attention aux ouragans. Il paraît que ce sera une mauvaise année à ouragans.

– J'ai bien ton accord, n'est-ce pas, papa ?

– Pourquoi me demandes-tu ça ? Tu t'attendais à ce que je plaide contre ? Si c'est ça que tu veux, je peux essayer, mais je sais ce que ta mère aurait dit : “S'il a l'âge légal pour acheter de l'alcool, il a l'âge de commencer à faire ses propres choix dans la vie.” »

J'ai souri en entendant ça. « Ouais. C'est bien d'elle.

– Moi, je crois que je préfère que tu ne retournes pas à l'université si c'est pour passer ton temps à te morfondre pour *cette fille* et à laisser dégringoler tes notes. Si repeindre des manèges et réparer des boutiques foraines peut t'aider à te guérir d'elle, alors c'est certainement un bon choix. Mais que vont devenir ta bourse et ton prêt étudiant si tu ne reprends pas à la rentrée 74 ?

– Ça sera pas un problème, je les garde, vu que j'ai obtenu la mention assez bien l'an dernier.

– Ah, *cette fille* », a répété mon père sur un ton de dégoût infini. Et nous sommes passés à un autre sujet.

*

Mon père ne se trompait pas, j'étais encore triste et déprimé de ma rupture avec Wendy mais j'avais entamé le pénible trajet (*le chemin*, comme on dit aujourd'hui dans les groupes d'entraide) menant du déni à l'acceptation. L'authentique sérénité était encore loin derrière l'horizon mais j'avais cessé de croire – comme c'était le cas au cours de mes longues nuits et journées de juin – que la sérénité était hors d'atteinte.

Ma décision de rester à Joyland avait aussi un rapport avec d'autres facteurs que je n'arrivais pas bien à m'expliquer, ils formaient une sorte de pile confuse et désordonnée maintenue par la grossière ficelle de l'intuition. Il y avait Hallie Stanfield, pour commencer. Et Bradley Easterbrook, que j'entendais encore nous dire au tout début de l'été : *Nous vendons du bonheur*. Il y avait aussi la rumeur de l'océan la nuit, et ces moments où un brusque vent de mer faisait claquer les lames de la Carolina Spin. Il y avait les souterrains frais sous le parc. Il y avait la Parlure, cette langue secrète que les autres bleus auraient oubliée avant les vacances de Noël. Moi, je ne voulais pas l'oublier : elle était trop riche. Et j'avais le sentiment que Joyland avait encore davantage à m'offrir. J'ignorais quoi, juste… un petit rabiot.

Mais je crois surtout – j'ai examiné ça dans tous les sens depuis pour être sûr que ma mémoire ne me joue pas des tours – qu'il y avait le fait que c'était notre saint Thomas qui avait été élu pour voir le fantôme de Linda Gray, et pas moi. Il en avait été changé d'une manière indéfinissable mais fondamentale. Je ne suis pas certain que Tom *voulait* changer – je crois qu'il était tout simplement heureux tel qu'il était – mais *moi*, oui, je voulais.

Moi aussi, je voulais voir Linda Gray.

*

Pendant la deuxième quinzaine d'août, plusieurs vieux forains – dont Pop Allen et Dottie Lassen – m'ont conseillé de prier pour qu'il pleuve le week-end de Labor Day. Il n'a pas plu, et le samedi après-midi n'était pas terminé que j'avais compris ce qu'ils voulaient dire. Les lapins étaient revenus en force pour le grand hourra final, et Joyland était blindé à mort. Le pire dans tout ça, c'était que la moitié des jeunes saisonniers, retournés dans leurs universités respectives, nous avaient déjà quittés. Ceux qui restaient ont travaillé comme des chiens.

Certains d'entre nous ont même fait plus que travailler comme des chiens, ils ont *fait le chien*, si vous voyez ce que je veux dire. Moi par exemple, j'ai vu presque la totalité de ce week-end de septembre à travers les yeux grillagés d'Howie le Chien Gentil. Le dimanche, j'ai bien dû enfiler cette maudite fourrure quinze fois. J'avais terminé mon avant-dernier tour de la journée, et déjà remonté les trois quarts du Boulevard, sous Joyland Avenue, quand j'ai senti le monde se mettre à tournoyer en passant par cinquante nuances de gris. Les cinquante nuances de Linda Gray, je me rappelle avoir pensé…

Je conduisais une de nos voiturettes de service, la fourrure descendue jusqu'à la taille pour sentir l'air conditionné sur mon torse en nage, et quand je me suis senti partir, j'ai eu la présence d'esprit de me ranger le long du mur en ôtant mon pied de l'accélérateur. Fat Wally Schmidt, qui tenait le stand de mailloche, était justement en train de faire une pause dans les catacombes, et c'est lui qui m'a vu, garé de guingois dans le souterrain et avachi sur le guidon de la machine. Il a attrapé un pichet d'eau glacée dans le frigo, a trimbalé sa graisse jusqu'à moi et m'a soulevé le menton de sa main potelée.

« Hé, l'bleu, t'as une aut'fourrure qui t'va, à part celle-là ?

– Ouiii n'a une aut' », j'ai bredouillé. J'avais la voix d'un mec bourré. « Ateuhier cossume… Icèle…

– Ah, tant mieux pour toi », il m'a fait. Et il m'a renversé le pichet sur la tête. Mon hurlement s'est répercuté dans tout le souterrain, faisant accourir d'autres employés.

« Bordel, Fat Wally, kess' y t'prend ? »

Il s'est marré. « Ça t'a réveillé, vrai ? Fallait ça pour t'réveiller. Week-end de Labor Day, l'bleu. Ça v'dire ki faut bosser. Pas l'temps de s'endormir sul' boulot. Remercie l'ciel ki fass'pas quarante-cinq d'grés là-haut. »

S'il avait fait quarante-cinq degrés, je ne serais pas là pour vous raconter cette histoire. Je serais mort, le cerveau grillé, au beau milieu de la Danse du Chien Gentil sur la scène du Village des Enfants. Heureusement pour moi, Labor Day était couvert et balayé par une agréable brise marine. Et je m'en suis sorti, apparemment.

Aux environs de quatre heures, cet après-midi-là, alors que j'enfilais ma fourrure sèche pour mon dernier tour de piste de l'été, Tom Kennedy s'est ramené dans l'atelier costumes. Disparus son shako et ses baskets crados. Il portait un pantalon chino impeccablement repassé (*Où diable l'avais-tu planqué*, j'ai pensé), une chemise Ivy League bien boutonnée et rentrée sous la ceinture et des mocassins en cuir cousus main. Le petit morveux aux joues roses s'était même fait couper les cheveux. Il avait la touche intégrale du jeune étudiant plein d'ambition, les yeux tournés vers le monde des affaires. À le voir, jamais vous n'auriez soupçonné que deux jours avant il était encore en Levi's crasseux, la raie des fesses apparente sous son T-shirt alors qu'il rampait sous le Zipper avec une burette d'huile en maudissant Pop Allen, notre intrépide chef d'équipe, chaque fois qu'il se cognait la tête contre un montant en acier.

« Ça y est, tu es sur le départ ? j'ai demandé.

– Comment t'as deviné, mon vieux ? Je prends le train pour Philly demain matin à huit heures. Une semaine à la maison, et puis retour au turbin.

– Super pour toi.

– Erin a encore des trucs à faire avant de partir, mais elle me rejoint ce soir à Wilmington. Je nous ai réservé une chouette petite chambre d'hôte avec petit-déjeuner. »

Une palpitation de jalousie m'a saisi. « Super pour vous.

– C'est Erin qui est super.

– Je sais.

– Toi aussi, Dev. On reste en contact, mon pote. Les gens disent ça sans le penser, mais je suis sincère. On *va* rester en contact. » Il m'a tendu la main.

Je la lui ai serrée. « On va le faire, c'est sûr. T'es super, Tom, et Erin, c'est la perle rare. Prends bien soin d'elle.

– T'en fais pas pour ça. » Il avait la banane. « Au prochain semestre, elle fait son transfert à Rutgers. Je lui ai déjà appris le chant de guerre des Scarlet Knights : "*Upstream, Redteam, Redteam, Upstream…*"

– Plutôt compliqué. »

Il m'a menacé du doigt. « Le sarcasme ne te mènera nulle part, jeune homme. Sauf si tu louches sur un poste de rédacteur à *Mad Magazine*. »

Dottie Lassen nous a hélés : « Vous pourriez peut-être abréger les adieux et économiser les larmes ? Tu as encore un tour de piste à faire, Jonesy. »

Tom s'est tourné vers elle, bras tendus. « Dottie, ce que je vous aime ! Ce que vous allez me manquer ! »

Elle s'est donné une claque sur les fesses pour lui montrer à quel point elle était émue par sa déclaration avant de retourner au costume qu'elle était en train de raccommoder.

Tom m'a tendu un bout de papier. « Mon adresse chez mes parents, mon adresse à la fac, mes numéros de téléphone. Je compte sur toi pour t'en servir.

– C'est promis.

– Tu vas vraiment sacrifier une année que tu pourrais passer à boire de la bière et à t'envoyer en l'air pour décaper des peintures à Joyland ?

– Ouaip.

– T'es maboul ou quoi ? »

J'ai réfléchi trois secondes. « Peut-être. Oui, un peu. Mais ça va mieux. »

J'étais tout suant et lui tout propre, mais il m'a néanmoins donné une brève accolade. Puis il a pris le chemin de la porte en s'arrêtant au passage pour faire une bise sur la joue ridée de Dottie. Elle n'a pas pu le houspiller – elle avait la bouche pleine d'épingles – mais elle l'a promptement chassé d'une claque.

À la porte, Tom s'est retourné vers moi. « Je peux te donner un conseil, Dev ? Évite de t'approcher de... » Il a terminé par un mouvement du menton, et j'ai bien compris de quoi il parlait : la Maison de l'Horreur. Et puis il a disparu, la tête probablement pleine de son retour à la maison, et d'Erin, de la voiture qu'il espérait s'acheter, et d'Erin, de la rentrée universitaire proche, et d'Erin... *Upstream, Redteam, Redteam, Upstream...* Au deuxième semestre, ils pourraient le chanter ensemble. Merde, ils pourraient le chanter dès ce soir-là s'ils en avaient envie. À Wilmington. Ensemble. Au lit.

*

Il n'y avait aucune pointeuse à Joyland : nos entrées et sorties étaient supervisées par nos chefs d'équipe. Le premier lundi de septembre, après mon dernier tour dans la peau d'Howie, Pop Allen m'a demandé de lui apporter ma fiche de présence.

« Mais j'ai encore une heure à tirer, j'ai dit.

– Nan. Quelqu'un t'attend à la grille pour que tu la raccompagnes. » Je savais qui était ce quelqu'un. Difficile d'imaginer qu'il ait pu y avoir une corde sensible dans le vieux cœur de raisin sec desséché de Pop, pourtant il en avait une, et cet été 73, c'était Erin Cook qui l'avait fait vibrer.

« T'es au parfum pour demain ?

– Sept heures et demie, dix-huit heures », j'ai dit. Et pas de fourrure. Le pied.

« Je serai encore ton patron pendant une quinzaine, puis je file au soleil de Floride. Après ça, c'est Lane Hardy qui sera responsable de toi, et Freddy Dean, j'imagine, pour peu qu'il s'aperçoive que t'es encore là.

– Compris.

– Bien. Je signe, et après, c'est carte blanche. »

J'allais partir quand il me rappela : « Hé, Jonesy ? Dis à cette môme de m'envoyer une carte postale de temps en temps. Elle va me manquer. »

Il n'était pas le seul.

*

Erin aussi avait commencé sa transition de la Vie de Joyland à la Vie Réelle. Plus de jean délavé et de T-shirt aux manches retroussées sur les épaules avec une désinvolture sexy ; remisés la robe verte d'Hollywood Girl et le chapeau vert de Robin des Bois. La jeune fille qui m'attendait sous l'averse écarlate de néons à l'entrée portait un corsage bleu sans manches coupé dans une étoffe soyeuse pris à la taille par une jupe évasée ceinturée. Elle avait les cheveux ramenés en arrière et elle était superbe.

« Tu me raccompagnes à pied par la plage ? me demanda-t-elle. J'aurai juste le temps d'attraper le bus pour Wilmington. Je vais retrouver Tom.

– Oui, il m'a dit. Mais laisse tomber le bus, je t'emmène en voiture.

– Tu ferais ça pour moi ?

– Et bien plus. »

Nous sommes partis le long de la grève. Une demi-lune s'était levée qui traçait un sentier de lumière sur les flots. À mi-chemin de Heaven's Bay – pas très loin, en fait, de la grande demeure victorienne verte qui allait jouer un rôle si important dans ma vie cet automne-là –, Erin m'a pris la main, et nous avons marché ainsi. Nous avons peu parlé avant d'atteindre l'escalier menant au parking de la plage. Là, elle s'est tournée vers moi.

« Tu t'en remettras. » Ses yeux sondaient les miens. Elle n'était pas maquillée ce soir-là et elle n'en avait aucun besoin. Le clair de lune était son maquillage.

« Oui », ai-je dit. Je savais que c'était vrai, et quelque chose en moi le regrettait. C'est dur de se détacher. Même quand ce à quoi tu te raccroches est plein d'épines, c'est dur de le lâcher. Peut-être surtout dans ce cas.

« Et pour le moment, c'est ici que tu es le mieux. Je le sens.

– Est-ce que Tom aussi le sent ?

– Non, mais il n'a jamais ressenti ce que toi tu ressens pour Joyland... ni ce que moi j'ai ressenti tout l'été. Et après ce qui lui est arrivé dans la boîte noire... ce qu'il a vu...

– Est-ce que vous en avez reparlé, tous les deux ?

– J'ai essayé. Maintenant, je n'insiste plus. Ça ne cadre pas avec sa vision du monde, alors il essaye de l'occulter. Mais je crois surtout qu'il s'inquiète pour toi.

– Et *toi*, est-ce que tu t'inquiètes pour moi ?

– Pour toi et le fantôme de Linda Gray ? Non. Pour toi et le fantôme de cette Wendy, oui, un peu. »

Ça m'a fait sourire. « Mon père ne l'appelle plus par son nom. Il dit juste "cette fille". Dis, Erin, tu veux bien me rendre un service à ton retour à la fac ? Si tu as le temps, bien sûr.

– Oui, pas de problème. C'est quoi ? »

Je lui ai dit.

*

Elle m'a demandé de la déposer à la gare routière de Wilmington plutôt que de l'amener directement à la chambre d'hôte que Tom avait réservée. Elle préférait y aller en taxi. J'ai voulu protester, objecter que c'était dépenser de l'argent inutilement, mais je ne l'ai pas fait. Erin paraissait agitée, vaguement embarrassée, et j'ai compris qu'elle ne tenait pas à descendre de la voiture de Devin Jones pour, deux minutes plus tard, se déshabiller et culbuter sous les draps avec Tom Kennedy…

Quand je me suis rangé en face de la station de taxis, Erin m'a pris le visage entre ses mains et m'a embrassé sur la bouche. Un long baiser en bonne et due forme…

« Si Tom n'avait pas été là, je t'aurais fait oublier cette maudite fille.

– Mais il était là.

– Oui. Il était là. On s'appelle, Dev.

– N'oublie pas le service que je t'ai demandé. Si tu as le temps, bien sûr.

– J'y penserai. T'es quelqu'un de bien. »

Je ne sais pas pourquoi, mais ça m'a donné envie de pleurer. J'ai souri, à la place. « Et puis, avoue, je fais un Howie du tonnerre !

– Oui, ça aussi ! Devin Jones, le sauveur de petites filles ! »

À cet instant, j'ai cru qu'elle allait encore m'embrasser, mais non, elle ne l'a pas fait. Elle s'est glissée hors de ma voiture et, jupe virevoltante, a traversé la rue en courant. Je suis resté là, derrière mon volant, jusqu'à ce que je la voie monter à l'arrière d'un taxi jaune qui s'est éloigné. À mon tour, j'ai redémarré et je me suis éloigné vers Heaven's Beach, Mrs. Shoplaw et mon automne à Joyland : à la fois le meilleur et le pire automne de ma vie.

*

Est-ce qu'Annie et Mike Ross étaient installés au bout du caillebotis de la grande maison verte quand j'ai longé la plage pour me rendre au parc ce mardi d'après Labor Day ? Je me souviens des croissants chauds que j'ai mangés en chemin et du tournoiement des mouettes, mais d'eux, je n'en suis pas complètement certain. Ils sont devenus par la suite des éléments si importants du décor – des repères en quelque sorte – qu'il m'est aujourd'hui impossible de me rappeler avec précision la première fois que j'ai véritablement remarqué leur présence. Rien ne vaut la routine pour jouer des tours à la mémoire.

Dix ans après les événements que je suis en train de vous raconter, je suis devenu (le karma, peut-être ?) journaliste au magazine *Cleveland*. Je rédigeais la plupart de mes premiers jets sur de grands blocs-notes à feuilles jaunes, dans un café de West Third Street, près du Lakefront Stadium, qui était à cette époque le repaire des joueurs de l'équipe des Indians. Tous les jours à dix heures, une jeune femme entrait et commandait quatre ou cinq cafés qu'elle emportait à l'agence immobilière d'à côté. Elle non plus je ne saurais vous dire la première fois que je l'ai vue. Tout ce que je sais, c'est qu'un jour je *l'ai* vue, puis j'ai remarqué qu'elle me regardait parfois en sortant. Le jour est venu où je l'ai regardée aussi, et quand elle m'a souri, j'ai souri aussi. Huit mois plus tard, on était mariés.

Ça a été la même chose pour Annie et Mike : un jour, comme ça, ils ont fait partie de ma vie. Je leur faisais toujours un signe de la main, le gosse me répondait à chaque fois et le chien restait assis à me regarder passer, les oreilles dressées, le poil hérissé par le vent. La femme était blonde et belle – des pommettes hautes, des yeux bleus largement écartés et des lèvres pulpeuses, du genre qui ont toujours l'air un peu meurtries de baisers. Le garçon, dans son fauteuil roulant, portait une casquette des White Sox de Chicago enfoncée jusqu'aux oreilles. Il avait l'air très malade mais son sourire respirait la santé. Que ce soit à l'aller ou au retour, il me souriait toujours. Une ou deux fois, il m'a même fait le signe de la paix, qu'illico je lui ai retourné. J'étais devenu un élément de son paysage, tout comme il était devenu un élément du mien. Je pense que même Milo, le jack russell, en était venu à m'assimiler au paysage. Seule Maman restait en retrait. La plupart du temps, elle ne levait même pas le nez du livre qu'elle était en train de lire. Et quand elle le faisait, elle ne me saluait pas et me faisait encore moins le signe de la paix.

*

À Joyland, je n'avais pas le temps de m'ennuyer, et même si le travail n'était pas aussi intéressant et varié que durant l'été, il était plus régulier et moins éreintant. J'eus même l'occasion de reprendre mon numéro à succès d'Howie et de chanter quelques refrains supplémentaires de « Joyeux Anniversaire » au Wiggle-Waggle Village car Joyland fut ouvert au public les trois premiers week-ends de septembre. La fréquentation avait cependant diminué et aucune attraction n'était blindée. Pas même la Carolina Spin, notre manège le plus populaire après le carrousel de chevaux de bois.

« Dans le Nord, en Nouvelle-Angleterre, la plupart des parcs restent ouverts tous les week-ends jusqu'à Halloween », m'avait dit un jour Fred Dean. Assis sur un banc, on s'enfilait un déjeuner nourrissant et bien vitaminé de Hot-Puppies au chili et couennes de porc grillées. « Dans le Sud, en Floride, les parcs restent ouverts toute l'année. On est un peu dans une zone d'ombre ici. Mr. Easterbrook a bien essayé de repousser la fermeture jusqu'à la fin de l'automne dans les années soixante – il a dépensé une fortune pour une campagne publicitaire-choc – mais ça n'a pas vraiment marché. Quand les nuits commencent à être frisquettes, les gens se mettent à penser petites kermesses de village et autres. Et puis, beaucoup de nos anciens migrent dans le Sud ou dans l'Ouest pour l'hiver. » Il avait soupiré en considérant la largeur déserte d'Howie Way. « On se sent un peu seuls ici à cette période de l'année.

– Ça me plaît bien », j'avais dit. Et c'était vrai. C'était mon année d'apprentissage de la solitude, souvenez-vous. Des fois, j'allais au cinéma à Lumberton ou à Myrtle Beach avec Mrs. Shoplaw et Tina Ackerley, la bibliothécaire aux gros yeux de poisson d'aquarium, mais je passais le plus clair de mes soirées dans ma chambre, à relire *Le Seigneur des anneaux* et à écrire des lettres à Erin, à Tom et à mon père. J'écrivis aussi pas mal de poèmes dont la seule idée me fait un peu honte aujourd'hui. Dieu merci, j'ai tout brûlé. J'ajoutai un nouveau vinyle agréablement lugubre à ma petite collection… *The Dark Side of the Moon*. Il est bien dit dans le Livre des Proverbes que « le bouffon revient à ses folies comme le chien retourne à son vomi » ? Cet automne-là, je suis revenu à *Dark Side* encore et encore, n'accordant aux Pink Floyd que de brefs répits, le temps d'écouter Jim Morrison entonner à nouveau : « *This is the end, beautiful friend* ». La crise des vingt et un ans, version aiguë – je sais, je sais.

Heureusement, il y avait beaucoup à faire à Joyland pour occuper mes journées. Les deux premières semaines, alors que le parc tournait encore le week-end, furent consacrées au grand nettoyage d'automne. Fred Dean me mit à la tête d'une petite équipe d'extras et lorsque le panneau FERMÉ POUR LA SAISON fut placardé à l'entrée, nous avions ratissé et tondu toutes les pelouses, préparé tous les parterres de fleurs pour l'hiver et lessivé tous les manèges et toutes les boutiques. Nous avons monté vite fait, bien fait un abri en tôle ondulée dans la cour de derrière afin d'y entreposer pour l'hiver les stands de nourriture (appelés roulottes en Parlure), chaque carriole à pop-corn, crèmes glacées et confiseries bien emmitouflée sous une bâche verte.

Quand les extras sont partis dans le Nord pour la cueillette des pommes, j'ai entamé les préparatifs d'hivernage avec Lane Hardy et Eddie Parks, l'ancien au sale caractère qui s'occupait de la Maison de l'Horreur (et de l'Équipe Doberman) pendant la saison. Nous avions déjà vidé la fontaine à l'intersection de Joyland Avenue et Howie Way et nous étions attaqués au bassin du Captain Nemo – une autre paire de manches –, quand Bradley Easterbrook, vêtu de son costume noir de voyage, vint nous trouver.

« Je pars pour Sarasota ce soir, nous dit-il. Brenda Rafferty m'accompagne, comme d'habitude. » Il sourit, dévoilant ses dents de cheval. « Je fais le tour du parc pour vous renouveler mes remerciements à tous. Ceux qui sont encore là, cela va sans dire.

– Passez un très bel hiver, Mr. Easterbrook », lança Lane.

Eddie marmonna quelque chose qui sonna comme *pète dans tes bagages*, mais qui devait plutôt être *faites bon voyage*.

« Merci pour tout », j'ai dit.

Il nous a serré la main, à moi en dernier. « J'espère te voir l'année prochaine, Jonesy. Je crois qu'un peu de sang forain coule en toi, jeune homme. »

Mais il ne me vit pas l'année d'après, et lui, personne ne le revit. Mr. Easterbrook mourut le jour du nouvel an dans un appartement de John Ringling Boulevard, à moins d'un kilomètre du lieu où le célèbre Ringling Brothers Circus passait l'hiver.

« Vieux taré », dit Parks en regardant Mr. Easterbrook marcher vers sa voiture où Brenda l'attendait pour l'aider à monter.

Lane lui lança un long regard appuyé, puis ordonna : « La ferme, Eddie. »

Eddie la ferma. Ce qui était probablement judicieux.

*

Un matin, alors que je partais pour Joyland à pied, mes croissants à la main, le jack russell se décida enfin à trotter jusqu'à la plage pour venir m'examiner de plus près.

« Milo, viens ici ! » appela la femme.

Milo se retourna pour la regarder, puis ramena sur moi ses yeux noirs et brillants. Sans réfléchir, j'arrachai un bout de mon croissant, m'accroupis et le lui tendis. Milo rappliqua en flèche.

« Ne lui donnez rien à manger ! s'écria la femme d'un ton sévère.

– Oh, maman, arrête un peu », dit le garçon.

Milo, obéissant, n'a pas touché à la viennoiserie… mais il s'est assis gentiment devant moi en faisant le beau. Alors, je l'ai récompensé.

« Je ne le referai plus, promis, j'ai dit en me relevant. Mais je ne pouvais pas ne pas le féliciter. »

La femme souffla avec dédain et retourna à son livre, qui était plutôt gros et semblait ardu. Le gamin s'exclama : « Il mange tout le temps, mais il ne grossit jamais car il court beaucoup. »

Sans lever le nez de son livre, Maman intervint : « Mike-O, on n'adresse pas la parole aux inconnus.

– Ce n'est plus vraiment un inconnu, maman, on le voit tous les jours, fit remarquer le garçon avec beaucoup de jugeote (du moins de mon point de vue).

– Je m'appelle Devin Jones, j'ai dit. J'habite au bout de la plage. Je travaille à Joyland.

– Alors, ne vous mettez surtout pas en retard. » Toujours sans lever les yeux de son bouquin…

Le garçon haussa les épaules : *Qu'est-ce que tu veux y faire ?* semblait-il dire. Il était pâle et plié en deux comme un vieillard, mais je trouvais que son haussement d'épaules et le regard qui l'accompagnait témoignaient d'un vif sens de l'humour. J'imitai son haussement d'épaules et poursuivis ma route.

Le lendemain matin, je pris soin de terminer mes croissants avant d'arriver devant la grande demeure victorienne – pour ne pas tenter Milo – mais je fis tout de même un geste de la main. Le gamin, Mike, me répondit. La femme était à sa place habituelle sous le parasol vert et elle ne lisait pas, mais – comme à son habitude – elle ne broncha pas. Son joli visage était fermé. *Il n'y a rien pour toi ici*, disait ce visage. *Alors retourne à ta fête foraine de pacotille et laisse-nous tranquilles.*

C'est donc ce que je fis. Mais je continuai à les saluer, et le gosse me répondait. Matin et soir, le gosse me saluait.

*

En arrivant à Joyland, le lundi suivant le départ de Gary « Pop » Allen pour la Floride – il rejoignait la Foire Géante d'Alston à Jacksonville, où on l'attendait pour tenir une boutique –, je suis tombé sur Eddie Parks, l'ancien que j'aimais le moins, assis devant la Maison de l'Horreur sur une caisse en bois retournée. Fumer dans l'enceinte du parc était strictement *verboten*, mais Mr. Easterbrook parti et Fred Dean hors de vue, Eddie ne voyait pas de risque à enfreindre le règlement. Il fumait avec ses gants, ce qui m'aurait paru étrange s'il lui était arrivé de les enlever, mais apparemment il ne les enlevait jamais.

« Te v'là enfin, gamin, et avec seulement cinq minutes de retard. » Tout le monde m'appelait soit Dev, soit Jonesy, mais pour Eddie, j'étais juste *gamin*, et je le suis resté.

« Moi, j'ai sept heures trente tapantes, j'ai dit en tapotant ma montre.

– Alors, tu retardes. Pourquoi k'tu viens pas en voiture, comme tout le monde ? Tu serais là en cinq minutes.

– J'aime bien venir par la plage.

– J'me fous pas mal de ce k'tu aimes, gamin, arrive à l'heure, un point c'est tout. T'es pas à la fac ici, tu te pointes pas à l'heure que tu veux quand tu veux. T'es au *boulot,* et maintenant que le Chef Schnauzer est parti, tu vas bosser pour de vrai. »

J'aurais pu lui faire remarquer que Pop m'avait dit qu'une fois lui parti, ce serait Lane Hardy qui me superviserait, mais j'ai pas moufté. Inutile de mettre de l'huile sur le feu. Quant à savoir pourquoi Eddie m'avait pris en grippe, c'était clair. Le vieil Eddie n'était pas pour l'égalité au boulot. Si la vie avec lui devenait insupportable, j'irais trouver Lane, mais seulement en dernier ressort. Mon père m'avait appris – surtout par l'exemple – que pour se rendre maître de sa vie, un homme doit d'abord se rendre maître de ses problèmes.

« Qu'est-ce que vous avez pour moi, Mr. Parks ?

– Des tas de choses. Pour commencer, tu vas aller me chercher un pot de cire à la réserve, de la Turtle Wax, et t'avise pas de lambiner en route pour taper la causette avec tes p'tits copains. Ensuite, je veux te voir entrer dans la Maison, et t'en sortiras pas avant que tu m'ayes ciré tous les wagonnets. » Il a dit *m'ayes*, je vous jure. « Tu sais qu'on les cire en fin de saison, pas vrai ?

– À vrai dire, non, je le savais pas.

– Bon sang, vous les gosses. » Il a écrasé son mégot sous son talon et soulevé la caisse qui lui servait de perchoir juste le temps de le fourrer en dessous. Comme si ça pouvait suffire à le faire disparaître. « T'as intérêt à y mettre de l'huile de coude, gamin, ou t'es bon pour tout recommencer. Pigé ?

– Pigé.

– Tant mieux. » Il se fourra une autre cigarette dans le bec puis trifouilla dans ses poches de jean à la recherche de son briquet. Avec ses gants, ça lui prit un bon bout de temps. Il l'attrapa enfin, rabattit le couvercle en arrière, puis interrompit son geste. « Kess' tu regardes comme ça ?

– Rien, j'ai dit.

– Alors, au boulot. Allume toutes les lumières, on y voit comme dans un cul là-dedans. Tu sais où sont les interrupteurs, pas vrai ? »

Je ne savais pas, mais je trouverais bien tout seul. « Ouais, bien sûr. »

Il me lorgna d'un œil sévère. « Ah, tu fais ton mariolle. » *Mon mariolle.*

*

Sur le mur entre le Musée de Cire et la Maison du Rire, j'ai trouvé un boîtier en métal marqué LTS. Je l'ai ouvert et j'ai remonté d'un coup les interrupteurs de la paume de la main. Avec toutes les lumières allumées, la Maison de l'Horreur aurait dû perdre tout son mystère et son kitsch sinistre, or, bizarrement, il n'en fut rien. Il y avait toujours des ombres dans les recoins et j'entendais le vent – assez fort, ce matin-là – souffler de l'autre côté des minces parois de bois et faire claquer une planche disjointe quelque part. Je me suis promis d'essayer de la repérer et de la réparer.

D'une main, je balançais un panier grillagé rempli de chiffons propres et d'un pot de Turtle Wax format économique géant. J'ai traversé le Pont des Naufragés – maintenant penché et immobilisé à tribord – pour entrer dans la Galerie des Jeux. En passant, j'ai regardé les pistes de skee ball, non sans me remémorer l'indignation d'Erin : *Ils ne savent donc pas que ce jeu est complètement truqué ?* Ce souvenir m'a fait sourire, mais mon cœur battait fort. Car, voyez-vous, je savais ce que j'allais faire après ma corvée.

Les wagonnets, vingt au total, étaient alignés devant le portillon d'embarquement. Au lieu des stroboscopes habituels, le tunnel conduisant dans les entrailles de la Maison de l'Horreur était éclairé par deux gros spots de chantier à la lumière blanche incandescente. Vu comme ça, ça faisait nettement moins d'effet.

J'aurais mis ma main à couper que, de tout l'été, Eddie n'avait même pas passé ne serait-ce qu'un coup de chiffon mouillé sur ses petits wagonnets, ce qui voulait dire que j'allais devoir commencer par les laver. Donc repartir à la réserve chercher du détergent en poudre et transporter des seaux d'eau depuis le robinet le plus proche. Le temps que je finisse de laver et de rincer les vingt voitures, il était l'heure de la pause, mais j'ai décidé de continuer plutôt que d'aller m'aérer dans la cour de derrière ou de descendre aux catacombes prendre un café. Je risquais d'y croiser Eddie et j'avais assez entendu les conneries de ce vieux grognard pour la matinée. Je me suis donc remis au travail, appliquant la cire en grosse couche épaisse puis repassant d'une voiture à l'autre pour les lustrer méticuleusement jusqu'à ce qu'elles étincellent dans la vive lumière et qu'elles aient l'air de nouveau flambant neuves. Même si la prochaine vague d'amateurs de sensations fortes ne le remarqueraient pas lorsqu'ils embarqueraient pour leurs neuf minutes de descente aux Enfers. Ma corvée terminée, mes gants étaient à jeter. Il faudrait que je m'en achète une nouvelle paire à la quincaillerie en ville, et une bonne paire de gants c'était pas donné. Je me suis amusé à imaginer la tête d'Eddie si je lui demandais de me les payer…

J'ai remisé mon panier de chiffons sales et de cire (le pot était presque vide maintenant) près de la porte de sortie de la Galerie des Jeux. Il était midi passé, mais en cet instant précis, ce n'était pas ma faim de nourriture que j'avais besoin de rassasier. J'ai fait quelques étirements pour soulager un peu la douleur qui me raidissait les jambes et les bras, puis je suis retourné au portillon d'embarquement. Je me suis arrêté pour admirer les wagonnets luisant sous la lumière, puis j'ai suivi à pas lents le rail s'enfonçant dans la Maison de l'Horreur.

J'ai dû baisser la tête en passant sous le Crâne Hurlant, quoique sa mâchoire fût maintenant remontée et verrouillée en position fermée. Au-delà, la vue plongeait dans le Cachot, où les artistes vivants de l'Équipe Doberman avaient fait de leur mieux (avec grand succès, la plupart du temps) pour ficher la trouille de leur vie aux enfants de tous âges, avec leurs plaintes sinistres et leurs hurlements à vous glacer le sang. Là, j'ai pu me redresser de toute ma taille car la pièce était haute de plafond. Mes pas résonnaient sur les fausses dalles de pierre du plancher peint. Je m'entendais respirer. Un son âpre et rauque. J'avais peur, OK ? Tom m'avait dit d'éviter l'endroit, mais Tom, pas plus qu'Eddie Parks, ne me dictait ma conduite. J'avais les Doors, j'avais les Pink Floyd, mais je voulais plus encore. Je voulais Linda Gray.

Entre le Cachot et la Chambre des Tortures, le rail descendait en décrivant un virage double en S où les wagonnets prenaient de la vitesse et secouaient les passagers. La Maison de l'Horreur était un train fantôme – une attraction obscure – mais cette section était la seule à être plongée dans une obscurité totale quand les gens la traversaient. C'était sûrement là que le tueur avait égorgé la fille et jeté son corps par-dessus bord. Avec quelle rapidité il avait dû agir, et avec quelle assurance ! Après le dernier virage, les passagers étaient éblouis par un cocktail explosif de stroboscopes multicolores. Bien que Tom n'ait jamais été très bavard à ce sujet, j'étais absolument sûr que c'était là qu'il avait vu ce qu'il avait vu…

J'ai descendu lentement le double S, pensant qu'Eddie serait tout à fait du genre à éteindre toutes les lumières s'il m'entendait. À me laisser seul dans le noir à chercher mon chemin à tâtons à travers le lieu du crime, avec pour seule compagnie le bruit du vent et cette planche en bois qui claquait. Et imaginez… imaginez simplement… que la main d'une jeune fille se soit tendue dans ces ténèbres pour prendre la mienne, tout comme Erin avait pris ma main la dernière nuit là sur la plage ?

Les lumières sont restées allumées. Ni chemise ni gants ensanglantés ne sont apparus près du rail qui brillait d'une lueur spectrale. Et quand je suis arrivé à ce qui me semblait être l'endroit exact, juste avant l'entrée de la Chambre des Tortures, aucune fille fantôme ne m'a tendu les bras.

Pourtant, j'ai senti quelque chose. J'en ai eu la certitude à l'époque et j'en ai la certitude maintenant. L'air était plus froid. Pas assez froid pour que je voie mon haleine, mais oui, nettement plus froid. La chair de poule m'a couvert les bras, les jambes, l'entrejambe, et mes cheveux se sont hérissés sur ma nuque.

« Montre-toi », j'ai murmuré, me sentant aussi stupide que terrifié. Désirant que cela se produise. Espérant que non.

Il y eut un son. Un long et lent soupir. Non pas un soupir humain, non, pas le moins du monde. On aurait dit que quelqu'un avait ouvert une invisible valve à vapeur. Puis le bruit cessa. Et ce fut tout. Pour ce jour-là.

*

« T'en as mis du temps », m'a fait Eddie, quand j'ai fini par réapparaître à une heure moins le quart. Il était assis sur le même perchoir en bois, un reste de sandwich au bacon dans une main et un gobelet en plastique plein de café dans l'autre. J'étais crasseux de la tête aux pieds. Eddie, lui, avait l'air frais comme un gardon.

« Les wagonnets étaient plutôt sales. J'ai dû les laver avant de pouvoir les cirer. »

Eddie renifla un paquet de glaires, tourna la tête et cracha. « Si c'est une médaille que tu veux, j'en ai p'us. Va trouver Hardy. Il a besoin de toi pour nettoyer le système d'irr'gation. Ça devrait tenir un traîne-savate comme toi occupé jusqu'à la débauche. Si c'est pas le cas, reviens m'voir, je te trouverai une occupation. Crois-moi, j'en ai une liste comme ça.

– OK. » Je commençais à partir, heureux de me tirer.

« Gamin ! »

Je me suis retourné, à contrecœur.

« Tu l'as vue ?

– Hein ? »

Il m'adressa un rictus déplaisant. « Pas de "hein" avec moi. Je sais ce que tu trafiquais là-dedans. T'es pas le premier et tu s'ras pas le dernier. Tu l'as vue ?

– Et *vous*, vous l'avez vue ?

– Nan. » Il me regardait par en dessous, avec de petits yeux perçants et sournois dans un visage maigre et brûlé par le soleil. Quel âge avait-il ? Trente ? Soixante ? Impossible à dire, tout comme il était impossible de savoir s'il disait la vérité. Peu importe. J'avais juste envie de m'éloigner de lui. Il me foutait les jetons.

Eddie souleva ses mains gantées. « Le type qui l'a fait en portait une paire comme ça. Tu savais ? »

J'ai hoché la tête. « Et une chemise de rechange.

– Exact. » Son rictus s'élargit. « Pour pas se tacher de sang. Et ça a marché, pas vrai ? On l'a jamais attrapé. Maintenant, dégage. »

*

Quand je suis arrivé à la Carolina, seule l'ombre de Lane était là pour m'accueillir. L'homme était perché dans les airs, grimpant les échelons métalliques de la roue. Il vérifiait la solidité de chaque traverse en acier avant de poser son poids dessus. Une sacoche à outils en cuir attachée à la taille reposait sur sa hanche et il en sortait de temps à autre une clé à pipe. Joyland n'avait qu'un seul train fantôme mais une bonne dizaine de chahuts-bahuts (comme on les appelait) tels que le Zipper, le Thunderball et le Delirium Shaker. Pendant la saison touristique, une équipe de maintenance de trois hommes les vérifiait tous les jours avant l'ouverture et, bien entendu, il y avait aussi les contrôles (annoncés et surprises) de l'Inspection d'État des Parcs d'Attractions de Caroline du Nord. Mais, selon Lane, un forain qui n'assurait pas lui-même l'entretien de son manège était un feignant autant qu'un irresponsable. Ce qui m'incita à me demander à quand remontait la dernière fois qu'Eddie était monté à bord des Vâânuuurs de sa propre attraction et avait vérifié les bââârs.

Lane regarda en bas, m'aperçut et s'écria : « Est-ce que ce fils de pute t'a filé ta pause déjeuner ?

– Non, j'ai pas pris de pause, lui ai-je crié en retour. Pas vu le temps passer. » Mais là, maintenant, j'avais les crocs.

« Y a un reste de macaronis au thon dans ma niche, si tu veux. Je m'en suis fait beaucoup trop, hier soir. »

Je suis entré dans la petite cabine de contrôle où j'ai trouvé le gros tupperware rempli de salade que je me suis empressé d'ouvrir. Au moment où Lane remettait pied à terre, les pâtes au thon avaient transité dans mon estomac et je m'enfilais quelques biscuits à la pâte de figues en guise de dessert.

« Merci, Lane, c'était bien bon.

– Ouais, je sais, je ferai un bon mari pour une mignonne, un de ces jours. Passe-moi quelques Fig Newtons avant que t'engloutisses tout. »

Je lui ai tendu le paquet. « Ça va, le manège ?

– J'lai resserré, l'est OK. Tu veux bien me filer un coup de main pour le moteur, quand t'auras digéré un peu ?

– Ouais, bien sûr. »

Il retira son chapeau melon et le fit tourner sur le bout de son doigt. Ses cheveux étaient noués sur la nuque en une petite queue-de-cheval bien nette et je remarquai l'apparition de quelques cheveux blancs dans sa crinière noire. Ils n'y étaient pas au début de l'été – j'en aurais mis ma main à couper. « Écoute-moi, Jonesy, le Eddie, il est forain de père en fils, mais ça change rien au fait que c'est une sale tête de con. Et pour lui, t'as deux tares : t'es jeune et t'es allé au-delà du cours moyen. Quand t'en auras assez de son caractère de merde, dis-le-moi et j'irai lui toucher deux mots.

– Merci, mais ça va pour l'instant.

– Je sais qu'ça va. J'ai bien vu comment tu gardes ton sang-froid et je suis sacrément impressionné. Mais le Eddie, c'est pas n'importe qui.

– C'est une brute, j'ai dit.

– Ouais, mais la bonne nouvelle, c'est que comme pour toutes les brutes, tu grattes un peu le vernis, tu trouves une poule mouillée en dessous. Elle est jamais très loin, en plus. Y a des types ici qui lui font peur, et y s'trouve que j'en suis un. Je lui ai déjà collé une patate et ça me gênerait pas de recommencer. Ce que j'dis, c'est que si un jour t'as besoin d'un peu d'air, tu peux compter sur moi.

– Je peux vous poser une question ?

– Vas-y, crache.

– Pourquoi il enlève jamais ses gants ? »

Lane se mit à rire et replaça son chapeau sur sa tête en lui donnant l'inclinaison parfaite. « Psoriasis. Il en a plein les pattes, du moins c'est ce qu'il dit – je saurais pas te dire la dernière fois que j'les ai vues. Y dit que sans ses gants, y se gratte jusqu'au sang.

– Peut-être que c'est pour ça qu'il a mauvais caractère…

– Je pense que c'est plutôt l'inverse : le mauvais caractère lui file une mauvaise peau. » Il se tapota la tempe. « L'esprit contrôle le corps, voilà c'que j'pense. Allez, Jonesy, on y va. »

*

Nous avons terminé de préparer la Carolina pour sa longue sieste hivernale et sommes ensuite passés au système d'irrigation. Une fois les tuyaux décrassés à l'air comprimé, nous avons fait avaler plusieurs gallons d'antigel aux canalisations. Déjà, le soleil descendait vers la cime des arbres à l'ouest du parc et nos ombres s'allongeaient.

« C'est bon pour aujourd'hui, m'a dit Lane. Tu as eu ton compte. Va me chercher ta carte que je la signe. »

J'ai tapoté ma montre, lui indiquant qu'il n'était que cinq heures et quart.

Il a secoué la tête en souriant. « C'est pas un problème pour moi d'inscrire six heures sur ta carte. T'as enquillé douze heures de boulot aujourd'hui, gamin. Facile.

– OK, j'ai dit. Mais m'appelez pas gamin. C'est comme ça qu'*il* m'appelle, lui. » D'un signe de tête, j'ai désigné la Maison de l'Horreur.

« C'est noté. Allez, va me chercher ta carte et fous-moi le camp d'ici. »

*

Le vent s'était un peu calmé dans l'après-midi mais une petite brise tiède soufflait encore quand je me suis mis en route le long de la plage. La plupart du temps, sur le chemin du retour, j'aimais bien regarder mon ombre longue danser sur les flots, mais ce soir-là j'avais les yeux rivés sur mes pieds. J'étais vanné. Tout ce que je voulais, c'était un sandwich jambon-fromage de chez Betty et une bonne bière du 7-Eleven d'à côté. Rentrer, m'affaler dans le fauteuil près de ma fenêtre et lire un peu de Tolkien en mangeant. J'en étais aux *Deux Tours*.

C'est la voix du petit garçon qui m'a fait lever les yeux. Le vent soufflait dans ma direction et je l'ai entendu distinctement : « *Plus vite, maman ! T'y es pres* … » Une quinte de toux l'a interrompu. Puis : « *T'y es presque !* »

Ce soir-là, la mère de Mike avait délaissé le parasol pour la plage. Elle courait vers moi sans me voir car elle levait la tête vers le cerf-volant qu'elle tenait à bout de bras. Les ficelles étaient tendues dans la direction du petit garçon assis sur son fauteuil roulant, à l'extrémité du caillebotis. Il tenait les poignées en main.

T'es pas dans le sens du vent, maman, j'ai pensé.

Elle a lâché le cerf-volant qui a pris un peu de hauteur, frétillé effrontément de gauche à droite et piqué du nez dans le sable. Un souffle de vent l'a emporté, il a ricoché sur la plage. La femme s'est élancée à sa poursuite.

« *Encore !* a crié Mike. *Cette fois…* » *Keuh-keuh-keuh…* toux sèche de bronchiteux. « *Cette fois, t'y étais presque !*

— Non, c'est pas vrai ! » Elle avait la voix fatiguée et énervée. « Ce satané truc me déteste ! Rentrons mang… »

Assis à côté du fauteuil roulant de Mike, Milo assistait avec attention au spectacle. Quand il m'aperçut, il fonça vers moi comme une flèche en aboyant. La déclaration de Madame Fortuna le jour de notre rencontre me revint alors à l'esprit : *Je vois une fillette et un garçonnet. Le petit garçon a un chien.*

« Milo, reviens ! » cria Maman. Ses cheveux étaient sans doute impeccablement tirés en début de soirée, mais après plusieurs tentatives de lancer de cerf-volant infructueuses, ils pendaient maintenant en mèches désordonnées autour de son visage. Elle les repoussa avec lassitude du dos de la main.

Milo ne lui prêta aucune attention. Il dérapa à mes pieds dans un jet de sable avant de s'asseoir devant moi, les deux pattes en l'air, faisant le beau comme il savait si bien le faire. J'ai ri en lui caressant la tête. « C'est tout ce que t'auras, mon pote… pas de croissant pour toi, ce soir. »

Il aboya une dernière fois, puis retourna vers Maman en trottinant. Dans le sable jusqu'aux chevilles, le souffle court, elle me jaugeait avec méfiance. Le cerf-volant capturé pendait le long de sa jambe.

« Vous voyez ? dit-elle. C'est pour ça que je ne voulais pas que vous le nourrissiez. Il quémande sans arrêt et il croit que quiconque lui donne à manger est son ami.

– Ben, il a pas tort, je suis plutôt sympa, comme garçon.

– Ça me fait une belle jambe, répliqua-t-elle. Ne le nourrissez plus, c'est tout. »

Elle portait un corsaire et un vieux T-shirt bleu avec un motif délavé sur le devant. À en juger d'après les auréoles de transpiration, elle devait s'escrimer depuis un moment. Et je la comprenais. Si j'avais eu un gosse coincé dans un fauteuil roulant, moi aussi j'aurais sûrement eu envie de lui donner de quoi s'envoler un peu…

« Vous n'êtes pas dans le sens du vent, je lui ai dit. Et c'est pas la peine de courir, non plus. Je sais pas pourquoi tout le monde croit qu'il faut courir.

– Je suis sûre que vous devez être un expert, mais il est tard et c'est l'heure pour Mike d'aller dîner.

– Maman, laisse-le essayer, intervint Mike. S'il te plaît. »

Elle resta silencieuse quelques secondes, tête baissée, des mèches de cheveux moites de sueur collées dans le cou. Puis elle soupira et me tendit le cerf-volant. Maintenant, je pouvais lire l'imprimé sur son T-shirt : CONCOURS DE TIR SPORTIF DE CAMP PERRY (POSITION « COUCHÉ ») 1959. Mais le motif sur le cerf-volant était bien plus intéressant et je ne pus m'empêcher de rire. C'était le visage du Christ.

« Ne me demandez pas pourquoi, dit-elle, vous ne pouvez pas comprendre.

– Si vous le dites.

– Vous avez droit à un essai, Mr. Joyland, après, nous rentrerons dîner. Il ne faut pas qu'il attrape froid. Il a été malade l'année dernière et il n'est pas encore complètement remis. Il croit que si, mais non. »

Il devait faire au moins vingt degrés sur la plage, mais je n'ai rien dit ; Maman n'était clairement pas d'humeur. Au lieu de quoi, je lui ai redit que je m'appelais Devin Jones. Elle a levé les mains en l'air puis les a laissées retomber : *Cause toujours, mon pote.*

J'ai regardé le garçon. « Mike ?

– Oui ?

– Enroule la ficelle. Je te dirai stop. »

Il s'exécuta. Le cerf-volant dans les mains, j'ai avancé vers lui en suivant le fil et, quand je suis arrivé à son niveau, j'ai regardé Jésus dans les yeux. « Alors, Mr. Christ, t'es prêt à voler maintenant ? »

Mike rigola. Maman, non, mais je vis ses lèvres frémir.

« Il a dit oui, ai-je confirmé à Mike.

– Tant mieux, parce que… » *Keuh. Keuh-keuh-keuh.* Elle avait raison, il était toujours malade. « Parce que jusqu'à présent, il n'a pas fait grand-chose à part manger du sable. »

J'ai brandi le cerf-volant au-dessus de ma tête, mais tourné vers Heaven's Bay, cette fois. Le vent l'a immédiatement poussé. Le plastique claquait. « Je vais lâcher, Mike. Et au moment où je lâche, toi tu enroules la ficelle.

– Mais il va…

– Non, il va pas… Mais il faut que tu aies des gestes rapides et sûrs. » J'en rajoutais un peu, car je voulais qu'il se sente capable et confiant quand le cerf-volant s'envolerait. Si la brise ne nous lâchait pas, il s'envolerait. Du moins je l'espérais, car j'avais dans l'idée que Maman ne plaisantait pas en parlant d'un unique essai. « Dès que le cerf-volant commence à monter, il faut que tu déroules la ficelle. Mais garde-la tendue, OK ? Ce qui veut dire que si le cerf-volant commence à piquer du nez, tu…

– J'enroule. Ça va, j'ai compris. Bon sang !

– OK. Prêt ?

– Ouais ! »

Assis entre Maman et moi, Milo levait la tête vers le cerf-volant.

« Bon, alors on y va. Trois… deux… un… partez ! »

Le gosse avait beau être tout recroquevillé dans son fauteuil et avoir perdu l'usage de ses jambes, ses mains fonctionnaient très bien et il savait suivre les instructions qu'on lui donnait. Il commença à enrouler la ficelle et le cerf-volant monta d'un coup sec dans les airs. Il lui redonna un peu de mou – un peu trop au début, et le cerf-volant plongea, mais il rectifia aussitôt le tir et l'ascension reprit. Mike riait. « Je le sens ! Je le sens dans mes mains !

– C'est le vent que tu sens, je lui ai dit. Continue comme ça, Mike. Une fois qu'il aura pris de la hauteur, c'est le vent qui se chargera du reste. Et tout ce qu'il te restera à faire, ce sera de ne pas lâcher. »

Il donna du mou à la ficelle et le cerf-volant s'éleva, d'abord au-dessus de la plage, puis au-dessus de l'océan, toujours plus haut dans le ciel de cette soirée de septembre. Je l'ai observé un moment puis j'ai risqué un œil vers la femme. Mon regard ne l'irrita pas, car elle ne le vit pas. Toute son attention était rivée sur son fils. Je ne pense pas avoir jamais vu autant d'amour et de bonheur sur le visage de quelqu'un. Car *Mike* était *heureux*. Ses yeux brillaient et sa toux avait cessé.

« Maman, on dirait qu'il est *vivant* ! »

Il l'est, me suis-je dit à moi-même, me rappelant comment mon père m'avait appris à faire du cerf-volant dans le parc de notre ville. Je devais avoir le même âge que Mike mais j'avais de bonnes jambes pour me porter. *Tant qu'il est là-haut, là où il est censé être, oui, il est vivant.*

« Viens le sentir, maman ! »

Elle grimpa la petite pente sablonneuse jusqu'au caillebotis de bois et vint se poster à côté de lui. Elle regardait le cerf-volant mais sa main caressait les cheveux noirs du petit garçon. « Tu es sûr, mon chéri ? C'est ton cerf-volant.

– Oui, mais il faut que tu essayes. C'est incroyable ! »

Elle prit la bobine qui s'était considérablement vidée au fur et à mesure que Mike avait libéré la ficelle et que le cerf-volant avait pris de l'altitude (ce n'était maintenant plus qu'un diamant noir dans le ciel et le visage du Christ n'était plus visible) et la tint devant elle. Elle parut inquiète au début. Puis elle sourit. Et quand un coup de vent tira sur le cerf-volant, le faisant virer à bâbord puis à tribord au-dessus des rouleaux déferlant sur la grève, son sourire s'agrandit.

Jugeant son tour terminé, Mike intervint : « À lui, maintenant. Laisse-le essayer.

– Non, c'est bon », j'ai dit.

Mais elle me tendit la bobine. « Nous insistons, Mr. Jones. Après tout, c'est vous le maître du vent. »

Alors j'ai pris la poignée et retrouvé ce bon vieux frisson d'autrefois. Le filin s'est tendu à la manière d'un fil de pêche lorsqu'une grosse truite mord à l'hameçon, mais ce qui est bien avec un cerf-volant, c'est que rien ni personne ne meurt.

« Jusqu'où il peut monter comme ça ? me demanda Mike.

– Je sais pas, mais peut-être que c'est assez haut pour ce soir. Le vent est plus fort en hauteur et il risquerait de le déchirer. Et puis, c'est l'heure d'aller manger.

– Est-ce que Mr. Jones peut manger à la maison, maman ? »

Elle sembla prise au dépourvu, et pas très enchantée de l'idée. Mais je savais qu'elle se sentirait obligée de dire oui, pour me remercier d'avoir fait décoller le cerf-volant.

« Vous inquiétez pas, j'ai dit. C'est gentil à vous, mais j'ai eu une dure journée au parc. On est en train de fermer les écoutilles pour l'hiver et je suis poisseux de la tête aux pieds.

– Vous pouvez vous laver à la maison, proposa Mike. On doit avoir, je sais pas, moi, soixante-dix salles de bains.

– *Michael Ross*, c'est faux !

– Peut-être soixante-quinze, alors, avec un jacuzzi dans chacune. » Et il rigola. D'un rire adorable et communicatif, du moins jusqu'à ce qu'il vire à la toux, qui elle-même vira à la quinte sèche et douloureuse. Et puis, juste au moment où Maman commençait à paraître réellement angoissée, Mike réussit à se calmer.

« Une autre fois, j'ai dit en lui tendant la bobine. Ton Christ-volant est vraiment génial. Et ton chien n'est pas mal non plus. » Je me suis penché pour flatter la tête de Milo.

« Ah… D'accord. Une autre fois, alors. Mais pas dans trop longtemps parce que… »

Sa mère lui coupa vivement la parole : « Pouvez-vous partir au travail un peu plus tôt, demain matin, Mr. Jones ?

– J'imagine que oui.

– Nous pourrions prendre le petit déjeuner ensemble sur la plage, s'il fait beau ? Je fais des smoothies aux fruits frais du tonnerre. »

Ça, j'en aurais mis ma main à couper. Et puis comme ça, elle ne serait pas obligée d'inviter un étranger dans sa maison.

– Alors, alors ? s'enquit Mike. Ça serait vraiment cool.

– Ça serait super cool. J'apporterai des croissants de chez Betty.

– Oh, ce n'est pas nécess…

– J'insiste, madame.

– Oh ! » Elle parut confuse. « Je ne me suis même pas présentée ! Ann Ross. » Elle me tendit la main.

« Je vous serrerais volontiers la main, Mrs. Ross, mais je suis vraiment tout sale. » Je lui montrai l'état de mes mains. « Et j'ai probablement sali le cerf-volant, aussi.

– Vous auriez dû faire une moustache à Jésus ! s'esclaffa Mike, et son rire l'entraîna dans une nouvelle quinte de toux.

– Ta ficelle est un peu trop lâche, Mike, je lui ai dit. Tu ferais bien de rembobiner un peu. » Alors qu'il s'affairait à la tâche, j'ai donné une petite tape d'adieu à Milo et repris mon chemin sur la plage.

« Mr. Jones ? »

Je me suis retourné. Elle se tenait droite, la tête haute. Son T-shirt moite de sueur lui moulait la poitrine, et quelle poitrine !

« C'est *miss* Ross. Mais maintenant que nous avons fait plus ample connaissance, appelez-moi donc Annie.

– Ça peut se faire. » J'ai désigné son T-shirt. « Pourquoi couché ?

– C'est quand tu tires allongé, me répondit Mike.

– Je n'ai pas pratiqué depuis une éternité », répliqua-t-elle d'un ton sec, indiquant qu'elle préférait ne pas poursuivre la conversation.

Pas de problème. J'ai fait un petit signe d'adieu à Mike qui me le rendit aussitôt. Il souriait. Un sacré beau sourire, ce gosse.

Trente ou quarante mètres plus loin, je me suis retourné pour jeter un dernier coup d'œil en arrière. Le cerf-volant entamait sa descente mais, pour le moment, le vent le faisait toujours planer. Ils avaient tous deux la tête levée vers le ciel, la mère la main posée sur l'épaule de son fils.

Miss, j'ai pensé. *Miss, pas Mrs. Et y a-t-il un Mr. avec vous dans la grande maison victorienne aux soixante-dix salles de bains ?* Je ne le pensais pas. Bien sûr, ce n'était pas parce que je n'avais jamais vu de monsieur avec eux qu'il n'y en avait pas. Mais je pensais qu'ils n'étaient que tous les deux. Seuls tous les deux.

*

Le lendemain matin, je ne reçus aucun éclaircissement de la part d'Annie Ross, mais une foule d'informations de la part de Mike.

J'eus également droit à un smoothie aux fruits diablement bon. Elle faisait le yaourt elle-même et elle le mixait avec des fraises fraîches venues de Dieu seul sait où. J'avais apporté des croissants et des muffins aux myrtilles de chez Betty. Mike refusa les viennoiseries mais termina son yaourt aux fruits et en réclama un deuxième. À l'air ahuri de sa mère, j'ai conclu que c'était une nouveauté. Mais une nouveauté plutôt réjouissante.

« Tu es sûr de pouvoir en manger un deuxième ?

– Peut-être juste la moitié, dit-il. Et puis, qu'est-ce que ça fait, maman ? C'est bien toi qui me répètes sans arrêt que le yaourt, c'est bon pour mes intestins.

– Je ne pense pas que nous ayons besoin de parler de tes intestins à sept heures du matin, Mike. » Elle se leva, puis me lança un regard méfiant.

« T'inquiète pas, maman, s'écria malicieusement Mike, s'il essaye de jouer à touche-pipi, je dirai à Milo d'attaquer. »

Les joues de sa mère s'empourprèrent. « *Michael Everett Ross !*

– Pardon », dit-il. Mais il n'avait pas du tout l'air désolé. Ses yeux pétillaient.

« Excuse-toi auprès de Mr. Jones, pas de moi.

– C'est bon, c'est bon. Je t'excuse, dis-je.

– Pouvez-vous le surveiller un instant, Mr. Jones ? Je n'en ai pas pour longtemps.

– D'accord, mais seulement si vous m'appelez Devin.

– Alors, va pour Devin. »

Elle remonta d'un pas vif le caillebotis de bois, s'arrêtant à mi-chemin pour jeter un dernier regard en arrière. Je pense qu'elle envisageait sérieusement de faire demi-tour, mais tout compte fait, la perspective d'administrer quelques calories supplémentaires au corps terriblement amaigri de son fils était trop tentante, et elle nous laissa.

Mike la regarda monter les marches menant au patio de derrière et soupira : « Je vais devoir le manger, maintenant.

– Euh… oui. Il me semble que c'est toi qui l'as réclamé, non ?

– Seulement pour pouvoir te parler sans qu'elle intervienne. Enfin, tu vois, je l'aime et tout, mais elle ne peut pas s'empêcher d'intervenir sans arrêt. Par exemple, on ne peut jamais parler de ma maladie, c'est un secret honteux, tu comprends. » Il haussa les épaules. « Je souffre de dystrophie musculaire, c'est tout. C'est pour ça que je suis en fauteuil roulant. Je peux marcher, tu sais, mais avec les appareils et les béquilles, c'est trop chiant.

– Je suis navré, Mike, j'ai dit. Ça craint.

– J'imagine, oui. Mais comme je me souviens pas comment c'était avant, qu'est-ce que ça peut faire ? Sauf que je suis atteint d'une forme spéciale de DM. La dystrophie musculaire de Duchenne, ça s'appelle. La plupart des enfants qui l'ont claquent avant vingt ans. »

OK… alors dites-moi, vous… qu'est-ce qu'on est censé dire à un gosse de dix ans qui vient de vous annoncer qu'il ne lui reste plus que quelques années à vivre ?

« *Mais…* » Il leva le doigt en l'air à la manière d'un instituteur. « Elle t'a dit que je suis tombé malade l'an dernier, non ?

– Mike, tu n'es pas obligé de me parler de tout ça, si tu ne veux pas.

– Oui, sauf que je veux. » Il me regardait calmement, et avec intensité. Peut-être même avec insistance. « Parce que *toi*, tu veux savoir. Et peut-être que t'as *besoin* de savoir. »

Je repensais à Madame Fortuna. Deux enfants, m'avait-elle dit, une fillette avec une casquette rouge et un garçon avec un chien. L'un d'eux avait le don de vision, mais elle ne savait pas lequel. Moi, je pensais savoir.

« Maman dit que je me crois guéri. Tu trouves que j'ai l'air guéri, toi ?

– T'as une vilaine toux, risquai-je, mais à part ça… » J'ai été incapable de terminer. *À part ça, tes jambes ne sont que des brindilles ? À part ça, ta mère et moi on pourrait t'accrocher une ficelle autour de la taille et te faire voler comme un cerf-volant ? À part ça, si je devais parier qui, de toi ou de Milo, vivra le plus longtemps, je parierais sur ton chien ?*

« J'ai attrapé la pneumonie juste après Thanksgiving, OK ? Au bout de deux semaines à l'hôpital, comme ça s'était toujours pas amélioré, le docteur a dit à maman que j'allais probablement mourir et qu'elle devait, tu comprends, s'y préparer. »

Mais il ne le lui a pas dit en ta présence, ai-je pensé. *Ils ne disent jamais ce genre de choses en présence de l'intéressé.*

« Pourtant, je suis encore là. » Il avait dit ça avec une certaine fierté. « Mon grand-père a téléphoné à maman – je pense que c'était la première fois qu'ils se parlaient depuis très longtemps. Je sais pas qui l'avait mis au courant, mais mon grand-père, il a des gens partout. »

Des gens partout… Ça semblait un brin paranoïaque, à mon sens, mais je l'ai bouclée. J'apprendrais plus tard que ça n'avait rien de paranoïaque. Le grand-père de Mike avait bel et bien des gens partout, et tous rendaient les honneurs à Jésus, au drapeau américain et à la NRA*, encore que pas forcément dans cet ordre-là.

« Grand-père a dit que c'était grâce à Dieu si j'avais survécu à la pneumonie. Maman lui a dit que c'était que des conneries, comme quand il avait dit au départ que ma dystrophie, c'était une punition divine. Elle lui a dit que j'étais juste un sacré dur à cuire et que Dieu n'avait rien à voir là-dedans. Et puis elle a raccroché. »

---

* National Rifle Asociation : association de promotion des armes à feu (*Les notes sont des traductrices*).

Mike avait très bien pu entendre sa partie à elle de la conversation, mais pas celle de son grand-père, et je doutais fort que sa mère lui en ait parlé. Mais je ne pensais pas non plus qu'il me baratinait. Je me suis pris à espérer qu'Annie ne se dépêcherait pas trop. Ce qu'il me racontait là n'avait rien à voir avec les prédictions de Madame Fortuna. Selon moi (c'était déjà ce que je pensais à l'époque, et je continue à le penser), la cartomancienne possédait certes une petite sensibilité psychique, complétée surtout par une connaissance aiguë de la nature humaine, le tout agrémenté du bagout de la diseuse de bonne aventure expérimentée. Ce qu'avait Mike, en revanche, était plus pur. Plus simple. Plus évident. Pas comme s'il pouvait voir le fantôme de Linda Gray, mais quelque chose d'analogue, vous voyez ? Une capacité de contact avec un autre monde.

« Maman disait qu'elle ne remettrait jamais les pieds ici, et nous voilà. Parce que j'ai eu envie de venir à la mer et de faire du cerf-volant, et parce que j'aurai jamais douze ans, encore moins vingt. C'est à cause de la pneumonie, tu comprends ? J'ai pris des stéroïdes, et ça m'a un peu aidé, mais avec la DM de Duchenne, plus la pneumonie, maintenant j'ai les poumons et le cœur niqués. »

Il me dévisageait avec un air de défi enfantin, curieux de voir comment j'allais réagir à ce dernier mot. Je n'ai pas réagi, bien entendu. J'étais trop occupé à assimiler l'information pour attacher de l'importance au choix de ses mots.

« OK, j'ai dit. Donc j'imagine que ce que tu es en train de me dire, c'est qu'un deuxième smoothie aux fruits n'y changera rien. »

Il rejeta la tête en arrière et s'esclaffa. Son rire se transforma en la pire des quintes de toux qu'il ait eues jusque-là. Inquiet, je me suis levé et je lui ai tapé dans le dos… mais doucement. Il n'avait que la peau sur les os. Milo lâcha un aboiement et posa ses deux pattes avant sur la jambe atrophiée de Mike.

Il y avait deux pichets sur la table, l'un rempli d'eau, l'autre de jus d'oranges pressées. Mike me montra l'eau du doigt et je lui en servis un demi-verre. Quand je voulus l'aider à boire, il me lança un regard impatienté – malgré la quinte de toux qui le secouait – et me prit le verre des mains. Il en renversa un peu sur son T-shirt mais parvint à avaler presque tout le reste et sa toux se calma enfin.

« Celle-là, elle était mauvaise, dit-il en se tapotant le plexus. J'ai le cœur qui bat à cent à l'heure. Surtout, dis rien à ma mère.

– Ben tiens ! Comme si elle savait pas déjà !

– Justement, elle en sait trop, d'après moi, me dit Mike. Elle sait que je peux peut-être encore avoir trois bons mois comme ça, et puis quatre ou cinq vraiment horribles. Du genre à rester couché tout le temps, sans pouvoir rien faire d'autre qu'aspirer de l'oxygène et regarder *MASH* et *Fat Albert* à la télé. La seule question, c'est de savoir si oui ou non elle laissera grand-mère et grand-père Ross assister à l'enterrement. » Il avait toussé suffisamment fort pour en avoir les larmes aux yeux et je savais que ce que je voyais n'était pas des pleurs. Il avait un ton lugubre, mais il était maître de lui. La veille au soir, quand le cerf-volant s'était envolé et qu'il avait senti le vent tirer sur la ficelle, il avait retrouvé l'innocence de son âge. Maintenant, je le regardais s'efforcer de se comporter comme un grand. Et le plus terrible, c'est qu'il s'en sortait bien. Ses yeux rencontrèrent les miens, sans ciller. « Elle sait, oui. Mais ce qu'elle sait pas, c'est que *moi* je sais. »

La porte arrière a claqué et on s'est retournés tous les deux en même temps. Annie était en train de traverser le patio pour rejoindre le caillebotis.

« Mike, pourquoi est-ce que moi, j'aurais *besoin* de savoir ? »

Il secoua la tête. « J'en sais rien. Mais n'en parle pas à maman, d'accord ? Ça la rend triste. Je suis tout ce qu'elle a. » Il ne l'a pas dit avec fierté, loin de là, mais plutôt avec une sorte de lucidité tragique.

« D'accord.

– Oh, j'ai failli oublier. Une dernière chose. » Il jeta un coup d'œil en direction de sa mère, vit qu'elle était encore loin et se retourna vers moi. « *Ce n'est pas blanc.*

– Qu'est-ce qui n'est pas blanc ? »

Mike Ross eut l'air perplexe. « Aucune idée. C'est ce qui m'est venu à l'esprit ce matin quand je me suis réveillé et que je me suis souvenu que tu venais pour le petit déjeuner. Je me suis dit que tu saurais. »

Annie arrivait. Elle apportait un mini-verre de smoothie aux fruits. Avec une fraise posée sur le dessus.

« Miam ! dit Mike. Merci, maman !

– Mais de rien, mon chéri. »

Elle remarqua son T-shirt mouillé mais ne fit aucun commentaire. Quand elle me demanda si je voulais un peu plus de jus d'orange, Mike me fit un clin d'œil et j'acceptai. Alors qu'elle me servait, il en profita pour donner deux grosses cuillerées de son smoothie à Milo.

Se retournant vers son fils, Annie vit le verre à moitié vide. « Eh bien, tu en avais *vraiment* envie !

– Je te l'avais dit.

– De quoi toi et Mr. Jones – Devin – étiez-vous en train de parler ?

– De pas grand-chose, répondit Mike. Il a été triste, mais il va mieux maintenant. »

Je n'ai rien dit mais j'ai senti la chaleur me monter au visage. Quand j'ai osé un regard vers Annie, elle souriait.

« Bienvenue dans le monde de Mike, Devin », me dit-elle. Je devais avoir l'air d'avoir gobé un poisson rouge, car elle a éclaté de rire. C'était un son bien agréable.

*

Quand je suis rentré de Joyland, ce soir-là, elle était postée au bout du caillebotis à m'attendre. C'était la première fois que je la voyais en jupe et chemisier. Et elle était seule. Ça aussi, c'était une première.

« Devin ? Vous avez une minute ?

– Bien sûr, j'ai dit en me dirigeant vers la dune. Où est Mike ?

– Il a des séances de rééducation trois fois par semaine. D'habitude, Janice – c'est sa kiné – vient le matin, mais je me suis arrangée pour qu'elle vienne ce soir, à la place. Je voulais vous parler.

– Est-ce que Mike est au courant ? »

Annie sourit tristement. « Probablement, oui. Mike en sait beaucoup trop. Je ne vais pas vous demander de quoi vous avez parlé quand il s'est débarrassé de moi ce matin, mais je suppose que sa... lucidité... n'est pas une surprise pour vous.

– Il m'a dit pourquoi il est en fauteuil roulant, c'est tout. Et il a évoqué la pneumonie qu'il a attrapée à Thanksgiving dernier.

– Je voulais vous remercier pour hier soir, Dev. Mon fils passe des nuits éprouvantes. Il ne souffre pas, pas exactement, mais il a du mal à respirer quand il dort. Un peu comme de l'apnée. Il doit dormir en position semi-assise mais ça ne l'aide pas vraiment. Parfois, il s'arrête complètement de respirer, alors une alarme se déclenche et il se réveille. Sauf que la nuit dernière – après le cerf-volant –, il a dormi d'une traite. Je me suis même levée – vers deux heures – pour vérifier si le moniteur n'était pas déréglé. Il dormait comme un bébé. Pas d'agitation incessante, pas de cauchemars – auxquels il est sujet – et pas de gémissements. C'était le cerf-volant ! Ça l'a comblé comme rien d'autre ne pourrait le combler. Sauf peut-être d'aller faire un tour dans ce maudit parc d'attractions où vous travaillez… Ce qui est tout à fait hors de question. » Elle se tut, puis sourit. « Et merde ! Je suis en plein monologue.

– Ne vous inquiétez pas pour ça, j'ai dit.

– C'est que je n'ai pas grand-monde à qui parler. Il y a la femme de ménage – une dame très gentille de Heaven's Bay – et bien sûr Janice, mais ce n'est pas pareil. » Elle prit une longue inspiration. « Il y a autre chose. J'ai été impolie avec vous à plusieurs reprises et sans raison. Je m'excuse.

– Mrs… Miss… » Merde. « Annie, vous n'avez pas à vous excuser.

– Bien sûr que si. Vous auriez très bien pu passer votre chemin quand vous m'avez vu me bagarrer avec le cerf-volant, et Mike n'aurait pas eu sa bonne nuit de sommeil. Tout ce que je peux dire pour ma défense, c'est que j'ai du mal à faire confiance aux gens. »

Et c'est là qu'elle m'invite à dîner. Mais non, elle ne l'a pas fait. Peut-être à cause de ce que j'ai dit juste après…

« Vous savez, il *pourrait* venir à Joyland. On peut arranger ça facilement, et avec la fermeture, il aurait le parc pour lui tout seul. »

Son visage se ferma d'un coup, comme un poing. « Oh, non. Non, non, non. Si c'est ce que vous pensez, c'est qu'il ne vous a pas bien renseigné sur son état de santé. S'il vous plaît, ne lui en parlez pas. Je suis formelle.

– Bien, j'ai dit. Mais si vous changez d'avis… »

Je n'ai pas terminé ma phrase. Elle ne changerait pas d'avis. Elle regarda sa montre et un nouveau sourire illumina son visage. « Oh, mais dis donc ! C'est qu'il se fait tard. Mike sera sûrement affamé après sa séance de kiné et je n'ai rien préparé pour le dîner. Vous voulez bien m'excuser ?

– Bien sûr. »

Et je suis resté planté là à la regarder courir sur le caillebotis de bois en direction de sa grande maison verte – celle dont je ne verrais sûrement jamais l'intérieur, pour avoir osé ouvrir ma grande gueule. Mais emmener Mike à Joyland me semblait être une idée géniale. Durant tout l'été, nous avions accueilli des groupes de gosses avec toutes sortes de problèmes et de handicaps – des infirmes, des aveugles, des gamins atteints de cancer, des handicapés mentaux (des *attardés*, comme on disait dans les années soixante-dix). C'était pas comme si j'avais eu l'intention de planter Mike dans le siège avant du Delirium Shaker et de l'expédier dans les airs. Quand bien même le Shaker n'aurait pas été fermé pour l'hiver, je ne suis pas totalement débile.

Mais le carrousel de chevaux de bois était encore opérationnel et ça, il pouvait en faire sans danger. Idem pour le petit train qui traversait le Wiggle-Waggle Village. Et puis, j'étais sûr que Fred Dean me laisserait l'emmener dans le Palais des Glaces, la Maison aux Miroirs de Mystério… Mais, non. Non ! Mike était la fragile fleur de serre à sa maman et elle avait l'intention qu'il le reste. L'épisode du cerf-volant n'avait été qu'une aberration, et les excuses qu'elle avait cru bon de me faire, juste une pilule amère qu'il lui fallait avaler, et oublier.

Il n'empêche que je ne pus me défendre d'admirer la rapidité et l'élégance avec lesquelles elle se déplaçait, bougeant avec une grâce que son fils ne posséderait jamais. Je regardais ses jambes nues sous sa jupe et j'en oubliais complètement Wendy Keegan.

*

J'avais mon week-end de libre, et inutile de vous dire où je l'ai passé… Prétendre qu'il pleut systématiquement le week-end peut sembler être une légende, mais pour moi, ça ne l'est absolument pas, et demandez à n'importe quel pauvre bougre rivé à son boulot ce qui arrive à chaque fois qu'il programme une sortie de pêche ou de camping pendant ses jours de congé…

Bon, il me restait Tolkien. Le samedi après-midi, j'étais installé dans mon fauteuil près de la fenêtre, progressant toujours plus profondément dans les montagnes du Mordor avec Frodon et Sam, quand Mrs. Shoplaw frappa à ma porte pour me proposer de faire une partie de Scrabble avec elle et Tina Ackerley. Je ne suis vraiment pas fana du Scrabble, m'étant pris quelques déculottées mémorables par mes tantes Tansy et Naomi, incollables sur ce que je continue quant à moi d'appeler « le vocabulaire bidon du Scrabble » – des trucs du genre *zek*, *won* et *igaluk* (un esprit inuit, pour ceux d'entre vous qui se demanderaient). J'ai tout de même accepté en exprimant mon enthousiasme. Après tout, Mrs. Shoplaw était ma logeuse, et la diplomatie est un art qui peut prendre de multiples formes…

En descendant les escaliers, elle me confia : « C'est pour aider Tina à s'entraîner. C'est notre championne de Scrabble. Elle s'est inscrite à un tournoi à Atlantic City la semaine prochaine. Je crois qu'il y a une petite somme à la clé. »

Il ne m'a pas fallu longtemps – peut-être quatre tours – pour réaliser qu'en effet notre bibliothécaire aurait donné du fil à retordre à mes tantes, et même plus. Au moment où miss Ackerley posait le mot *nubilité* (avec ce petit sourire d'excuse que semblent affectionner tous les champions de Scrabble : à mon avis, ils doivent s'entraîner devant leur miroir), Emmalina Shoplaw avait quatre-vingts points de retard. Quant à moi… peu importe.

« J'imagine que vous ne savez rien au sujet d'Annie et Mike Ross ? ai-je fini par demander durant un temps mort dans l'action (les deux femmes semblaient toujours ressentir le besoin d'étudier *looonguement* le plateau avant de poser ne serait-ce qu'une seule lettre). Ils habitent sur Beach Row, dans une demeure victorienne, vous savez, la grande maison verte ? »

Miss Ackerley s'arrêta net, la main plongée dans le petit sac de toile marron contenant les lettres. Elle avait de gros yeux et ses verres épais les grossissaient encore davantage. « Non ! Tu les as rencontrés ?

– Mmh-mmh. Ils essayaient de faire voler un cerf-volant… enfin, *elle* essayait… du coup, je les ai aidés. Ils sont très gentils. Je me demandais juste… tous les deux, tout seuls dans cette grande maison, et lui si malade… »

Le regard qu'elles échangèrent trahissait l'incrédulité la plus totale et je commençai à regretter d'avoir lancé le sujet.

« Elle t'a *parlé* ? me demanda Mrs. Shoplaw. La Reine de Glace t'a *vraiment* parlé ? »

Non seulement parlé. Mais offert un smoothie aux fruits. Et remercié. Même présenté ses excuses. Mais je n'ai rien dit, bien sûr. Pas parce que Annie s'était de fait « refroidie » quand j'en avais trop dit, mais parce que ça m'aurait paru déloyal envers elle.

« Oui, enfin, un peu. Je les ai juste aidés à faire décoller leur cerf-volant. » J'ai fait tourner le plateau. C'était celui de Tina, un plateau tournant de pro avec un système d'encoches pour retenir les lettres. « Allez-y, Mrs. S., c'est à vous. Peut-être même que vous allez former un mot figurant dans mon maigre vocabulaire.

– *Maigre* pourrait vous rapporter trente points si vous trouvez le bon emplacement, dit Tina Ackerley. Peut-être même plus si vous parvenez à le connecter à un mot en *g*. »

Mrs. Shoplaw ignora le plateau de jeu, ainsi que le conseil. « Tu sais qui est son père, naturellement ?

– Pas vraiment, non... » Même si je savais qu'elle était brouillée avec lui, et pas qu'un peu.

« Buddy Ross ? Ça te dit quelque chose ? Comme dans *L'Heure de gloire de Buddy Ross* ? »

Vaguement. Il me semblait avoir entendu un certain prédicateur du même nom à la radio quand je passais par l'atelier costumes. Oui, c'était bien possible. Un jour que je procédais à une de mes rapides métamorphoses en Howie, Dottie Lassen m'avait demandé – de but en blanc, comme ça – si j'avais trouvé Dieu. Ma première impulsion avait été de lui répondre que je ne savais pas qu'on l'avait perdu, mais je m'étais retenu...

« Un de ces aboyeurs bibliques, c'est ça ?

– Le plus fanatique de tous, avec Oral Roberts et ce bon vieux Jimmy Swaggart, me confirma Mrs. S. Il émet depuis sa gigantesque église – la Citadelle de Dieu, qu'il l'appelle – à Atlanta. Son émission de radio est diffusée dans tout le pays et il passe de plus en plus souvent à la télé maintenant. Je ne sais pas si les chaînes l'invitent ou s'il doit payer pour son temps d'antenne. Il en a sûrement les moyens, surtout tard le soir, à l'heure où les vieux se retrouvent seuls avec leurs petites et leurs grandes douleurs. Ses émissions sont un mélange de guérisons miraculeuses et d'appels à plus de dons de la part des fidèles.

– J'imagine que le miracle n'a pas opéré pour guérir son petit-fils », j'ai dit.

Tina retira sa main du sac sans avoir rien pioché. Elle avait momentanément oublié la partie de Scrabble, ce qui n'était pas plus mal pour nous, ses malheureuses victimes. Ses yeux brillaient.

« Tu n'as pas eu vent de toute l'histoire, n'est-ce pas ? D'habitude, je ne suis pas du genre commère, mais... » Elle baissa la voix et, prenant un ton confidentiel, chuchota presque : « ... mais puisque tu les as rencontrés, j'imagine que je peux te raconter.

– Oui, s'il vous plaît », ai-je demandé, pensant qu'elles avaient déjà répondu à au moins une de mes questions : pourquoi Annie et Mike vivaient-ils seuls dans une immense maison sur l'une des plages les plus cotées de Caroline du Nord ?... Résidence d'été de grand-père Buddy, payée avec les dons des fidèles, bien sûr.

« Il a deux fils, poursuivit Tina. Tous deux haut placés dans son église – diacres ou assistants prédicateurs, je ne sais pas exactement car tous ces trucs d'évangélistes, ça me passe au-dessus de la tête. Mais sa fille, elle, a toujours été différente. Une sportive. Équitation, tennis, tir à l'arc, chasse au cerf avec papa, un peu de tir de compétition, aussi. Quand ses problèmes ont commencé, tout ça a paru dans les journaux. »

Le T-shirt CAMP PERRY... Je comprenais, maintenant.

« Vers ses dix-huit ans, la descente aux Enfers a commencé – au sens littéral, selon la vision des choses du père. Elle a intégré ce qu'ils appellent "une université humaniste laïque" et, de toute évidence, c'est devenue une vraie rebelle. Abandonner les compétitions de tir et les tournois de tennis était une chose ; laisser tomber l'église de papa pour la fête, l'alcool et les hommes en était une autre. Sans compter... – Tina baissa encore la voix. – *la marijuana...*

– Mon Dieu, j'ai dit, pas ça ! »

Mrs. Shoplaw me lança un regard, mais Tina ne remarqua rien. « Si ! *Ça !* Elle passait dans ces journaux à scandale aussi, parce qu'elle était belle et riche, mais surtout à cause de son père. Et de sa "tombée en disgrâce"... C'est comme ça qu'ils disent. Elle était une honte pour l'église paternelle, à se promener en minijupe, sans soutien-gorge et tout. Enfin, tu sais que ce que prêchent ces fondamentalistes sort tout droit de l'Ancien Testament, toute cette morale sur les vertueux qui seront récompensés et les pécheurs punis sur sept générations. Et elle ne s'est pas seulement contentée de faire la tournée des petites sauteries de Green Witch Village. » Les yeux de Tina étaient maintenant si énormes qu'ils semblaient sur le point de lui rouler hors des orbites. « *Elle a quitté la NRA et rejoint l'Organisation des Athées Américains !*

– Et ça aussi, ç'a paru dans les journaux ?

– Et comment ! Ensuite, elle est tombée enceinte, comme il fallait s'y attendre, et quand il s'est avéré que le bébé était atteint d'une maladie, une infirmité motrice cérébrale, je crois...

– Dystrophie musculaire.

– Ça ou autre chose, figure-toi que lors d'une de ses fameuses croisades, son père a été interrogé sur le sujet et... tu sais ce qu'il a répondu ? »

J'ai secoué la tête, mais j'avais ma petite idée.

« Il a dit que Dieu punit les incroyants et les pécheurs. Que sa fille n'échappait pas à la règle et que la maladie de son fils la ramènerait peut-être vers Dieu.

– Je n'arrive pas à comprendre pourquoi les gens utilisent la religion pour se faire du mal alors qu'il y a déjà tant de souffrances dans le monde, intervint Mrs. Shoplaw. La religion est censée apporter du *réconfort.*

– Ce n'est qu'un vieux moralisateur prétentieux, ajouta Tina. Peu importe le nombre d'hommes avec qui elle a couché, ou le nombre de joints qu'elle a fumés, elle n'en reste pas moins sa fille. Et son enfant, son petit-fils. Je l'ai croisé en ville quelquefois, toujours en fauteuil roulant ou à claudiquer dans ces cruels engins orthopédiques qu'il doit porter s'il veut marcher. Il m'a l'air d'un petit garçon tout à fait charmant, quant à elle, elle était sobre. Et portait un soutien-gorge. » Elle s'arrêta un instant pour mieux se rappeler. « Je crois.

– Son père peut toujours changer, observa Mrs. Shoplaw, mais j'en doute. Les jeunes gens grandissent, mais les vieux vieillissent, et avec le temps ils deviennent de plus en plus sûrs de leur bon droit. Surtout s'ils connaissent les Saintes Écritures. »

Je me suis souvenu de quelque chose que ma mère disait : « Le diable lui-même sait citer les Écritures.

– Et d'une voix caressante », murmura Mrs. Shoplaw, l'air maussade. Puis elle retrouva le sourire. « Toujours est-il que si le révérend Ross les laisse utiliser sa maison de Beach Row, c'est qu'il est peut-être prêt à passer l'éponge. Il lui est peut-être *enfin* venu à l'esprit qu'elle n'était alors qu'une toute jeune fille, peut-être même pas en âge de voter… Dev, ce ne serait pas ton tour, par hasard ? »

Ça l'était. J'ai fait le mot *larme* qui m'a rapporté six points.

*

La partie n'a pas vraiment été impitoyable, mais une fois que Tina Ackerley a commencé à assurer, tout s'est passé relativement vite. Je suis remonté dans ma chambre, me suis réinstallé dans le fauteuil près de la fenêtre et j'ai tenté de rejoindre Frodon et Sam sur la route de la Montagne du Destin. Je n'y suis pas arrivé. J'ai refermé le livre et regardé par la fenêtre ruisselante de pluie en direction de la plage déserte et de l'océan gris. C'était une vue désolante et, dans des moments pareils, mes pensées avaient tendance à retourner vers Wendy – je me demandais où elle était, ce qu'elle faisait et avec qui... Je revoyais son sourire, ses cheveux caressant son visage, ses petits seins pointant sous ses cardigans dont elle semblait avoir une collection inépuisable.

Mais aujourd'hui, c'était différent. À la place de Wendy, je me suis surpris à penser à Annie Ross, et je me suis rendu compte que j'avais un petit, mais bien réel, béguin pour elle... Savoir qu'il ne pourrait jamais rien arriver entre nous – elle devait bien avoir dix ans de plus que moi, si ce n'est douze – n'arrangeait pas les choses. Bien au contraire... Car les amours impossibles peuvent *aussi* faire fantasmer les jeunes hommes, voyez-vous.

Mrs. Shoplaw avait émis l'hypothèse que Mr. Enfer-et-Damnation était peut-être enclin à passer l'éponge, et je me disais qu'elle avait peut-être eu du flair, sur ce coup. J'avais entendu dire que, parfois, les petits-enfants ont le don d'assouplir les grands-parents rigides, et il se pouvait également que le père d'Annie souhaite nouer une relation avec son petit-fils avant qu'il ne soit trop tard. Peut-être avait-il découvert (il avait des gens partout...) que Mike n'était pas seulement infirme, mais aussi intelligent. Il n'était pas non plus impossible qu'il ait eu vent des rumeurs selon lesquelles Mike avait ce que Madame Fortuna appelait « la vision ». Ou peut-être tout ça n'était-il que vœu pieux de ma part... Peut-être que Mr. Péché-Mortel-et-Châtiment-Divin lui prêtait la maison en échange de la promesse de la mettre en veilleuse et de laisser au placard joints et minijupes le temps qu'il effectue sa conversion cruciale des ondes à l'écran.

J'aurais pu continuer à spéculer ainsi jusqu'à ce que le soleil se couche derrière les nuages sans être plus avancé sur le compte de Buddy Ross. J'étais en revanche sûr d'une chose à propos d'Annie : *elle* n'était pas prête à passer l'éponge.

J'ai levé les fesses de mon fauteuil et descendu au trot les escaliers jusqu'au petit salon, fouillant en même temps dans mon portefeuille à la recherche d'un bout de papier avec un numéro de téléphone dessus. J'entendais Tina et Mrs. S. papoter gaiement dans la cuisine. J'ai appelé la résidence universitaire d'Erin Cook, sans vraiment m'attendre à ce qu'elle soit là un samedi après-midi ; elle était sûrement descendue dans le New Jersey avec Tom et assistait en ce moment même à un match de football universitaire en scandant l'hymne des Scarlet Knights.

Mais la fille de permanence téléphonique me demanda de patienter et, trois minutes plus tard, la voix d'Erin résonnait à mon oreille :

« Dev, j'allais t'appeler ! En fait, j'aimerais venir te voir, si j'arrive à embarquer Tom avec moi. Je pense pouvoir y arriver, mais pas le week-end prochain. Probablement celui d'après. »

J'ai vérifié sur le calendrier mural : ce serait le premier week-end d'octobre. « T'as trouvé quelque chose ?

– Je sais pas… peut-être… J'adore faire des recherches, tu vois, et je me suis vraiment prise au jeu. J'ai accumulé un maximum d'informations, ça c'est sûr, mais c'est pas non plus comme si j'avais résolu le cas Linda Gray à moi toute seule dans la bibliothèque de la fac ni rien. N'empêche que… il y a des trucs que j'aimerais te montrer. Des trucs qui me perturbent…

– Qui te perturbent comment ? Pourquoi ?

– J'ai pas envie de parler de ça au téléphone. Si je n'arrive pas à convaincre Tom de venir, je mettrai tout ça dans une grande enveloppe en kraft et je te le posterai. Mais je pense qu'il viendra. Il a envie de te voir, c'est juste qu'il ne veut rien avoir à faire avec ma petite enquête… Il a même pas voulu regarder les photos. »

Je la trouvais terriblement mystérieuse mais je décidai de m'en tenir là. « Dis-moi, t'as entendu parler d'un évangéliste du nom de Buddy Ross ?

– Buddy… » Elle éclata de rire. « *L'Heure de gloire de Buddy Ross !* Ma grand-mère écoute cette vieille fripouille du matin au soir ! Il fait semblant de sortir des estomacs de chèvre des gens et prétend que ce sont des tumeurs ! Tu sais ce que dirait Pop Allen ?

– Forain de chez forain…, j'ai dit en souriant.

– Exactement ! Qu'est-ce que tu veux savoir sur lui ? Et pourquoi tu peux pas chercher toi-même ? Ta mère s'est fait mordre par un fichier de bibliothèque quand elle était enceinte de toi, ou quoi ?

– Pas que je sache, mais à l'heure où je sors du boulot, la bibliothèque de Heaven's Bay est fermée. Et puis, de toute manière, je doute qu'ils aient le *Who's Who*. Leur fonds tient dans une seule pièce. D'ailleurs, c'est pas vraiment lui qui m'intéresse. Ce sont ses deux fils. J'aimerais savoir s'ils ont des enfants.

– Pourquoi ?

– Parce que sa fille en a un. C'est un chouette gosse, mais il est mourant. »

Silence au bout du fil. Puis : « Dans quoi tu t'es encore fourré, Dev ?

– Je rencontre de nouvelles personnes, c'est tout. Allez, les gars, venez. J'adorerais vous revoir. Dis à Tom qu'on restera loin de la boîte noire. »

Je pensais que ça la ferait rire, mais pas du tout. « Oh, tu peux compter sur lui. Il en restera à pas moins de cinquante mètres. »

On s'est dit au revoir, j'ai scrupuleusement noté la durée de mon appel, puis je suis remonté m'asseoir dans ma chambre, près de la fenêtre. Je ressentais de nouveau cette étrange et sourde jalousie. Pourquoi avait-il fallu que ce soit Tom Kennedy qui voie Linda Gray ? Pourquoi lui et pas moi ?

*

L'hebdomadaire de Heaven's Bay sortait le jeudi. Celui du 4 octobre a titré UN EMPLOYÉ DE JOYLAND SAUVE UNE SECONDE VIE. J'ai trouvé ça un peu exagéré. Je voulais bien m'attribuer tout le mérite pour la petite Hallie Stansfield mais seulement la moitié pour l'imbuvable Eddie Parks. Quant à l'autre moitié – sans oublier un p'tit coup du chapeau d'Howie à Lane Hardy –, elle revenait à Wendy Keegan, car si elle ne m'avait pas largué en juin, je me serais trouvé à Durham, New Hampshire, cet automne-là, soit à plus de mille kilomètres de Joyland.

Je n'avais certainement pas anticipé un deuxième sauvetage de vie humaine ; ce genre de prémonition était strictement réservé à des gens du type Rozzie Gold ou Mike Ross. Quand je suis arrivé au parc le 1er octobre, après un autre week-end pluvieux, je pensais seulement à la prochaine visite d'Erin et Tom. Le ciel était encore nuageux mais il ne pleuvait plus, vu qu'on était lundi et que le week-end était fini… Eddie était assis devant la Maison de l'Horreur sur son éternelle caisse en bois, à fumer son éternelle clope du matin. Je l'ai salué de la main. Il s'est contenté d'écraser son mégot et de se pencher en avant pour soulever la caisse et le planquer dessous. Je l'avais vu faire ça au moins une cinquantaine de fois (et je me demandais parfois combien de mégots il devait y avoir là-dessous), sauf que cette fois, au lieu de soulever la caisse, il a juste continué à se pencher.

Son visage a-t-il reflété une expression de surprise ? Impossible à dire. Avant que j'aie réalisé que quelque chose clochait, tout ce que je pouvais voir de lui, c'était le sommet de son shako délavé et taché de cambouis lorsque sa tête glissa entre ses genoux. Il continua à piquer du nez jusqu'à ce qu'il effectue carrément une cabriole et retombe sur le dos, les pattes écartées et le visage tourné vers le ciel nuageux. Et à ce moment-là, la seule expression peinte sur son visage était une atroce grimace de douleur.

J'ai lâché mon sac, couru jusqu'à lui et me suis laissé tomber à ses côtés. « Eddie ? Qu'est-ce qui se passe ?

– …ca…iak », a-t-il réussi à dire.

Un instant, j'ai cru qu'il me demandait bizarrement d'aller lui chercher un canoë, puis j'ai vu comment sa main droite gantée était crispée sur le côté gauche de sa poitrine.

La version « avant-Joyland » de Dev Jones aurait simplement appelé au secours, mais après avoir pratiqué la Parlure pendant quatre mois, les mots *Au secours* ne m'ont même pas traversé l'esprit. J'ai gonflé mes poumons, levé la tête et lancé un « AU, PLOUC ! » retentissant dans l'air froid et humide du matin. La seule personne à la ronde capable de m'entendre était Lane Hardy et il a rappliqué au galop.

On n'exigeait pas des saisonniers d'été qu'ils aient suivi une formation de secouriste, mais ils se devaient d'apprendre durant leur passage à Joyland. Moi, grâce au stage de la Croix-Rouge que j'avais suivi ado, j'étais déjà formé. Nous avions été une petite demi-douzaine à nous retrouver au bord de la piscine de la YMCA pour nous entraîner sur un mannequin au nom improbable de Herkimer Saltfish… Et voilà que l'occasion m'était offerte de mettre la théorie en pratique. Et vous savez quoi ? Ça n'a pas été vraiment différent des compressions abdominales que j'avais pratiquées pour éjecter le hot-dog du gosier de la petite Stansfield. Je ne portais pas la fourrure et il n'était pas nécessaire que je prenne Eddie dans mes bras, mais il s'agissait toujours de compresser avec force. J'ai fêlé quatre côtes au vieux corniaud, et je lui en ai cassé une… Mais je ne peux pas dire que je le regrette.

Quand Lane est arrivé, j'étais déjà en train d'effectuer des compressions thoraciques, m'appuyant d'abord de tout mon poids sur la paume de mes mains, puis m'écartant du corps inerte d'Eddie pour voir si oui ou non il daignait enfin respirer.

« Nom de Dieu, dit Lane. Crise cardiaque ?

– Je crois bien, ouais. Appelez une ambulance. »

Le téléphone le plus proche se trouvait dans la petite cabine accolée au stand de tir de Pop Allen – sa niniche en Parlure. Elle était verrouillée mais Lane détenait les Clés du Royaume : trois passe-partout permettant d'ouvrir toutes les portes du parc. Il ne perdit pas une seconde. Je continuais mes compressions thoraciques, me balançant d'avant en arrière, les cuisses douloureuses à présent et les genoux meurtris par le contact prolongé avec le bitume rugueux de Joyland Avenue. Après chaque série de cinq compressions, je comptais lentement jusqu'à trois en attendant qu'Eddie inspire. Mais rien. Pas la joie à Joyland, pas pour Eddie, en tout cas. Pas après les cinq premières compressions, ni après les cinq suivantes, ni après les six autres séries de cinq… Il restait juste allongé là, ses mains gantées le long du corps et la bouche ouverte. Putain d'Eddie Parks. Je fixais son visage impassible lorsque Lane revint en sprintant, gueulant que l'ambulance était en route.

Je le ferai pas, j'ai pensé. *Non, pas question que je le fasse.*

Et puis, je me suis penché, lui administrant une autre compression au passage, et j'ai appliqué ma bouche sur la sienne. Ce n'était pas aussi terrible que j'avais imaginé : c'était pire ! Ses lèvres avait un goût amer de cigarette et une autre puanteur se dégageait de sa bouche… Que Dieu me vienne en aide, je crois bien que c'était l'odeur d'une omelette aux piments jalapeños qu'il avait dû s'enfiler au petit déjeuner. J'ai quand même appuyé fermement mes lèvres, puis je lui ai pincé les narines et j'ai insufflé de l'air dans sa gorge.

J'ai dû m'y reprendre à cinq ou six fois avant qu'il se remette à respirer. Puis j'ai arrêté les compressions pour voir ce qui se passerait et il a continué à respirer. L'enfer devait être complet ce jour-là, c'est la seule explication que je voie. Je l'ai fait rouler sur le côté au cas où il vomirait. Lane se tenait debout près de moi, une main posée sur mon épaule. Peu de temps après, nous avons entendu les sirènes plaintives de l'ambulance approcher.

Lane m'a abandonné pour se précipiter au portail leur indiquer le chemin. Moi, je me suis retrouvé à regarder les visages grimaçants des monstres verts qui ornaient la façade de la Maison de l'Horreur. Au-dessus des visages, ENTREZ SI VOUS L'OSEZ était écrit en grosses lettres vertes dégoulinantes. Je n'ai pu m'empêcher de penser à nouveau à Linda Gray qui y était entrée vivante et en avait été tirée quelques heures plus tard, froide et morte. Je pense que ma conversation téléphonique avec Erin y était pour quelque chose. Elle arrivait avec des informations, des informations qui la *perturbaient*. Je pensais aussi au meurtrier de la jeune fille.

Ça aurait aussi bien pu être toi, m'avait dit Mrs. Shoplaw. *Sauf que tu es brun, et pas blond, et que tu n'as pas une tête d'oiseau tatouée sur la main. Ce gars-là en avait une. Un aigle, ou peut-être un faucon.*

Eddie avait les cheveux prématurément gris du gros fumeur, mais quatre ans plus tôt, il aurait très bien pu être blond… Et il portait toujours des gants. Certes, il était trop vieux pour être l'homme qui avait accompagné Linda Gray au bout du tunnel, *certes*, sauf que…

Bien que se rapprochant (je voyais Lane agiter les bras au portail, faisant signe aux ambulanciers de se dépêcher), l'ambulance n'était pas encore tout à fait là. Et merde, je me suis dit, et j'ai retiré ses gants à Eddie. Ses doigts étaient recouverts d'une dentelle de peaux mortes et, sous une épaisse couche de crème blanche, le dos de ses mains était rouge. Il avait zéro tatouage.

Rien que du psoriasis.

*

Eddie à peine chargé dans l'ambulance et l'ambulance en route vers le minuscule hôpital de Heaven's Bay, j'ai filé aux ouas-ouas les plus proches pour me rincer la bouche, encore et encore. Il m'a fallu un long moment avant d'arriver à me débarrasser du goût de ces satanés piments jalapeños et depuis, je n'en ai jamais plus remangé.

Quand je suis sorti, Lane m'attendait près de la porte.

« Bon sang ! dit-il. Tu l'as ressuscité.

– Il est quand même pas sorti de l'auberge et il n'est pas exclu qu'il ait des lésions cérébrales…

– P't-êt' que oui, p't-êt' que non. En tout cas, si t'avais pas été là, il y serait resté, dans l'auberge, à tout jamais. D'abord la petite môme, maintenant le vieux chnoque. Je vais peut-être commencer à t'appeler Jésus au lieu de Jonesy, parce que t'es un sauveur, ça c'est sûr !

– Vous faites ça et j'mets le CS. » C'était mettre le Cap au Sud en Parlure, ce qui, à son tour, était la traduction de « rendre sa carte de pointage pour de bon »…

« OK, mais tu t'en es bien tiré, Jonesy. Non, en fait, t'as assuré comme une bête !

– Ce *goût* qu'il avait… Nom de Dieu de merde !

– Ouais, je te crois, mais vois le bon côté des choses. Sans lui dans les pattes, t'es Enfin Libre, Enfin Libre, Ô Dieu Tout-Puissant, t'es Enfin Libre ! Ça sera bien mieux pour toi, tu crois pas ? »

Oh, que si…

Lane a sorti une paire de gants de travail en cuir de sa poche arrière. Les gants d'Eddie. « J'ai trouvé ça par terre. Pourquoi tu les lui as enlevés ?

– Euh… je voulais laisser ses mains respirer. » Ça semblait archicon mais la vraie raison aurait semblé encore plus con… Comment avais-je pu m'imaginer un seul instant qu'Eddie Parks était l'assassin de Linda Gray ? « C'est un truc que j'ai appris en cours de secourisme. Apparemment, il faut aérer la peau un maximum… Ça aide, il paraît. » J'ai haussé les épaules. « Du moins, c'est censé aider.

– Ah bon ? On en apprend tous les jours… » Il a fait claquer les gants. « Je pense pas qu'Eddie sera de retour de sitôt – si jamais il est de retour –, alors tu ferais bien d'aller ranger ça dans sa niche, OK ?

– OK », j'ai dit. Et c'est ce que j'ai fait. Mais plus tard dans la journée, j'y suis retourné et je les ai récupérés. Avec autre chose, aussi.

*

Je ne l'aimais pas, pigé ? C'est bien clair dans votre tête ? Il ne m'avait jamais donné aucune raison de l'aimer. D'après ce que je savais, il n'avait jamais donné à un seul employé de Joyland aucune raison de l'aimer. Même les vieux de la vieille comme Rozzie Gold et Pop Allen l'évitaient ouvertement. Et malgré tout, je me suis quand même retrouvé au petit hôpital de Heaven's Bay cette après-midi-là à quatre heures, à demander si Edward Parks pouvait recevoir une visite. J'avais ses gants dans une main, et aussi l'autre chose.

Ayant feuilleté ses listes par deux fois, la réceptionniste bénévole aux cheveux bleus secoua tristement la tête. Je commençais à me dire qu'Eddie avait finalement claqué quand elle dit soudain : « Ah ! C'est Edwin, pas Edward. Il est dans la chambre 315. C'est l'unité de soins intensifs, il faudra demander aux infirmières avant d'entrer. »

Je l'ai remerciée et me suis dirigé vers l'ascenseur – un de ces énormes caissons assez vastes pour contenir un brancard. La montée fut plus longue qu'une mort lente, ce qui me laissa largement le temps de me demander ce que je foutais là. Si Eddie devait recevoir un visiteur du parc, c'était à Fred Dean de venir, c'était lui le responsable cet automne-là, pas moi. Et pourtant, j'étais bien là. Et on ne me laisserait sûrement pas le voir…

Mais, après avoir vérifié le dossier médical d'Eddie, l'infirmière en chef me donna le feu vert : « Vous le trouverez peut-être endormi.

– Vous avez une idée de… ? » Je me suis tapoté le crâne.

« Son activité cérébrale ? Eh bien… il a su nous donner son nom. »

Ça, c'était bon signe.

En effet, il dormait. À le voir comme ça, les yeux fermés et les rayons du soleil tardif sur son visage, l'idée qu'il ait pu être le compagnon de Linda Gray il y avait seulement quatre ans était encore plus ridicule. Il avait l'air d'avoir cent ans, ou même peut-être cent vingt. J'avais rapporté ses gants pour rien. Quelqu'un lui avait bandé les mains, sans doute après avoir traité son psoriasis avec un truc un peu plus efficace qu'une vague crème hydratante. Malgré moi, j'ai ressenti une étrange pitié à la vue de ses grosses moufles blanches.

J'ai traversé la chambre aussi discrètement que possible et rangé les gants dans le placard avec les vêtements de travail qu'il portait lors de son admission. Il me restait l'autre chose dans la main – une photo que j'avais trouvée punaisée au mur de sa petite cabine encombrée et empestant le tabac froid, à côté d'un calendrier jaunissant périmé depuis deux ans. C'était une photo d'Eddie et d'une femme au physique quelconque debout devant une maison de lotissement quelconque dans un jardin envahi d'herbes folles. Eddie devait avoir dans les vingt-cinq ans. Il enlaçait la femme. Elle lui souriait. Et – miracle des miracles – il lui souriait aussi.

À côté de son lit, posés sur une table roulante, il y avait un pichet en plastique et un verre. J'ai trouvé ça assez stupide ; avec ses mains bandées comme ça, il ne risquait pas de se servir grand-chose avant longtemps. Néanmoins, le pichet pouvait avoir son utilité. J'ai calé la photo contre, de manière à ce qu'il la voie en se réveillant. Cela fait, je me suis dirigé vers la porte.

Je m'apprêtais à sortir quand il me parla, dans un chuchotement très différent de ce qu'était habituellement sa voix éraillée et grincheuse : « Gamin… »

Je suis retourné – sans empressement – à son chevet. Il y avait une chaise dans un coin mais je n'avais aucune intention de la tirer vers lui pour m'asseoir. « Comment vous vous sentez, Eddie ?

– J'sais pas. Peux pas respirer. M'ont bandé de partout.

– Je vous avais ramené vos gants, mais je vois que… » J'ai hoché la tête en direction de ses mains bandées.

« Ouais. » Il inspira péniblement. « Ils vont peut-être réussir à m'en débarrasser. C'te saloperie me démange tout le temps. » Il regarda la photo. « Pourquoi t'as ramené ça ? Et qu'est-ce que tu foutais dans ma niche ?

– Lane m'a demandé de ranger vos gants. Et puis, je me suis dit que vous en auriez peut-être besoin. Et que vous voudriez peut-être la photo, aussi. C'est peut-être quelqu'un que Fred Dean devrait prévenir ?

– Corinne ? » Il poussa un grognement sardonique. « Elle est morte depuis vingt ans. Sers-moi de l'eau, gamin. Je suis plus desséché qu'une crotte de chien de l'an passé. »

Je l'ai servi, puis je l'ai fait boire, je lui ai même essuyé le coin de la bouche avec le drap quand l'eau a dégouliné. Ça devenait beaucoup trop intime pour moi, mais finalement moins pire que de me rappeler que j'avais fait du bouche-à-bouche à ce misérable bougre…

Il ne me remercia surtout pas, mais croyez-vous qu'il l'ait déjà fait ? Au lieu de ça, il me dit juste : « Montre-moi cette photo. »

J'ai fait ce qu'il me demandait. Il l'a regardée fixement pendant quelques secondes, puis a soupiré. « Misérable conne gueularde et médisante. La quitter pour la caravane du Royal American Shows, c'est ce que j'ai fait de plus intelligent de toute ma vie. » Une larme trembla au coin de son œil, hésita, puis roula sur sa joue.

« Vous voulez que je la rapporte, Eddie ?

– Non, autant la laisser. On a eu un enfant, tu sais. Une petite fille.

– Ah oui ?

– Ouais. Elle s'est fait renverser par une voiture. Trois ans elle avait, et elle a crevé comme un chien dans la rue. Cette misérable conne était en train de jacasser au téléphone au lieu de la surveiller. » Il détourna la tête et ferma les yeux. « Allez, fous le camp. C'est dur de parler et je suis fatigué. J'ai un éléphant assis sur la poitrine.

– OK. Prenez soin de vous. »

Il grimaça sans ouvrir les yeux. « Ça, c'est la meilleure. Et comment que j'm'y prends 'xactement ? T'as une idée, toi ? Parce que moi, j'en ai pas. Pas de famille, pas d'amis, pas d'argent, pas d'assurance. Qu'est-ce que j'vais faire, hein ?

– Ça va aller, j'ai dit un peu lamentablement.

– Mais oui, comme dans les films, c'est ça ? Allez, tire toi. »

Cette fois, j'étais déjà dehors quand il me parla à nouveau :

« T'aurais mieux fait d'me laisser crever, gamin. » Il avait dit ça sans aucune rancœur, juste une remarque en passant. « J'serais avec ma petite fille, à présent. »

*

En traversant le vestibule de l'hôpital, je me suis arrêté net, pas très sûr de voir vraiment qui j'étais en train de voir. Mais c'était bien elle, avec un de ses énormes pavés ouvert sur les genoux. Celui-ci s'intitulait *La Dissertation.*

« Annie ? »

Elle leva la tête, d'abord avec méfiance, puis sourit en me reconnaissant. « Dev ! Qu'est-ce que vous faites ici ?

– Un type du boulot qui a eu une crise cardiaque aujourd'hui…

– Oh, mon Dieu. Je suis désolée. Il va s'en sortir ? »

Elle ne m'invita pas à m'asseoir, mais je le fis quand même. Mon entrevue avec Eddie m'avait contrarié de manière totalement irrationnelle et j'avais les nerfs à vif. Ce n'était ni de la tristesse, ni de la pitié. C'était de la colère, inexplicable et confuse, qui avait quelque chose à voir avec le goût infect et persistant des jalapeños. Et avec Wendy, Dieu seul sait pourquoi. C'était épuisant de savoir que je n'en étais toujours pas remis. Un bras cassé aurait mis moins de temps à guérir. « Je sais pas. Je n'ai parlé à aucun médecin. Est-ce que *Mike* va bien ?

– Oui, c'est juste un examen de routine. Une radio du thorax et un bilan sanguin complet. Vous savez, à cause de la pneumonie. Dieu merci, il s'en est enfin sorti. À part cette toux persistante, Mike va bien. » Elle avait gardé son livre ouvert devant elle, comme pour me faire comprendre qu'elle voulait que je m'en aille, ce qui ne manqua pas de m'énerver encore plus. Vous devez vous rappeler que c'était l'année où *tout le monde* voulait que je m'en aille, même le gars à qui j'avais sauvé la vie.

Ce qui explique sûrement pourquoi j'ai dit : « Mike *sait* qu'il ne va pas bien. Alors, qui suis-je censé croire, Annie, vous ou lui ? »

Elle écarquilla les yeux de stupeur, puis se fit immédiatement distante. « Peu m'importe ce que vous avez envie de croire, Devin. Tout ça ne vous regarde absolument pas.

– Si, ça le regarde. » La voix venait de derrière nous. Mike était arrivé tout seul dans son fauteuil roulant. Ce n'était pas un fauteuil à moteur, ce qui voulait dire qu'il l'avait fait avancer à la force des bras. Un petit gars costaud, reste de toux ou pas. Mais il avait boutonné lundi avec dimanche.

Annie se retourna, surprise. « Qu'est-ce que tu fais ici ? L'infirmière était censée te...

– Je lui ai dit que je pouvais me débrouiller tout seul et elle a dit d'accord. Tu sais, depuis le service de la radiologie, c'est juste une fois à gauche, deux fois à droite. Je suis pas aveugle, juste mour...

– Mr. Jones est venu rendre visite à un ami, Mike. » Voilà que j'étais redevenu Mr. Jones. Elle referma son livre d'un coup sec et se leva. « Il est probablement impatient de rentrer chez lui, et toi, tu dois être bien fati...

– Je veux qu'il nous emmène à Joyland. » Mike avait parlé calmement mais suffisamment fort pour que des gens commencent à se retourner autour de nous. « *Nous deux.*

– Mike, tu sais très bien que...

– Je veux aller à Joyland. *Joy*...land. » Toujours calme, mais d'une voix encore plus sonore. Tout le monde nous regardait, à présent. Annie était devenue toute rouge. « Je veux que vous m'y emmeniez tous les deux. » Sa voix monta encore d'un cran : « *Je veux aller à Joyland avant de mourir.* »

Annie se couvrit la bouche. Ses yeux étaient immenses. Les mots qu'elle prononça, lorsqu'ils sortirent enfin, étaient étouffés mais audibles : « Mike... tu ne vas pas *mourir*, qui t'a dit... » Elle se tourna vers moi. « C'est vous que je dois remercier pour lui avoir mis cette idée dans la tête ?

– Bien sûr que non. » J'avais tout à fait conscience que notre auditoire s'était agrandi – il comptait maintenant deux infirmières et un médecin en blouse et chaussons bleus – mais je m'en fichais. J'étais toujours énervé. « C'est *lui* qui me l'a dit. Et je me demande bien en quoi ça vous étonne, vous qui connaissez si bien ses capacités ? »

C'était mon jour pour tirer des larmes aux gens. D'abord Eddie, et maintenant Annie. Mike, lui, avait les yeux secs et l'air tout aussi furieux que moi. Mais il ne dit rien quand elle attrapa les poignées du fauteuil roulant, le fit pivoter brusquement et se dirigea vers la sortie. J'ai cru qu'elle allait foncer dans les baies vitrés mais l'ouverture automatique a fonctionné juste à temps.

Laisse-les partir, j'ai pensé, mais j'en avais assez de laisser les femmes sortir de ma vie. J'en avais assez de laisser les choses m'arriver pour les regretter ensuite.

Une infirmière s'approcha de moi. « Tout va bien, monsieur ?

– Non », j'ai dit en leur emboîtant le pas.

*

Annie s'était garée dans le parking adjacent à l'hôpital, sur les places réservées aux handicapés. J'ai vu qu'elle avait une camionnette avec tout l'espace nécessaire à l'arrière pour transporter un fauteuil roulant replié. Elle avait ouvert la portière côté passager mais Mike refusait de se lever de son fauteuil. Il se cramponnait aux accoudoirs de toutes ses forces, ses mains devenues blanches sous la pression.

« Monte ! » lui criait-elle.

Mike secouait la tête sans la regarder.

« *Monte, bon sang !* »

Cette fois, il ne prit même pas la peine de secouer la tête.

Elle l'agrippa et le tira d'un coup sec. Le fauteuil, dont les freins étaient bloqués, bascula vers l'avant. Je l'ai rattrapé juste avant qu'il ne se renverse et ne les envoie bouler tous les deux à l'intérieur de la camionnette.

Les cheveux d'Annie lui tombaient dans la figure et en dessous, c'était d'un regard sauvage qu'elle me fixait : des yeux de cheval affolé par l'orage. « *Lâchez ça ! Tout ça est votre faute ! J'aurais jamais dû…*

– Arrêtez », j'ai dit. Je l'ai prise par les épaules. Des épaules creuses, dont les os saillaient sous la peau. Je me suis dit, *Elle est trop occupée à bourrer son fils de calories pour s'occuper d'elle-même.*

« *LÂCHEZ-M…*

– Je ne veux pas vous enlever votre fils, Annie, j'ai dit. Loin de moi cette idée. »

Elle cessa de se débattre. Doucement, je l'ai relâchée. Son roman était tombé par terre dans la bagarre. Je me suis baissé pour le ramasser et l'ai rangé dans la poche au dos du fauteuil roulant.

« Maman. » Mike a pris sa main. « Ce ne sera pas forcément la dernière fois que je m'amuserai. »

Et là, j'ai compris. Avant même que les épaules d'Annie ne s'affaissent et qu'elle n'éclate en sanglots, j'ai compris. Ce n'était pas la peur que je lui fasse faire un tour de montagnes russes et que la montée d'adrénaline le tue. Ce n'était pas la peur qu'un inconnu lui vole le cœur abîmé qu'elle aimait tant. C'était une sorte de conviction viscérale – une conviction de *mère* – que s'ils ne commençaient pas à faire certaines dernières choses, la vie continuerait à suivre son cours normalement : les smoothies du matin sur la dune, les soirées cerf-volant sur la plage, tout ça dans l'illusion d'un été sans fin. Sauf qu'on était maintenant en octobre et que la plage était déserte. Les cris de joie des adolescents avaient cessé sur le Thunderball et les petits gosses ne dévalaient plus en riant les toboggans d'eau du Captain Nemo. Les jours raccourcissaient et il y avait un petit froid mordant dans l'air du matin. Ça n'existe pas, les étés sans fin.

Elle couvrit son visage de ses mains et s'assit sur le siège passager de la camionnette. Il était trop haut pour elle et elle faillit glisser. Je l'ai rattrapée et l'ai redressée. Je ne pense pas qu'elle l'ait remarqué.

« Allez-y, emmenez-le, dit-elle. Je m'en fous. Faites-lui faire un saut en parachute, si ça vous dit. Mais ne vous attendez pas à ce que je participe à vos… vos *frasques de mecs.* »

Mike intervint : « Je ne peux pas y aller sans toi. »

Elle laissa retomber ses mains et le regarda. « Michael, tu es tout ce que j'ai. Est-ce que tu comprends ça ?

– Oui », dit-il. Il prit la main de sa mère dans les siennes. « Et toi, tu es tout ce que j'ai. »

Je vis à l'expression de son visage qu'elle n'avait jamais considéré les choses sous cet angle.

« Aidez-moi à monter, dit Mike. Tous les deux, s'il vous plaît. »

Quand il fut installé (je ne me rappelle pas lui avoir attaché sa ceinture, donc c'était sûrement avant que le petit clic vaille mieux qu'un grand choc), j'ai fermé la portière et contourné la camionnette par l'avant avec Annie.

« Son fauteuil, dit-elle distraitement. Il faut que je récupère son fauteuil.

– Je m'en occupe. Installez-vous et préparez-vous à reprendre le volant. Respirez plusieurs fois profondément. »

Elle me laissa l'aider. Je l'ai prise au-dessus du coude, ma main faisait facilement le tour de son bras. J'ai eu envie de lui dire qu'elle ne pouvait pas continuer à se nourrir exclusivement de ses romans, mais j'y ai réfléchi à deux fois. Elle avait reçu assez de leçons pour aujourd'hui.

Prenant plus de temps qu'il n'était nécessaire, laissant à Annie le temps de recouvrer ses esprits, j'ai plié le fauteuil et je l'ai rangé dans le compartiment qui lui était réservé. Quand je suis retourné côté conducteur, je m'attendais presque à ce qu'elle ait remonté la vitre, mais non. Elle s'était essuyé les yeux et le nez et avait remis un peu d'ordre dans ses cheveux.

J'ai dit : « Il ne peut pas y aller sans vous, et moi non plus. »

Elle m'a répondu comme si Mike était absent et ne l'entendait pas : « J'ai si peur pour lui. Constamment. Il voit tellement de choses, et tellement de choses qui le font souffrir. Je sais que c'est à cause de ça qu'il fait des cauchemars. C'est un enfant tellement génial. Pourquoi ne peut-il pas juste aller mieux ? Pourquoi ? *Pourquoi ?*

– Je ne sais pas. »

Elle s'est tournée pour embrasser Mike sur la joue. Puis elle m'a regardée. Prenant alors une profonde inspiration tremblante, avant de relâcher son souffle, elle a demandé : « Alors, quand est-ce qu'on y va ? »

*

Le Retour du Roi n'était sûrement pas aussi ardu que *La Dissertation,* mais ce soir-là, je n'aurais même pas pu lire *Le Chat chapeauté.* Après avoir ingurgité des spaghettis en boîte pour le dîner (en ignorant superbement les réflexions de Mrs. Shoplaw insinuant que certains jeunes semblaient résolus à maltraiter leur corps...), je suis monté dans ma chambre et me suis assis près de la fenêtre d'où j'ai contemplé la nuit en écoutant le va-et-vient des vagues.

J'étais en train de m'assoupir quand Mrs. Shoplaw frappa doucement à ma porte et m'annonça : « Il y a un appel pour toi, Dev. C'est un petit garçon. »

J'ai dévalé les marches jusqu'au salon car je ne voyais qu'un seul petit garçon susceptible de m'appeler.

« Mike ? »

Il me répondit à voix basse : « Maman dort. Elle a dit qu'elle était fatiguée.

– Je veux bien le croire, j'ai dit, repensant à la manière dont nous avions fait front contre elle.

– C'est vrai, on a été un peu durs, m'a dit Mike, comme si j'avais dit tout haut ce que je venais de penser tout bas. Mais on le devait.

– Mike... tu lis dans les pensées ? Tu es en train de lire dans les miennes, là ?

– Je ne sais pas trop. Des fois, je vois des choses et j'entends des choses, c'est tout. Et d'autres fois, j'ai des idées qui me viennent. C'était mon idée de venir habiter chez grand-père. Maman disait qu'il ne serait jamais d'accord mais je savais qu'il dirait oui. Ce que j'ai, ce truc spécial, je pense que je le tiens de lui. Il guérit les gens, tu sais. Enfin, des fois il fait semblant, mais d'autres fois, il les guérit vraiment.

– De quoi voulais-tu me parler, Mike ? »

Il s'enflamma aussitôt : « De Joyland ! On pourra vraiment monter dans le carrousel et la grande roue ?

– J'en suis quasi sûr, ouais.

– Et tirer au Tir à la Carabine d'Annie Oakley ?

– Peut-être. Si ta maman est d'accord. Tout ça nécessite l'aval de ta maman, Mike. Ça veut dire…

– Je sais ce que ça veut dire. » D'un ton impatienté… Puis son excitation enfantine a repris le dessus. « Ouah, ça sera vraiment extra !

– Aucun manège à sensations fortes, j'ai dit. On est bien d'accord ? Tout d'abord parce qu'ils sont fermés pour l'hiver… » La Carolina Spin l'était aussi, mais avec l'aide de Lane Hardy, ça ne prendrait pas plus de quarante minutes pour la remettre en marche. « Et ensuite…

– Oui, je sais, à cause de mon cœur. Ça me suffira de monter sur la grande roue. On peut la voir depuis chez nous, tu sais. De tout en haut, ça doit être comme voir le monde depuis mon cerf-volant. »

J'ai souri. « Oui, c'est un peu ça. Mais rappelle-toi, seulement si ta maman est d'accord. C'est elle la patronne.

– En fait, on y va pour *elle*. Elle le saura quand on y arrivera. » Il semblait étrangement sûr de lui. « Et pour toi, Dev. Mais surtout, c'est pour la fille qu'on le fait. Elle est enfermée là-bas depuis trop longtemps. Elle veut s'en aller. »

Ma mâchoire s'est décrochée, mais il n'y avait aucun risque que je bave ; ma bouche s'était complètement asséchée. « Com… » Juste un croassement rauque. J'ai dégluti. « Comment tu sais ça ?

– Je sais pas, mais je pense que c'est pour elle que je suis venu ici. Est-ce que je t'ai déjà dit que *ce n'est pas blanc* ?

– Oui, mais tu ne savais pas ce que ça voulait dire. Tu le sais maintenant ?

– Nan. » Il se mit à tousser. J'ai attendu. Quand sa toux s'est calmée, il a dit : « Faut que j'y aille. J'entends maman se lever de sa sieste. Maintenant, elle va passer presque toute la nuit à lire.

– Ah oui ?

– Oui. J'espère vraiment qu'elle va me laisser monter sur la grande roue.

– C'est la Carolina Spin, mais les gens qui travaillent au parc l'appellent le monte-charge. » Certains – dont Eddie – l'appelaient même le monte-crétins, mais ça, je me suis abstenu de le lui dire. « Les gens de Joyland ont une sorte de langage secret. Ça fait partie du jeu.

– Le monte-charge. Je m'en souviendrai. Salut, Dev. »

Et il raccrocha.

*

Cette fois, c'était Fred Dean qui faisait une crise cardiaque.

Le visage bleu et crispé, il gisait sur la rampe menant à la Carolina Spin. Je me suis agenouillé à côté de lui et j'ai commencé les massages cardiaques. Voyant que je n'obtenais aucun résultat, je me suis penché, j'ai pincé ses narines et j'ai collé mes lèvres aux siennes. Quelque chose m'a chatouillé les dents, puis la langue. Je me suis reculé et j'ai vu une marée noire de bébés araignées déferler de sa bouche.

Je me suis réveillé à moitié en dehors du lit, les couvertures défaites et entortillées autour de moi comme un linceul, le cœur palpitant, m'essuyant frénétiquement la bouche. Il m'a fallu quelques secondes pour réaliser qu'il n'y avait pas d'araignées. Je me suis quand même levé pour aller boire deux grands verres d'eau. J'ai déjà dû faire des cauchemars plus terribles que celui qui m'a réveillé à trois heures du matin, ce mardi matin-là, mais si c'est le cas, je ne me les rappelle pas. J'ai retapé mon lit et me suis recouché, certain de ne plus dormir de la nuit. J'étais finalement sur le point de me rendormir quand il m'est venu à l'esprit que la grande scène de défoulement émotionnel que nous avions jouée sur le parking de l'hôpital la veille l'avait peut-être été en pure perte…

Bien sûr, pendant la saison, Joyland se faisait un devoir de prendre des dispositions spéciales pour accueillir les estropiés, les aveugles et les boiteux – ce qu'on appelle de nos jours les enfants « ayant des besoins particuliers » – mais la saison était terminée. Est-ce que l'assurance sans aucun doute très chère du parc accepterait de couvrir Mike Ross en cas de nécessité au mois d'octobre ? Je voyais déjà Fred Dean secouer la tête et me dire qu'il était désolé mais que…

*

Il faisait froid ce matin-là et une forte brise soufflait, j'ai donc pris ma voiture et je me suis garé à côté du pick-up de Lane. Il était encore tôt et nos véhicules étaient les seuls sur le parking A d'une capacité de cinq cents places. Sur le bitume, les feuilles mortes tourbillonnaient avec un bruit d'insectes qui me rappela les araignées de mon rêve.

Lane était installé sur une chaise longue à côté de la baraque de Madame Fortuna (qui n'allait pas tarder à être démantelée et rangée pour l'hiver) et il dévorait à belles dents un bagel copieusement garni de fromage à tartiner. Son chapeau melon était nonchalamment incliné selon son angle habituel et il avait une cigarette coincée derrière l'oreille. La seule chose qui avait changé, c'était la veste en jean qu'il portait. Encore un signe, à supposer que j'en aie besoin, attestant de la fin de notre été indien.

« Jonesy, Jonesy, mon p'tit Jonesy… Un bagel bien garni ? J'en ai un en rab.

– Volontiers, j'ai dit. Je peux vous parler d'un truc pendant qu'on mange ?

– Tu viens confesser tes péchés, dis-moi ? Assieds-toi, mon fils. » Il désigna le stand de voyance où deux autres chaises longues étaient appuyées contre le mur.

« Rien d'immoral », j'ai dit en dépliant une chaise. Je me suis assis et j'ai pris le sac en papier marron qu'il me tendait. « Mais j'ai fait une promesse et j'ai peur de ne pas pouvoir la tenir. »

Je lui ai parlé de Mike et expliqué comment j'avais réussi à convaincre sa mère de l'emmener au parc – une tâche ardue compte tenu de son état de fragilité émotionnelle. J'ai terminé en lui racontant comment je m'étais réveillé en pleine nuit, persuadé que Fred Dean ne serait jamais d'accord. La seule chose que je n'ai pas mentionnée, c'est le contenu du rêve qui m'avait réveillé…

« Bon, dit Lane quand j'ai eu terminé. Elle est canon ? La maman ?

– Euh… oui… Vachement. Mais ça n'a rien à voir… »

Il me tapota l'épaule en me gratifiant d'un sourire paternaliste dont je me serais bien passé. « N'en dis pas plus, Jonesy, n'en dis pas plus.

– Lane, elle a dix ans de plus que moi !

– Ouais, ouais, et si on m'avait filé un dollar pour chaque nana de dix ans *de moins* que je me suis tapée, je pourrais me payer un dîner chez Hanratty à l'heure qu'il est. L'âge, c'est qu'un chiffre, fiston.

– Extra. Merci pour la leçon d'arithmétique. Maintenant, vous pouvez me dire si je me suis foutu dans la merde en disant au gosse qu'il pourrait venir faire un tour de Carolina et de carrousel ?

– Tu t'es foutu dans la merde », confirma-t-il, et mon cœur chavira. Puis il leva un doigt vers le ciel. « *Mais*...

– Mais... ?

– T'as déjà fixé une date pour ta petite sortie scolaire ?

– Pas vraiment. Je pensais peut-être jeudi. » En d'autres termes, avant qu'Erin et Tom ne rappliquent.

« Non, pas jeudi. Ni vendredi. Est-ce que le gosse et sa maman canon seront encore là la semaine prochaine ?

– Oui, j'imagine, mais...

– Alors, disons plutôt lundi ou mardi.

– Pourquoi attendre ?

– Pour le journal. » Il me regardait comme si j'étais le plus gros attardé du monde.

« Le journal... ?

– Ouais, le canard du coin. Il sort le jeudi. Quand ta dernière prouesse paraîtra en première page, tu deviendras à tous les coups le petit chouchou de Fred Dean. » Lane lança les restes de son bagel dans la poubelle la plus proche – deux points – et leva les mains en l'air, mimant l'encadré d'un gros titre : « Venez tous à Joyland ! En plus de vous faire rêver, on vous sauve la vie ! » Il sourit et modifia l'inclinaison de son chapeau. « Une pub en or ! Fred te revaudra ça. Va déposer ça à la banque et ne me remercie pas.

– Et comment ça fera la une du journal ? Je vois mal Eddie Parks aller le leur dire. » Et quand bien même, il s'arrangerait probablement pour qu'on signale dès le premier paragraphe les côtes que je lui avais cassées.

Lane leva les yeux au ciel. « J'oublie sans arrêt quel genre de jobard tu fais des fois, Jonesy. Pour la plupart des ploucs, les seuls articles intéressants à lire dans ce torchon sont les faits divers, genre arrestations et accidents. Les appels d'urgence et les sorties d'ambulance n'étant pas toujours très croustillants, je me propose de te faire une fleur, mon petit Jonesy, pour toi, et pour toi seul, j'irai faire un tour du côté des bureaux du *Banner* pendant ma pause déjeuner et je raconterai aux ploucs quel héros tu fais. Ils enverront quelqu'un t'interviewer fissa.

– J'ai pas vraiment envie de…

– Oh Seigneur, écoutez-moi ça, un boy-scout affublé du Badge de la Modestie. Épargne-moi tes salades. Tu veux que le gosse fasse un tour de manège, ou pas ?

– Oui.

– Alors, accepte cette interview. Et souris devant l'objectif. »

Ce à quoi – si je puis me permettre d'anticiper sur la suite – j'ai plus ou moins obéi.

Alors que je repliais la chaise longue, Lane ajouta : « Tu sais, not' Freddy Dean, il serait tout aussi capable de dire : "Au diable, l'assurance, on s'lance." Il en a pas l'air comme ça, mais lui aussi il est forain de chez forain. Son père faisait le baron sur la Caravane des Fêtes du Maïs. Freddy m'a raconté que son vieux se trimbalait toujours avec une part de millefeuilles épaisse à étouffer un cheval. »

Je savais ce que voulait dire faire le baron, mais c'était la première fois que j'entendais parler de part de millefeuilles. Lane a rigolé quand je lui ai demandé de traduire. « Deux billets de vingt dessus et dessous, et le reste de la liasse en billets de un ou en fausses coupures de papier vert. Un bon truc pour rabattre le monde sur une boutique. Mais c'est pas ça qui nous intéresse dans le cas de Freddy. » Il modifia de nouveau l'inclinaison de son chapeau.

« Et c'est quoi ?

– Les forains ont un petit faible pour les jolies pigeonnes en jupe moulante et les gosses qu'ont pas eu de chance. Et ils sont aussi extrêmement allergiques aux règlements des ploucs. Genre toute la paperasserie administrative à la con.

– Alors, j'aurais peut-être pas besoin de… »

Il leva la main pour m'interrompre. « Vaut mieux pas savoir. Fais-moi cette interview. »

*

Le photographe du *Banner* me fit poser devant le Thunderball. Quand j'ai vu la photo dans le journal, je n'ai pas pu m'empêcher de faire la grimace ; je louchais et je ressemblais à l'idiot du village, mais ça a fait l'affaire. Lorsque je suis venu le trouver, le vendredi matin, le journal était sur le bureau de Fred. Il lâcha quelques « oh » et quelques « ah », puis approuva ma demande, à condition que Lane promette de nous coller aux basques durant toute la visite du parc.

Lane accepta sans le moindre « oh » ni « ah ». Il me confirma qu'il tenait à voir ma copine canon puis éclata de rire quand je me suis mis à fulminer.

Plus tard dans la journée, en croisant Annie Ross sur la plage, je lui ai annoncé que j'avais organisé la visite pour le mardi matin suivant s'il faisait beau, sinon pour le mercredi ou le jeudi. Et j'ai retenu mon souffle.

Elle m'a répondu par un long silence, suivi d'un soupir.

Puis elle a dit OK.

*

Ce vendredi-là, je n'ai pas eu une minute à moi et j'ai terminé tôt pour filer en voiture à Wilmington. J'attendais sur le quai de la gare quand Tom et Erin sont descendus du train. Erin a couru vers moi, s'est jetée dans mes bras et m'a embrassé sur les deux joues et sur le bout du nez. Ce fut une étreinte délicieuse mais il est impossible de prendre des baisers fraternels pour autre chose que ce qu'ils sont. Je l'ai relâchée pour laisser Tom me donner une accolade virile accompagnée de puissantes tapes dans le dos. C'était comme si on ne s'était pas vus depuis cinq ans, au lieu de cinq semaines. J'étais devenu un prolo et même si j'avais mis mon plus chouette chino assorti d'un polo, ça se voyait. J'avais beau avoir remisé mes jeans pleins de cambouis et ma casquette Howie délavée dans le placard de ma chambre chez Mrs. S., ça se voyait.

« Ça fait tellement plaisir de te voir ! s'exclama Erin. Mon Dieu, quel bronzage ! »

J'ai haussé les épaules. « Qu'est-ce que tu veux ? Je travaille dans la partie la plus au nord de la Plouc Riviera.

– T'as fait le bon choix, me dit Tom. Je l'aurais jamais cru, quand tu m'as dit que tu ne revenais pas à la fac, mais t'as fait le bon choix. Peut-être que moi aussi, j'aurais dû rester à Joyland. »

Il a souri – de son sourire charmeur genre Moi-j'ai-roulé-un-patin-à-la-Pierre-de-l'Éloquence avec lequel il aurait fait manger les petits oiseaux dans sa main – mais sans parvenir à dissimuler l'ombre qui a traversé son visage. Il n'aurait jamais pu rester à Joyland, pas après ce qu'il avait vu dans la boîte noire…

Ils sont descendus pour le week-end au gîte de Mrs. Shoplaw (celle-ci était ravie de les accueillir chez elle et Tina Ackerley ravie de les revoir) ; le vendredi soir, nous avons pique-niqué sur la plage tous les cinq, un dîner bien arrosé et fort guilleret, autour d'un feu de bois ronflant pour nous réchauffer. Mais le samedi après-midi, quand le moment est venu pour Erin de partager ses troublantes découvertes avec moi, Tom a annoncé son intention de mettre une raclée à Tina et à Mrs. S. au Scrabble et nous a laissés partir sans lui. Je me suis dit que si nous rencontrions Annie et Mike au bout du caillebotis, je les présenterais à Erin. Mais la journée était maussade, le vent qui venait de la mer carrément froid et la table de pique-nique abandonnée au bout du caillebotis de bois. Même le parasol avait disparu, replié et rangé dans un coin de la maison pour l'hiver.

Les quatre parkings de Joyland étaient déserts eux aussi, à l'exception de la flottille des camionnettes d'entretien. Erin – en gros pull à col roulé et pantalon de laine, un mince et très sophistiqué attaché-case à ses initiales sous le bras – leva les sourcils quand je dégainai mon porte-clés pour ouvrir la grille.

« Alors, ça y est, dit-elle, t'es un des leurs ? »

Je me suis senti embarrassé – est-ce qu'on n'est pas tous embarrassés (même sans trop savoir pourquoi) quand on s'entend dire qu'on est *un des leurs* ?

« Pas vraiment, non. J'ai un double des clés de la grille au cas où j'arrive le premier ou parte le dernier, mais y a que Fred et Lane qui ont toutes les Clés du Royaume. »

Elle a rigolé comme si j'avais dit une bêtise. « La clé de la grille *est* la clé du royaume, si tu veux mon avis. » Puis elle s'est rembrunie et m'a longuement jaugé du regard. « T'as l'air plus vieux, Devin. C'est ce que je me suis dit avant même qu'on descende du train, quand je t'ai vu sur le quai. Maintenant, je sais pourquoi. Toi, t'as bossé pendant que nous on est retournés s'amuser avec les Filles et les Garçons Perdus du Pays Imaginaire. Ceux qui finiront un jour en costard de chez Brooks Brothers avec une maîtrise de gestion en poche. »

J'ai désigné son attaché-case. « Ça irait très bien avec un costard de chez Brooks Brothers… si toutefois ils en font pour les femmes. »

Elle soupira. « C'est un cadeau de mes parents. Mon père veut que je devienne avocate, comme lui. J'ai pas encore eu le courage de lui dire que je voulais être photographe indépendante. Il va piquer une crise. »

Nous avons remonté Joyland Avenue en silence – avec seulement le bruissement des feuilles mortes, comme un bruit d'ossements qui s'entrechoquaient. Elle a regardé les manèges couverts, les fontaines vides, les chevaux immobiles du carrousel, la scène déserte du Wiggle-Waggle Village.

« C'est d'une tristesse… Ça me donne des idées noires. » Elle s'est tournée vers moi, comme si elle venait de se souvenir de quelque chose. « T'as encore sauvé quelqu'un, Devin ! On l'a vu dans le journal. Mrs. Shoplaw a fait bien attention de le laisser en évidence dans notre chambre.

– Eddie ? Oh, j'étais juste là au bon moment. » On était arrivés à la baraque de Madame Fortuna, où les chaises longues étaient toujours appuyées contre le mur. J'en ai déplié deux et j'ai fait signe à Erin de s'asseoir. Je me suis installé à côté d'elle et j'ai sorti une flasque d'Old Log Cabin de ma veste. « Du whisky bon marché, mais ça réchauffe. »

L'air amusé, elle en a pris une petite gorgée. Moi, une bonne lampée, puis j'ai revissé le bouchon et j'ai remis la flasque dans ma poche. Une cinquantaine de mètres plus loin dans Joyland Avenue – notre palc à nous –, j'apercevais la grande façade peinte de la Maison de l'Horreur avec ses lettres vertes dégoulinantes : ENTREZ SI VOUS L'OSEZ. La petite main d'Erin agrippa mon épaule avec une force surprenante. « Tu as sauvé la peau de ce vieux rabouin. Tu l'as sauvé. Alors, accorde-toi un minimum de mérite, s'il te plaît. »

J'ai souri, repensant au Badge de la Modestie que Lane me voyait bien arborer. Et peut-être qu'il avait raison, en fin de compte : me valoriser n'était pas tellement dans mes habitudes à cette époque-là.

« Il va s'en tirer ?

– Sans doute. Freddy Dean a vu quelques toubibs qui lui ont dit que bla-bla-bla, le patient doit arrêter de fumer, bla-bla-bla, le patient doit arrêter les frites, bla-bla-bla, le patient doit faire de l'exercice…

– J'imagine bien Eddie Parks faire un footing ! a dit Erin.

– Ouais, avec une clope au bec et une barquette de couennes de porc à la main. »

Elle pouffa. Une petite rafale de vent se leva et fit voler ses cheveux autour de son visage. Avec son gros pull et son très sérieux pantalon gris foncé, elle ne ressemblait plus à la jolie jeune Américaine aux joues roses qui avait cavalé dans Joyland en petite robe verte l'été précédent, adressant à tous son lumineux sourire à la Erin et persuadant gentiment les uns et les autres de la laisser les photographier avec son gros appareil rétro…

« Qu'est-ce que tu m'as apporté ? T'as découvert quelque chose ? »

Elle a ouvert son attaché-case et en a sorti une chemise. « T'es vraiment sûr de vouloir savoir ? Parce que je ne pense pas qu'après m'avoir écoutée, tu vas t'exclamer "Élémentaire, ma chère Erin" et nous sortir le nom du tueur comme Sherlock Holmes. »

Je n'avais pas besoin qu'on me rappelle que je n'étais pas Sherlock Holmes, mon idée folle d'Eddie Parks en Tueur de la Maison de l'Horreur en était la preuve… J'ai pensé confier à Erin mon désir de délivrer la victime plutôt que d'attraper le meurtrier, mais même en tenant compte de l'expérience de Tom, elle m'aurait pris pour un fou… « Non, je ne pense pas non plus.

– Et au fait, tu me dois presque quarante dollars pour les prêts inter-bibliothèques.

– Pas de problème. »

Elle m'enfonça un index dans les côtes. « Y a intérêt. Je me paye pas l'université pour m'amuser. »

Elle cala son attaché-case entre ses pieds et ouvrit la chemise. Dedans, il y avait des photocopies, deux ou trois pages de notes dactylographiées et quelques photos sur papier glacé qui ressemblaient à celles avec lesquelles les lapins repartaient quand ils achetaient le boniment des Hollywood Girls.

« OK, on y va. J'ai commencé par l'article du *News and Courier* de Charleston dont tu m'avais parlé. » Elle me tendit l'une des photocopies. « Numéro du dimanche, cinq mille mots de pures spéculations et peut-être huit cents mots de vraie info. Tu pourras le lire plus tard, je vais te résumer les points essentiels. Quatre filles.

Cinq, si tu comptes celle-là. » Elle pointa l'index en direction de la Maison de l'Horreur. « La première, Delight Mowbray, DeeDee pour ses amis. Originaire de Waycross, Géorgie. Blanche, vingt et un ans. Deux ou trois jours avant son assassinat, elle avait dit à sa copine Jasmine Withers qu'elle avait un nouveau petit ami, un homme plus âgé qu'elle et très beau. Elle a été retrouvée au bord du marécage d'Okefenokee le 31 août 1961, neuf jours après sa disparition. Si le type l'avait jetée dans le marécage, même pas très loin du bord, on ne l'aurait peut-être pas retrouvée avant longtemps.

– Ou peut-être jamais, j'ai ajouté. Les alligators auraient bouffé son corps en moins de vingt minutes.

– Horrible, mais vrai. » Elle me tendit une autre photocopie. « Ça, c'est l'article du *Journal-Herald* de Waycross. » Une photo l'illustrait : un flic à la mine sévère présentait des traces de pneus moulées dans du plâtre. « La théorie, c'est qu'il l'a abandonnée à l'endroit où il l'a égorgée. Selon l'article, les traces de pneus sont celles d'une camionnette.

– Jetée là comme on jette ses poubelles, j'ai dit.

– Encore une fois, horrible, mais vrai. » Elle me présenta une autre coupure de presse. « Numéro 2. Claudine Sharp, de Rocky Mount, assassinée ici même, en Caroline du Nord. Blanche, vingt-trois ans. Retrouvée morte dans un cinéma. 2 août 1963. Le film projeté ce jour-là était *Lawrence d'Arabie*, qui se trouve être très long et très bruyant. L'auteur de l'article cite "une source policière anonyme" qui a déclaré que l'assassin l'avait probablement égorgée lors d'une bagarre. Pure spéculation, bien sûr. Il a laissé derrière lui une chemise et des gants ensanglantés ; il a dû sortir de la salle avec la deuxième chemise qu'il portait en dessous.

– Ce doit être le même type qui a tué Linda Gray, j'ai dit. Tu crois pas ?

– Ça me semble fort probable, en effet. Les flics ont questionné toutes les amies de Claudine mais elle n'avait parlé à aucune d'un éventuel nouveau petit copain.

– Ni du gars avec qui elle avait rendez-vous au cinéma ce soir-là ? Pas même à ses parents ? »

Erin me regarda patiemment. « Elle avait vingt-trois ans, Dev, pas quatorze. Ses parent habitaient de l'autre côté de la ville. Elle travaillait dans une pharmacie et louait un petit studio au-dessus.

– T'as trouvé tout ça dans les journaux ?

– Bien sûr que non. J'ai passé quelques appels aussi. Je me suis presque usé les ongles à force de faire tourner des cadrans de téléphone, si tu veux tout savoir. Tu me dois aussi les appels longue distance, d'ailleurs. On reviendra à Claudine Sharp plus tard. Continuons… La troisième victime – selon le *News and Courier* – était de Santee, Caroline du Sud. On est maintenant en 1965. Eva Longbottom, dix-neuf ans. Noire. Disparue le 4 juillet. Son corps a été retrouvé par des pêcheurs sur la rive nord de la Santee River neuf jours plus tard. Violée et poignardée en plein cœur. Seule Noire et seule à avoir été violée. Tu peux la ranger dans les victimes du Tueur de la Maison de l'Horreur, si tu veux, mais moi je suis sceptique. Et la dernière victime – avant Linda Gray –, c'est elle. »

Elle me tendit ce qui devait être la photo de promo d'une belle lycéenne aux cheveux dorés. Sûrement la chef des pom-pom girls, la reine du lycée et la copine du quarterback de l'équipe de football… et celle que tout le monde aimait quand même.

« Darlene Stamnacher. Elle aurait sans doute changé de nom si on lui avait laissé le temps d'entrer dans l'industrie du cinéma, ce qui était son but. Blanche, dix-neuf ans. De Maxton, Caroline du Nord. Disparue le 29 juillet 1967. Retrouvée dans une cabane de bord de route en pleine pampa, dans la région des pins à sucre au sud d'Erold, après deux jours de recherches intensives. Égorgée.

– Qu'est-ce qu'elle est belle ! Pas de petit copain officiel ?

– Quelle question, une fille aussi canon ! C'est chez lui que la police est allée en premier, mais il n'était pas là. Parti camper avec trois copains dans les Blue Ridge, tous ont pu le confirmer. Sauf s'il est revenu à tire-d'aile pour l'assassiner, c'est pas lui…

– Et vient ensuite Linda Grey, j'ai dit. La cinquième. Si elles ont toutes été tuées par le même type, bien entendu. »

Erin leva en l'air un doigt professoral. « Et seulement cinq si toutes les victimes ont été retrouvées. Il peut très bien y en avoir eu d'autres en 62, 64, 66… enfin, tu piges, quoi. »

Le vent soufflait et gémissait à travers l'ossature de la Carolina.

« Venons-en à ce qui me perturbe », dit Erin… comme si l'assassinat de cinq filles n'était pas déjà assez perturbant. Elle sortit une autre photocopie de la chemise. C'était un prospectus – un flonflon en Parlure – qui faisait de la publicité pour un truc qui s'appelait *Les 1 000 Merveilles du Manly Wellman Show*. On y voyait deux clowns tenant un parchemin sur lequel figuraient quelques-unes de ces merveilles, dont LA PLUS BELLE COLLECTION DE MONSTRES DE TOUTE L'AMÉRIQUE ! ET AUTRES CURIOSITÉS ! Il y avait aussi des manèges, des jeux pour les plus petits et LA MAISON HANTÉE LA PLUS TERRIFIANTE DU MONDE !

Entrez si vous l'osez, j'ai pensé.

« Tu t'es procuré ça grâce aux prêts inter-bibliothèques ? j'ai demandé.

– Oui. J'ai décidé qu'il y avait moyen de trouver tout ce qu'on veut en passant par les prêts inter-bibliothèques, à condition de creuser un peu. Ou devrais-je dire *décrypter*, car c'est vraiment tout un système de communication codé. Cette réclame est parue dans le *Journal-Herald* de Waycross pendant toute la première semaine d'août 1961.

– Le Wellman Show était à Waycross quand la première fille a disparu ?

– DeeDee Mowbray… Non : ils avaient déjà changé de ville à ce moment-là. Mais ils étaient là quand DeeDee a annoncé à sa copine qu'elle avait un nouveau petit ami. Maintenant, regarde ça. Paru dans le *Telegram* de Rocky Mount pendant toute une semaine, à la mi-juillet 1963. Du battage classique avant la venue d'une fête foraine, mais j'ai sûrement pas besoin de t'expliquer ça. »

Encore une pleine page sur Les *1 000 Merveilles du Manly Wellman Show*. Les mêmes clowns et le même parchemin, mais deux ans après leur passage à Waycross, ils promettaient dix mille dollars au gagnant du grand jeu de Beano, l'ancêtre du Bingo, et le mot *monstres* n'apparaissait plus nulle part.

« Est-ce que le Show était en ville quand la fille Sharp a été assassinée dans le cinéma ?

– Parti la veille. » Elle tapota le bas de la feuille. « Dev, tout ce que tu as à faire, c'est comparer les dates. »

Je n'étais pas aussi familiarisé qu'elle avec la chronologie des faits, mais je n'ai pas jugé bon de le lui signaler. « Et la troisième ? Longbottom ?

– Aucune fête foraine dans le coin de Santee, et encore moins le Wellman Show puisqu'il a fait faillite à l'automne 1964. J'ai trouvé tout ça dans l'*Outdoor Trade and Industry*. D'après ce que j'ai pu découvrir avec l'aide de mes nombreuses assistantes bibliothécaires, c'est le seul magazine de presse spécialisée qui couvre l'industrie des fêtes foraines et des parcs d'attractions.

– Bon sang, Erin, tu devrais abandonner l'idée de la photo et te trouver un riche écrivain ou un producteur de cinéma pour te faire engager comme assistante de recherches.

– Je préfère prendre des photos, merci. La recherche ressemble trop à du travail. Mais ne perds pas le fil, Devin. Pas de fête foraine du côté de Santee, d'accord, mais le meurtre d'Eva Longbottom ne ressemble pas aux autres. Pas pour moi, en tout cas. Pas de viol pour les autres, tu te rappelles ?

– Ça, c'est ce que tu crois. Les journaux sont très puritains concernant ce genre de chose.

– C'est vrai, ils préfèrent dire "abuser" ou "agresser sexuellement" plutôt que "violer", mais le message passe quand même, crois-moi.

– Et pour Darlene Shoemaker ? Y avait-il...

– *Stamnacher*. Ces filles ont été assassinées, Devin, la moindre des choses serait que tu retiennes correctement leur nom.

– Oui, ça va. Laisse-moi le temps. »

Elle posa sa main sur la mienne. « Désolée. J'ai été un peu brutale, pas vrai ? Je te balance tout ça sans ménagement alors qu'il m'a fallu plusieurs semaines pour le digérer.

– Vraiment ?

– Oui. C'est assez horrible, tu sais. »

Elle avait raison. Quand on lit un polar ou qu'on regarde un film à suspense, on peut siffloter gaiement en passant devant une multitude de cadavres, simplement curieux de savoir qui, du majordome ou de la belle-mère diabolique, est le coupable. Mais ces jeunes femmes avaient réellement existé. Des corbeaux avaient probablement déchiré leur chair ; des asticots avaient infesté leurs yeux et s'étaient tortillés dans leurs narines avant de s'enfoncer dans la viande grise de leur cerveau…

« Y avait-il aussi une fête foraine du côté de Maxton quand la jeune Stamnacher a été assassinée ?

– Non, mais une kermesse de comté était sur le point de commencer à Lumberton – la ville la plus proche. Tiens. »

Elle me tendit une nouvelle page, celle-ci faisant la publicité pour la Foire estivale du comté de Robeson. De nouveau, Erin tapota la feuille du bout du doigt. Elle attirait cette fois mon attention sur la ligne annonçant : 50 MANÈGES **SÉCURISÉS** DE LA COMPAGNIE SOUTHERN STAR AMUSEMENTS !

« J'ai cherché la Southern Star dans l'*Outdoor Trade and Industry*. La compagnie existe depuis la fin de la Seconde Guerre mondiale. Ils sont basés à Birmingham et montent des manèges dans tout le Sud. Rien de comparable avec le Thunderball et le Delirium Shaker mais ils ont plein de petits métiers et les commis qu'il faut pour monter et démonter. »

Ça m'a fait sourire. Elle n'avait pas complètement oublié la Parlure. Les « petits métiers » sont des manèges faciles à monter et démonter. Si vous avez déjà fait un tour à bord des Krazy Kups ou du Wild Mouse, alors vous savez ce qu'est un petit métier.

« J'ai appelé le patron de la Southern Star. Je lui ai dit que je travaillais à Joyland l'été dernier et que je faisais un exposé sur l'industrie des parcs d'attractions pour mon cours de socio. Ce que je finirai sûrement par faire, d'ailleurs. Après toutes ces recherches, ça serait du gâteau. Il m'a dit ce que je savais déjà, que le personnel se renouvelait très rapidement. Qu'il ne pouvait pas me dire de mémoire s'ils avaient embauché quelqu'un du Wellman Show mais que c'était fort probable – quelques commis par-ci, quelques mécanos par-là, et peut-être bien un ou deux lutteurs de foire aussi. Donc, l'assassin de DeeDee et de Claudine pouvait très bien travailler avec les gens de la caravane et Darlene Stamnacher a très bien pu le rencontrer. La fête foraine n'était pas encore ouverte au public mais les habitants aiment toujours tourner autour du site pour voir les trimards et les commis monter les ferrailles et les bouts de bois. » Elle me regarda droit dans les yeux. « Je pense que c'est exactement ce qui s'est passé.

– Erin, est-ce que l'article du *News and Courier* a fait le lien avec les fêtes foraines après la mort de Linda Gray ?

– Nan... Je peux avoir une autre gorgée de ta flasque ? J'ai froid...

– On peut aller à l'intérieur, si tu veux.

– Nan, c'est tous ces meurtres qui me donnent la chair de poule. À chaque fois que je m'y replonge. »

Je lui ai redonné la petite bouteille et une fois qu'elle eut avalé sa gorgée, j'en ai pris une à mon tour. « Peut-être bien que Sherlock Holmes, c'est *toi,* je lui ai dit. Et les flics ? Tu crois qu'ils n'ont pas fait le lien ?

– Je n'en suis pas certaine, mais... je ne pense pas. Si tout ça n'était qu'un feuilleton télé, il y aurait sûrement eu un vieux détective plus intelligent que les autres – genre lieutenant Columbo – qui aurait regardé la vue d'ensemble et assemblé les pièces du puzzle, mais j'imagine qu'il n'y a pas beaucoup de types comme ça dans la vraie vie. En plus, la vue d'ensemble est assez difficile à avoir car elle s'étend sur trois États et sur une période de huit ans. Une chose est sûre, c'est que si ce type a travaillé à Joyland, il est déjà parti depuis longtemps. Je sais que le renouvellement du personnel n'est pas aussi rapide dans un parc d'attractions qu'il peut l'être sur une caravane comme celle de la Southern Star, mais il y a quand même beaucoup de va-et-vient. »

J'en savais quelque chose. Les commis de manège et les crieurs de loterie ne sont pas exactement les personnes les plus sédentaires du monde, quant aux trimards, ils vont et viennent comme la marée.

« Et il y a autre chose qui me perturbe », dit-elle en me tendant une petite pile de photos 10 × 15. Sur le bord blanc, au bas de chaque photo, figurait la mention JOYLAND – PHOTO PRISE PAR VOTRE HOLLYWOOD GIRL.

Je les ai regardées rapidement, et quand j'ai compris de quoi il s'agissait, j'ai eu besoin d'une autre gorgée de whisky : des clichés de Linda Gray et de son meurtrier… « Sacré nom de Dieu, Erin, c'est pas des photos de journaux, ça. Tu les as trouvées où ?

– Brenda Rafferty. J'ai dû lui lécher un peu les bottes et lui dire combien elle avait été une mère pour nous toutes, mais elle a fini par craquer. Tu as entre les mains les tirages tout frais des négatifs qu'elle gardait dans ses dossiers personnels et qu'elle m'a gentiment prêtés. Écoute-moi bien maintenant, Dev. Tu vois le bandeau que la fille Gray a dans les cheveux ?

– Oui. » Mrs. Shoplaw avait parlé de serre-tête. Un serre-tête *bleu.*

« Brenda dit que les flics ont camouflé ce détail sur les clichés qu'ils ont remis aux journaux. Ils imaginaient que ça les aiderait à coincer le type, mais apparemment ça n'a pas marché.

– Alors, c'est quoi qui te perturbe ? »

Dieu sait que toutes ces photos me perturbaient, même celles où Linda Gray et son cavalier figuraient juste en arrière-plan, reconnaissables au chemisier sans manches et au serre-tête bleus de la jeune fille et à la casquette de baseball et aux lunettes noires de l'homme. Sur deux clichés seulement, Linda Gray et son assassin apparaissaient nettement. Le premier les montrait devant les Whirly

Cups, lui une main posée sur la courbe des fesses de Linda. Sur l'autre – la meilleure du lot –, ils étaient au Tir de l'Ouest. Mais le visage de l'homme n'était vraiment visible sur aucun des deux clichés. J'aurais pu le croiser dans la rue sans le reconnaître.

Erin me reprit la photo des Whirly Cups. « Regarde sa main.

– Ouais, le tatouage. Je l'ai vu, et Mrs. Shoplaw m'en a déjà parlé. C'est quoi à ton avis, un aigle ou un faucon ?

– Un aigle, je crois, mais c'est pas la question.

– Ah bon ?

– Non. Rappelle-toi, je t'ai dit que je reviendrais plus tard sur Claudine Sharp. Une jeune fille égorgée dans le cinéma de la ville – pendant la projection de *Lawrence d'Arabie,* qui plus est –, tu penses bien que ça a fait les gros titres dans une petite ville comme Rocky Mount. Le *Telegram* en a parlé pendant près d'un mois. Les flics n'ont retrouvé qu'une seule piste, Dev. Une fille qui était avec elle au lycée. Elle avait croisé Claudine au snack-bar du cinéma et elles avaient échangé un bonjour. La fille a dit qu'elle avait vu un homme avec une casquette de baseball et des lunettes de soleil à côté de Claudine mais qu'elle n'avait jamais imaginé qu'il puisse être avec elle parce qu'il était beaucoup plus âgé. La seule raison pour laquelle elle l'avait remarqué, c'était parce qu'il portait des lunettes de soleil dans un cinéma… et qu'il avait un tatouage sur la main.

– La tête d'oiseau.

– Non, Dev. Une croix copte. Comme celle-ci. » Elle sortit une autre photocopie de sa chemise et me la montra. « Elle a dit à la police qu'elle avait d'abord cru que c'était une sorte de symbole nazi. »

J'ai regardé la croix. Elle était délicatement ciselée mais ne ressemblait en rien à une tête d'oiseau. « Deux tatouages alors, un sur chaque main, j'ai fini par dire. L'oiseau sur l'une, la croix sur l'autre. »

Elle secoua la tête et me tendit à nouveau la photo prise devant les Whirly Cups. « Sur laquelle se trouve l'oiseau ? »

L'homme se tenait sur la gauche de Linda Gray, un bras passé autour de sa taille. La main qui était posée sur ses fesses…

« La droite.

– Oui. Sauf que la fille qui les a vus au cinéma a dit que *la croix* était sur sa main droite. »

J'ai réfléchi un instant. « Elle s'est trompée, c'est tout. Les témoins se trompent tout le temps.

– Bien sûr. Mon père pourrait t'en parler toute la journée. Mais regarde bien, Dev. »

Erin me tendit la photo du stand de tir, la meilleure de toutes. Une Hollywood Girl qui passait par là les avait aperçus, avait trouvé la pose jolie et avait déclenché, espérant conclure une vente. Sauf que le mec l'avait envoyée balader. Et méchamment, selon Mrs. Shoplaw. Ce qui me rappela la manière dont ma logeuse m'avait décrit la scène : *Lui collé à elle, hanche contre hanche comme font toujours les hommes pour vous montrer comment tenir la carabine.* La photo qu'avait vue Mrs. Shoplaw devait être la version retouchée publiée dans la presse. Celle-ci était l'original, si nette et si précise que j'avais l'impression de pouvoir m'introduire dans la scène pour mettre en garde la jeune fille. Il était effectivement collé à elle, sa main refermée autour des siennes sur le canon de la carabine à air comprimé, l'aidant à viser.

Sa main *gauche*. Et elle était dépourvue de tatouage.

Erin me demanda : « Tu vois ?

– Je ne vois rien.

– C'est bien ça, Dev. C'est exactement ça.

– Qu'est-ce que tu es en train de me dire ? Que ce sont deux hommes différents ? L'un, avec une croix tatouée sur la main, aurait tué Claudine Sharp, et l'autre, avec un tatouage d'oiseau, aurait tué Linda Gray ? Ça me semble peu plausible.

– Je suis on ne peut plus d'accord avec toi.

– Alors, quoi ?

– Il m'avait semblé avoir repéré quelque chose d'autre sur une des photos, mais comme je n'en étais pas tout à fait certaine, j'ai donné le cliché et le négatif à un étudiant en photographie, Phil Hendron. C'est un génie de la chambre noire, il dort pratiquement au département photo de la fac. Tu vois ces énormes Speed Graphic qu'on se trimbalait ?

– Oui.

– C'était surtout pour le style – de jolies jeunes filles équipées de vieux appareils photo rétro – mais selon Phil, c'est du sacrément bon matériel. Tu peux faire beaucoup de choses avec les négatifs. Comme par exemple… »

Elle me tendit un agrandissement de la photo des Whirly Cups. Le sujet initial de la photo était un couple avec un bambin entre eux, mais dans sa version agrandie, ils n'apparaissaient quasiment plus dans le cadre. Dans celle-là, Linda Gray et son cavalier meurtrier étaient au centre de l'image.

« Regarde sa main, Dev. Regarde le tatouage ! »

Ce que je fis, plissant les yeux de concentration. « Il est un peu dur à distinguer. La main est plus floue que le reste.

– Je ne crois pas, non. »

J'ai approché la photo de mes yeux. « C'est… Bon sang, Erin. C'est de l'encre ? Elle coule un peu, non ? »

Erin m'a souri d'un air triomphant. « Juillet 1969. Une chaude journée à Dixieland. Tout le monde sue à grosses gouttes. Si tu ne me crois pas, regarde les autres photos et les auréoles de transpiration sur les vêtements des gens. De plus, il avait de bonnes raisons de transpirer, non ? Il préparait son crime. Un crime audacieux, qui plus est.

– Putain, la boutique de Pirate Pete ! »

Elle pointa son index sur moi. « Bingo. »

La boutique de Pirate Pete était le magasin de souvenirs qui se trouvait juste à côté du Captain Nemo : un pavillon noir flottait fièrement au sommet de son toit. À l'intérieur, on trouvait tout un tas de trucs – T-shirts, mugs, serviettes de plage, et même des maillots de bain au cas où votre rejeton aurait oublié le sien, le tout, bien sûr, marqué du logo de Joyland. À la caisse, il y avait un large choix de faux tatouages. Des décalcomanies. Si vous ne vous sentiez pas capable de les appliquer proprement vous-même, Pirate Pete (ou l'un de ses sous-fifres) se faisait un plaisir de le faire pour vous, moyennent un petit supplément.

Erin hochait la tête. « Je doute qu'il se le soit procuré ici – ç'aurait été stupide, et ce gars-là est loin d'être stupide –, mais je suis sûre que ce n'est pas un vrai tatouage, pas plus que la croix copte que la fille du cinéma de Rocky Mount affirme avoir vue. » Elle se pencha vers moi et m'agrippa le bras. « Tu sais ce que je crois ? Je crois que c'est pour attirer l'attention. Les gens remarquent le tatouage, et tout le reste, ben… » Elle tapota les formes indistinctes des sujets principaux de la photo avant que celle-ci ne soit agrandie par son copain.

« Et tout le reste disparaît au second plan.

– Exact. Et il n'a plus qu'à l'effacer plus tard.

– Les flics le savent, tu crois ?

– J'en sais rien. Tu pourrais leur dire – moi je retourne à la fac – mais ça m'étonnerait qu'ils s'y intéressent après tout ce temps. »

J'ai survolé les photos une nouvelle fois. Je n'avais aucun doute quant au fait qu'Erin avait vraiment découvert quelque chose, en revanche je doutais fort que la découverte en elle-même puisse aider à coincer le Tueur de la Maison de l'Horreur. Mais il y avait quelque chose d'autre dans ces photos. Quelque chose d'indéfinissable. Vous savez, un peu comme quand vous avez un mot sur le bout de la langue et que ça ne vient pas.

« Depuis la mort de Linda Gray, y a-t-il eu d'autres meurtres similaires à ces cinq-là ? Quatre… si l'on oublie Eva Longbottom. Tu as vérifié ?

– J'ai essayé, dit-elle. Pour faire court, je ne crois pas, mais je ne peux pas en être certaine non plus. J'ai répertorié une cinquantaine de meurtres de jeunes filles et de femmes – *au moins* cinquante – mais aucun ne rentre dans les critères. » Elle les énuméra. « Toujours en été. Toujours à la suite d'un rendez-vous avec un inconnu plus âgé. Toujours égorgées. Et toujours en lien avec une foire ou une fête foraine dans le c…

– Salut, les jeunes ! »

On a levé la tête en même temps, surpris. C'était Fred Dean. Ce jour-là, il portait un polo de golf, un pantalon large rouge vif et une casquette à longue visière sur laquelle était brodé en lettres dorées COUNTRY CLUB DE HEAVEN'S BAY. J'étais nettement plus habitué à le voir en costume, quand la seule touche de désinvolture qu'il se permettait était une cravate desserrée et un col de chemise Van Heusen déboutonné. Dans sa tenue de golf criarde, il faisait ridiculement jeune. Abstraction faite des poils grisonnants sur ses tempes, bien sûr.

« Bonjour, Mr. Dean », dit Erin en se levant. Elle avait toujours une bonne quantité de paperasse – et certaines photos – dans les mains. « Je sais pas si vous vous souvenez de moi…

– Évidemment, dit-il en s'approchant. Je n'oublie jamais une Hollywood Girl, mais il m'arrive parfois de me tromper dans les noms. C'est Ashley ou Jerri ? »

Erin sourit, rangea tout son matériel dans la chemise et me la confia. J'y ajoutai les quelques photos que j'avais toujours en main. « Moi c'est Erin.

– Mais bien sûr, Erin Cook. » Il me fit un clin d'œil, chose encore plus déconcertante que de le voir en pantalon de golf rouge. « Vous avez un goût sûr en matière de jeunes filles, Jonesy.

– Vous trouvez, hein ? » Il me semblait trop compliqué de lui expliquer qu'Erin était en fait la copine de Tom Kennedy. De toute manière, Fred ne se souviendrait sûrement pas de lui, ne l'ayant jamais vu en petite robe verte affriolante et chaussures à talons…

« Je passais juste récupérer les livres de comptes. Les impôts trimestriels ne vont pas tarder à arriver. Que c'est casse-bonbons, tout ça. Contente d'être de retour, Erin ?

– Oui, monsieur, très.

– Vous revenez parmi nous l'année prochaine ? »

Erin parut un tantinet mal à l'aise puis alla droit au but : « Je ne pense pas, non.

– Bon, d'accord, mais si vous changez d'avis, je suis sûr que Brenda Rafferty se fera un plaisir de vous trouver une place. » Il se tourna vers moi. « Ce garçon que vous voulez amener au parc, Jonesy ? Avez-vous convenu d'une date avec sa mère ?

– Mardi. Mercredi ou jeudi s'il pleut. Il ne peut pas sortir sous la pluie. »

Erin me regardait d'un air interrogateur.

« Je vous conseille de vous en tenir à mardi, dit-il. Des perturbations sont prévues sur toute la côte. Pas d'ouragan, Dieu merci, mais ils parlent d'une tempête tropicale. Beaucoup de pluie et des vents de force 8 à partir de mercredi matin.

– OK, j'ai dit. Merci pour l'info, Mr. Dean.

– Ravi de vous avoir revue, Erin. » Il souleva sa casquette galamment et s'en fut vers l'arrière-cour.

Erin attendit qu'il soit hors de vue pour pouffer de rire. « Ce *pantalon*. T'as vu ce *pantalon* ?

– Ouais. Plutôt dingue. » Mais loin de moi l'idée de rire du pantalon de Fred Dean. Ou de Fred Dean lui-même. Selon Lane, si Joyland tenait debout, c'était grâce à son génie : flair, débrouillardise et tours de passe-passe comptables. En l'occurrence, j'estimais qu'il avait bien le droit de porter tous les pantalons de golf qu'il voulait. Et au moins, celui-ci n'était pas à carreaux.

« C'est quoi cette histoire de garçon que tu veux amener au parc ?

– Une longue histoire, j'ai dit. Je te raconterai sur le chemin du retour. »

Ce que j'ai fait, optant pour la version boy-scout modeste et omettant le psychodrame de l'hôpital. Erin m'écouta sans m'interrompre, me posant une seule question une fois arrivée en bas de l'escalier de la dune. « Dis-moi la vérité, Dev – elle est canon, la maman ?

Décidément, les gens me posaient sans arrêt cette question.

*

Le soir, Tom et Erin allèrent au Surfer Joe's, un bar dansant où ils avaient passé la plupart de leurs soirées libres cet été-là. Tom me proposa de venir avec eux mais tout bien réfléchi, je n'avais pas envie de tenir la chandelle. De plus, je doutais fort qu'ils y retrouvent cette même ambiance bruyante et festive. Dans des bourgs comme Heaven's Bay, il y a une énorme différence entre juillet et octobre. Dans mon rôle de grand frère, je me suis vu contraint de le leur dire.

« Tu piges pas, Dev ! dit Tom. Erin et moi on cherche pas l'ambiance, on la *met* ! C'est ce qu'on a compris cet été. »

N'empêche que je les ai entendus rentrer tôt et, d'après leur façon de monter l'escalier, presque pas soûls. Des murmures et des rires étouffés me parvenaient tout de même, des bruits qui me ramenaient à ma solitude. Ce n'était pas que je ressentais le besoin d'être auprès de Wendy ; non, juste auprès de *quelqu'un*. En y repensant, j'imagine que c'était déjà un progrès.

J'ai lu les notes d'Erin pendant leur absence, sans rien y trouver de nouveau. Au bout d'un quart d'heure, je les ai mises de côté et je me suis penché à nouveau sur les photos, des photos en noir et blanc, nettes et précises, PRISES PAR VOTRE HOLLYWOOD GIRL. Je les ai d'abord survolées distraitement ; puis je me suis assis par terre et je les ai étalées devant moi, les changeant tour à tour de place à la manière d'un gars qui cherche à assembler les pièces d'un puzzle. Exactement ce que j'étais en train de faire, finalement.

Erin était troublée par le lien avec les fêtes foraines et par les tatouages qui n'étaient probablement pas de vrais tatouages. Tout ça me troublait aussi, mais il y avait autre chose. Ce quelque chose d'indéfinissable. Ça me rendait fou car j'avais l'impression de l'avoir sous le nez. J'ai fini par replacer les photos dans la chemise, sauf deux. Les deux plus importantes. Je les ai brandies à la lumière, les examinant tour à tour.

Linda Gray et son assassin faisant la queue aux Whirly Cups.

Linda Gray et son assassin au Tir de l'Ouest.

Oublie ce satané tatouage, je me suis dit. *Ce n'est pas le tatouage. C'est autre chose.*

Mais quoi ? Ses lunettes de soleil lui cachaient les yeux. Son bouc lui dissimulait le bas du visage et la visière de sa casquette de baseball obscurcissait son front et ses sourcils. La casquette portait le logo d'une équipe de deuxième division de Caroline du Sud appelé les Mudcats : un poisson-chat jaillissant d'un C majuscule rouge. Des douzaines de poissons-chats franchissaient les grilles de Joyland pendant la haute saison, si bien que la mascotte du parc ne semblait plus être un chien mais un poisson. Le salopard n'aurait pu choisir de casquette plus passe-partout que ça, et c'était sûrement le but.

J'allais de l'une à l'autre, des Whirly Cups au Tir de l'Ouest, puis du Tir de l'Ouest aux Whirly Cups. Jusqu'à ce que je fourre le tout dans la chemise et que j'abandonne celle-ci sur mon bureau. Ensuite, j'ai pris mon bouquin et j'ai lu jusqu'au retour de Tom et Erin, puis je me suis mis au lit.

Peut-être que ça me viendra demain matin, j'ai pensé. *Je me réveillerai et m'écrierai : « Putain, mais bien sûr ! »*

Le bruit des vagues me berça et me plongea dans le sommeil. Je rêvai que j'étais sur la plage avec Annie et Mike. Annie et moi avions les pieds dans l'eau, nous nous tenions enlacés et regardions Mike faire du cerf-volant. Il déroulait la bobine en courant sur le sable. Il courait car rien ne l'en empêchait. Il allait bien. J'avais seulement rêvé ce truc sur la myopathie de Duchenne…

Je me suis réveillé tôt car j'avais oublié de fermer les rideaux. Je suis allé à mon bureau, j'ai sorti les deux photos de la chemise et je les ai examinées aux premières lueurs du jour, persuadé que j'allais enfin avoir ma réponse.

Mais non.

*

Une certaine harmonie des horaires ferroviaires avait permis à Tom et Erin de faire le voyage ensemble depuis le New Jersey jusqu'à la Caroline du Sud, mais s'agissant d'horaires ferroviaires, l'harmonie tient plus de l'exception que de la règle. Le seul trajet qu'ils partagèrent le dimanche fut celui de Heaven's Bay à Wilmington, à bord de ma Ford. Le train d'Erin pour Annandale-on-Hudson, au nord de l'État de New York, partait deux heures avant le Coastal Express qui renverrait Tom vers son université du New Jersey.

J'ai glissé un chèque dans la poche de manteau d'Erin. « Prêts en bibliothèque et appels longue distance. »

Elle le repêcha, regarda le montant et voulut me le rendre. « Quatre-vingts dollars ? C'est trop, Dev.

– Si l'on tient compte de tout ce que tu as trouvé, c'est pas assez. Allez, discute pas, lieutenant Columbo. »

Elle rigola, le remit dans sa poche et me donna un baiser d'adieu – un petit baiser rapide tout ce qu'il y de plus fraternel, rien de comparable avec celui que nous avions échangé ce soir-là, à la fin de l'été. Elle passa considérablement plus de temps dans les bras de Tom. Des promesses furent échangées de se retrouver à Thanksgiving chez les parents de Tom dans leur maison familiale de Pennsylvanie. Je voyais bien qu'il ne voulait pas la laisser partir, mais quand les haut-parleurs crachotèrent une dernière annonce pour Richmond, Baltimore, Wilkes-Barre et d'autres villes dans le Nord, il se résolut à la lâcher.

Le train parti, Tom et moi avons traversé la rue pour aller dîner de bonne heure dans une gargote pas si horrible que ça. J'étais en train d'examiner le choix de desserts quand Tom s'est éclairci la voix et m'a dit : « Écoute, Dev. »

Quelque chose dans son ton m'a fait aussitôt lever la tête. Ses joues étaient encore plus rouges qu'à l'accoutumée. J'ai reposé la carte.

« Ces recherches que tu demandes à Erin de faire… Je crois que tu devrais arrêter. Ça la perturbe et j'ai l'impression qu'elle est en train de négliger ses études. » Il rit, regarda par la fenêtre l'agitation de la gare, puis se tourna vers moi. « Je parle comme son père plus que comme son copain, pas vrai ?

– On dirait que tu t'inquiètes pour elle, c'est tout. Qu'elle compte beaucoup pour toi.

– Si elle compte beaucoup ? Mon pote, je suis raide dingue amoureux. Elle est ce que j'ai de plus précieux. Je suis pas en train de te faire une scène de jalousie, hein. Je veux pas que tu penses ça. Le truc, c'est que si elle veut changer d'établissement et conserver sa bourse, elle ne peut pas se permettre d'avoir de mauvaises notes. Tu vois ce que je veux dire, hein ? »

Oui, je voyais. Et il y avait autre chose que je voyais, même si Tom, lui, ne le voyait pas. Il la voulait loin de Joyland, aussi bien physiquement que mentalement, car quelque chose lui était arrivé là-bas, quelque chose qu'il n'arrivait pas à concevoir. Qu'il ne *voulait* pas concevoir ; ce qui faisait de lui une sorte d'idiot, selon moi. Ce flot de jalousie pénible me traversa à nouveau, nouant mon estomac en pleine digestion.

J'ai souri – au prix d'un effort, je ne vais pas vous le cacher – et j'ai dit : « Message reçu. En ce qui me concerne, notre petit projet de recherches est terminé. » *Alors relax, Thomas. Tu peux arrêter de penser à ce qui s'est passé dans la Maison de l'Horreur. À ce que tu as vu là-bas.*

« Cool. On est toujours amis, hein ? »

J'ai tendu la main. « Amis pour la vie », j'ai dit.

Sur quoi, on s'est serré la main.

*

La scène du Wiggle-Waggle Village avait trois toiles de fond : le Château du Prince Charmant, le Haricot Magique de Jack et un Firmament Étoilé sur lequel se détachait la Carolina, soulignée d'un néon rouge. Toutes trois avaient fané au fil de l'été. Le lundi matin, j'étais derrière la scène en train de les retoucher (en espérant ne pas merder – j'étais pas Van Gogh) quand un des trimards à mi-temps arriva avec un message de Fred Dean. J'étais attendu dans son bureau.

Je m'y suis rendu à reculons, me demandant si j'allais me faire recadrer pour avoir amené Erin samedi dernier. Je fus étonné de trouver Fred non pas dans un de ses costumes de bureau ou une de ses ridicules tenues de golf, mais en jean délavé et T-shirt de Joyland tout aussi délavé dont les manches roulées sur les épaules laissaient voir de sacrés triceps. Il avait un bandana noué autour du crâne. Il n'avait plus l'air ni d'un comptable ni du chef du personnel d'un parc d'attractions : il avait l'air forain de chez forain.

Il remarqua mon étonnement et sourit. « T'aimes le style ? Je dois t'avouer que moi, oui. C'est comme ça que je m'habillais dans les années cinquante quand je turbinais avec les Blitz Brothers dans le Midwest. Ma mère était OK pour les Blitzies, mais mon père était horrifié. Et lui-même était forain.

– Oui, je sais », je lui ai dit.

Il leva les sourcils. « Vraiment ? Les nouvelles vont vite, hein ? Bref, on a du boulot cet après-midi.

– Faites-moi une liste. J'ai bientôt fini de repeindre les toiles du…

– Que nenni, Jonesy. Aujourd'hui, tu débauches à midi, et je ne veux pas te revoir avant demain matin neuf heures, quand tu te présenteras avec tes invités. Et ne t'en fais pas pour tes heures. Je veillerai à ce qu'elles ne soient pas déduites de ta paye.

– Mais qu'est-ce qui se passe, Fred ? »

Il me fit un sourire impossible à interpréter. « C'est une surprise… »

*

C'était un lundi doux et ensoleillé et Annie et Mike étaient en train de déjeuner au bout du caillebotis quand je suis rentré du parc par la plage. Milo me vit arriver et se précipita vers moi pour me faire la fête.

« Dev ! m'appela Mike. Viens manger un sandwich ! On en a plein !

– Non, vraiment…

– Si, nous insistons », intervint Annie. Puis elle fronça les sourcils. « À moins que vous ne soyez malade. Je ne veux pas que Mike attrape un microbe.

– Non, je vais bien. J'ai juste terminé plus tôt. Mr. Dean – mon patron – n'a pas voulu m'expliquer pourquoi. Il a dit que c'était une surprise. J'imagine que ça a quelque chose à voir avec demain. » Je l'ai regardée avec une certaine inquiétude. « C'est toujours bon pour demain, hein ?

– Oui, me dit-elle. Quand je me rends, je me rends. Juste une chose… il n'est pas question de l'épuiser. Entendu, Dev ?

– Maman », fit Mike.

Elle ne lui prêta aucune attention. « Entendu, Dev ?

– Oui, m'dam' » Cependant la vision de Fred Dean en tenue de forain des grands chemins, avec ces gros biceps insoupçonnés, m'avait quand même un peu inquiété. Avais-je été bien clair quant à l'état de santé de Mike ? Je pensais que oui, mais…

« Alors montez, venez prendre un sandwich, me dit-elle. Œufs-mayo, j'espère que vous aimez. »

*

Je n'ai pas bien dormi cette nuit-là. Je ne pouvais m'empêcher de penser que la tempête dont m'avait parlé Fred allait arriver plus tôt que prévu et anéantir l'excursion de Mike à Joyland. Mais mardi matin, l'aube s'est levée, claire et dégagée. Je me suis glissé dans le salon et j'ai allumé la télé à temps pour la météo de six heures quarante-cinq sur WECT. La tempête était toujours en route mais les seuls qui allaient la sentir passer aujourd'hui étaient les habitants des côtes de Floride et de Géorgie. J'espérais que Mr. Easterbrook avait pensé à prendre ses bottes...

« Déjà levé ? me demanda Mrs. Shoplaw en passant la tête à la porte de la cuisine. Je viens juste de faire des œufs brouillés et du bacon. Viens t'asseoir.

– Je n'ai pas très faim, Mrs. S.

– Ne dis pas de bêtises. Tu es toujours en pleine croissance, Devin, et tu as besoin de manger. Erin m'a dit ce que tu as prévu pour aujourd'hui et je trouve que c'est une merveilleuse idée. Tout va bien se passer.

– J'espère que vous avez raison », j'ai dit. Mais je n'arrêtais pas de penser à Fred Dean en tenue foraine. Fred qui m'avait renvoyé avant l'heure. Fred qui préparait une surprise...

*

Nous avions arrangé le rendez-vous la veille à midi et quand j'ai engagé ma vieille voiture dans l'allée de la grande maison victorienne verte le mardi matin à huit heures et demie, Annie et Mike étaient prêts à décoller. Milo aussi.

« T'es sûr que ça ne gêne personne si on l'emmène avec nous ? avait demandé Mike lundi. Je veux pas créer de problèmes.

– Les chiens d'assistance sont autorisés à Joyland, et Milo sera chien d'assistance aujourd'hui. Pas vrai, Milo ? »

Milo avait penché la tête, apparemment peu au fait du concept de chien d'assistance.

Ce jour-là, Mike avait mis son lourd appareillage orthopédique en métal. Je me suis approché pour l'aider à monter dans la camionnette mais il m'a chassé d'un geste de la main et s'est débrouillé tout seul. Cela lui demanda un effort considérable et je m'attendais à ce qu'il soit pris d'une quinte de toux, mais rien de tel n'arriva. Il débordait littéralement d'excitation. Annie, en jean Lee Riders qui lui faisait des jambes interminables, me tendit les clés de véhicule. « Vous conduisez. » Et, à voix basse pour que Mike n'entende pas : « Je suis sacrément trop nerveuse pour conduire. »

Moi aussi, j'étais nerveux. C'était moi qui l'avais contrainte à ça, après tout. Mike m'avait donné un petit coup de main, certes, mais c'était moi l'adulte. Si quelque chose se passait mal, ce serait ma faute. J'étais pas du genre croyant, mais pendant que je chargeais les béquilles et le fauteuil roulant de Mike à l'arrière de la camionnette, j'ai prié le Ciel pour que tout se passe bien. Puis j'ai fait marche arrière, j'ai tourné sur Beach Drive et je suis passé devant le panneau publicitaire qui clamait : EMMENEZ VOS ENFANTS À JOYLAND POUR LEUR PLUS GRAND BONHEUR !

Annie était à côté de moi, sur le siège passager, et je trouvais qu'elle n'avait jamais été plus belle qu'en ce matin d'octobre, avec son jean délavé et son pull léger, les cheveux noués en arrière à l'aide d'un fil de laine bleue.

« Merci pour tout, Dev, me dit-elle. J'espère juste qu'on ne fait pas une bêtise.

– Bien sûr que non », l'ai-je assurée, essayant de paraître plus confiant que je ne l'étais en réalité. Parce que maintenant qu'on ne pouvait plus faire demi-tour, j'étais plein de doutes.

*

L'enseigne de Joyland était allumée – c'est la première chose qui me sauta aux yeux. La seconde fut la musique joyeuse et entraînante qui passait dans les haut-parleurs : une compilation de tubes de la fin des années soixante et début soixante-dix. La musique de l'été... J'avais l'intention de me garer sur l'une des places réservées aux handicapés du parking A – elles ne se trouvaient qu'à une quinzaine de mètres de l'entrée – mais, avant que je puisse le faire, Fred Dean apparut entre les grilles du parc et nous fit signe d'avancer. Il ne portait pas n'importe quel costume mais *le* costume trois-pièces qu'il sortait pour les rares célébrités qui réservaient une visite privée du parc. J'avais déjà vu le costume, mais le chapeau haut de forme en soie noire qui ressemblait à ceux qu'on voit aux diplomates dans les vieux films d'archives, jamais...

« C'est habituel ? me demanda Annie.

– Tout à fait », j'ai répondu, un tantinet étourdi. Non, rien de tout cela n'était habituel.

Je me suis engagé entre les grilles du parc puis sur Joyland Avenue, m'arrêtant au niveau du banc à l'entrée du Wiggle Waggle-Village où je m'étais un jour assis avec Mr. Easterbrook après mon premier tour de piste dans la peau d'Howie.

Mike voulut descendre de la camionnette comme il y était monté : tout seul. Je me suis tenu sur le côté, prêt à le rattraper s'il perdait l'équilibre, pendant qu'Annie déchargeait le fauteuil roulant. Milo, assis à mes pieds, frétillait de la queue, les oreilles dressées, le regard luisant.

Alors qu'Annie poussait le fauteuil roulant, Fred arriva dans un nuage d'eau de toilette. Il était... resplendissant. Il n'y a vraiment pas d'autre mot ! Il retira son chapeau, s'inclina devant Annie et lui tendit la main. « Vous devez être la maman de Mike. » Tout nerveux que j'étais, j'ai tout de même pris le temps d'apprécier la dextérité avec laquelle il s'était joué du dilemme entre miss et Mrs...

« C'est bien moi », répondit Annie. Je ne sais pas si elle était gênée par tant de courtoisie ou à cause de leurs styles vestimentaires radicalement différents – elle décontractée pour une journée au parc, lui en tenue de cérémonie comme pour une visite d'État – mais gênée, elle l'était. Elle lui serra tout de même chaleureusement la main. « Et ce jeune homme...

– ... doit être Michael. » Il tendit alors sa main au petit garçon ébahi qui se tenait là, dans ses orthèses en acier. « Merci pour ta visite.

– De rien... enfin, je veux dire, merci à vous. Merci de nous recevoir. » Il serra la main de Fred. « C'est immense ici. »

Ça ne l'était pas, bien évidemment ; Disney World est immense. Mais pour un gosse de dix ans qui n'a jamais mis les pieds dans un parc d'attractions, ça ne pouvait qu'être immense. L'espace d'un instant, je vis à travers ses yeux à lui, d'un regard neuf, et tous les doutes que je pouvais avoir commencèrent à se dissiper.

Les mains sur les genoux, Fred se pencha pour examiner le troisième membre de la famille Ross. « Et toi, tu es Milo ! »

Milo aboya.

« Oui, dit Fred. Ravi aussi de te rencontrer. » Il tendit la main, attendant que Milo donne la patte. Quand le chien s'exécuta, Fred la serra.

« Comment connaissez-vous le nom de notre chien ? demanda Annie. Dev vous l'a dit ? »

Fred se redressa, souriant. « Point du tout. Je le sais car c'est un endroit magique ici, très chère. Voyez vous-même. » Il lui montra ses mains vides puis les cacha derrière son dos. « Quelle main ?

– Gauche », répondit Annie, jouant le jeu.

Fred sortit sa main gauche de derrière son dos, vide.

Annie sourit et leva les yeux au ciel. « OK, alors droite. »

Cette fois, Fred brandit une douzaine de roses. De vraies roses ! Annie et Mike n'en revenaient pas. Moi non plus. Même après tant d'années, je ne sais toujours pas comment il a fait.

« Joyland est un endroit pour les enfants, très chère, et comme aujourd'hui Mike est le seul enfant, le parc tout entier est à lui. Ces fleurs, en revanche, sont pour vous. »

Elle s'en empara, comme une femme plongée dans un rêve, baissant son visage vers les pétales, humant leur doux parfum velouté de poussière rouge.

« Je vais les mettre dans la camionnette pour vous », j'ai dit.

Elle les contempla encore un instant, puis me les confia.

« Mike, dit Fred, est-ce que tu sais ce que l'on vend ici ? »

Mike parut indécis. « Des tours de manège ? Des tours de manège et des jeux ?

– On vend du *bonheur*. Alors, si on allait prendre un peu de bonheur, mon bonhomme ? »

*

Je me souviens de cette journée comme si c'était hier – non seulement la journée de Mike au parc, mais aussi celle d'Annie –, mais il faudrait quelqu'un de bien plus talentueux que moi pour vous raconter ce que j'ai ressenti, et pour vous expliquer comment cela a pu mettre un terme décisif à l'emprise que Wendy Keegan continuait à avoir sur mon cœur et mes émotions. Ce que je peux vous dire, vous le savez déjà : certaines journées sont inoubliables. Pas nombreuses, mais je pense que toute vie en recèle quelques-unes. Celle-ci en est une pour moi, et quand j'ai le cafard – quand la vie me tombe dessus et que tout semble faux et médiocre, comme Joyland Avenue par un jour de pluie –, j'y retourne, au moins pour me rappeler que la vie n'est pas toujours un jeu de dupes. Des fois, il y a vraiment un prix à la clé. Et des fois, il vaut de l'or.

Bien sûr, tous les manèges n'étaient pas ouverts, mais c'était bien comme ça, car il y en avait beaucoup sur lesquels Mike n'aurait pas pu monter. Mais presque la moitié du parc était opérationnelle ce matin-là – les lumières, la musique, et même quelques roulottes où une demi-douzaine de trimards vendaient du pop-corn, des frites, des boissons, de la barbe à papa et même des Hot-Puppies ! Je ne sais pas comment Fred et Lane avaient pu organiser tout ça en un seul après-midi, mais ils l'avaient fait.

Nous avons commencé par le Village où Lane nous attendait près de la locomotive du Tchoo-Tchoo Wiggle. Il portait une casquette de conducteur de train au lieu de son habituel chapeau melon, mais celle-ci était inclinée selon le même angle désinvolte. Bien sûr qu'elle l'était. « Allons-y gaiement, on embarque tout l'fourniment ! Voici le p'tit train qui dépote, alors en route, et k'ça saute ! Chiens admis, mamans admises, et p'tits garçons à l'avant, dans la locomotive ! »

Il montra Mike du doigt, puis le siège passager de la locomotive. Mike se leva de son fauteuil roulant, cala ses béquilles et vacilla. Annie se précipita vers lui.

« Non, maman, c'est bon. Je peux le faire tout seul. »

Il se stabilisa, cliqueta jusqu'à Lane – un petit garçon monté sur des jambes de robot – et laissa l'homme l'aider à grimper. « Ça, c'est la corde du sifflet ? Je pourrai la tirer ?

– Elle est là pour ça, dit Lane, et fais bien attention aux petits cochons sur la voie, il y a un loup dans les parages et ils en ont une peur bleue. »

Annie et moi avons pris place dans l'un des wagons. Elle avait les yeux qui brillaient. Des roses rouges avaient maintenant fleuri sur ses joues. Ses lèvres, étroitement serrées, tremblaient légèrement.

« Ça va ? j'ai demandé.

– Oui. » Elle a pris ma main, entrelacé ses doigts aux miens et serré presque à me faire mal. « Oui. Oui. Oui.

– Vérifiez les feux de contrôle ! clama Lane. Quelle couleur, Michael ?

– Feux de contrôle au vert !

– Attention à quoi, déjà, sur la voie ?

– Attention aux petits cochons !

– Petit, t'as un style qu'a du style. Donne un bon coup de sifflet et nous v'là partis ! »

Mike tira sur la corde. Le sifflet s'époumona. Milo aboya. Le frein à air comprimé haleta et le train se mit à avancer doucement.

Le Tchoo-Tchoo Wiggle était un tortillard, OK ? C'est-à-dire un manège réservé exclusivement aux enfants. Tous les manèges du Village étaient des tortillards adaptés aux enfants de trois à sept ans. Mais vous devez vous rappeler que Mike sortait très peu, surtout depuis sa pneumonie de l'an passé, et vous rappeler aussi combien de journées il avait passées sur le caillebotis avec sa mère à écouter la rumeur des manèges et les cris de joie montant du bout de la plage, sachant que tout ça n'était pas pour lui. Non, pour lui il y avait les suffocations, les quintes de toux, une mobilité de plus en plus réduite, même avec les engins orthopédiques et les béquilles, et puis le lit où il mourrait, une couche-culotte sous son pyjama et un masque à oxygène sur le visage…

Sans les bleus pour jouer les personnages de contes de fées, le Wiggle-Waggle Village était un peu dépeuplé mais Fred et Lane avaient remis en marche tous les automates : le haricot magique qui jaillissait du sol dans un nuage de fumée, la sorcière ricanant devant la maison en pain d'épice, le chapelier fou prenant le thé, le loup en bonnet de nuit de grand-mère tapi sous un tunnel et qui bondissait sur le rail au passage du train. Alors que nous entamions le dernier virage, nous avons dépassé trois petites maisons que tous les enfants connaissent bien – l'une en paille, l'autre en bois, la troisième en briques.

« Attention aux petits cochons ! » cria Lane au moment où ceux-ci arrivaient en trottinant pour traverser la voie, poussant des grognements amplifiés. Mike hurla de rire en tirant comme un fou sur la corde pour faire siffler le train. Et comme d'habitude, les petits cochons s'en tirèrent… de justesse.

À notre retour à la gare, Annie lâcha ma main et se précipita vers la locomotive. « Ça va, mon chéri ? Tu veux ton inhalateur ?

– Non, ça va. » Mike se tourna vers Lane. « Merci, monsieur le Conducteur !

– Tout le plaisir était pour moi, Mike. » Il leva une main en l'air. « Allez, tape-m'en cinq que ça t'requinque ! »

Mike s'exécuta avec enthousiasme. Je doute qu'il se soit jamais senti plus requinqué.

« Il faut que je file, dit Lane. Aujourd'hui, je suis un homme à multiples casquettes. » Et il m'adressa un clin d'œil.

*

Annie opposa son veto aux Whirly Cups mais autorisa Mike – non sans appréhension – à monter dans le manège d'avions Chair-O-Planes. Quand le siège de Mike s'éleva à dix mètres au-dessus du sol et commença à pencher, elle se cramponna à mon bras encore plus fort qu'elle n'avait agrippé ma main, puis desserra son étreinte quand elle l'entendit rire aux éclats.

« Mon Dieu, dit-elle, regarde ses cheveux ! Comme ils volent derrière lui ! » Elle souriait. Elle pleurait aussi, mais ne semblait pas en être consciente. Ni de mon bras, qui avait trouvé son chemin autour de sa taille…

Fred était aux commandes et il était suffisamment lucide pour maintenir le manège à son rythme de croisière au lieu de le lancer à pleine vitesse, ce qui aurait plaqué Mike parallèle au sol, retenu par la seule force centrifuge. Quand il remit pied à terre, le gosse était trop étourdi pour marcher. Annie et moi l'avons pris chacun par un bras et guidé jusqu'à son fauteuil roulant. Fred s'occupa de ses béquilles.

« Oh là là ! » C'était tout ce qu'il semblait pouvoir articuler. « Oh là là ! »

Les Dizzy Speedboats – un manège non aquatique, comme son nom ne l'indique pas – était la prochaine étape. Mike embarqua avec Milo pour naviguer sur les eaux peintes, tous deux visiblement aux anges. Annie et moi étions montés dans une autre embarcation. Au cours de mes quatre mois à Joyland, je n'avais jamais essayé ce manège et j'ai poussé un cri quand j'ai vu notre bateau foncer droit sur celui de Mike et Milo, pour se détourner seulement au tout dernier moment.

« Trouillard ! » me cria Annie à l'oreille.

Quand nous en sommes descendus, Mike respirait fort mais ne toussait toujours pas. Nous avons poussé son fauteuil pour remonter Howie Way et pris trois sodas au passage. Le trimard qui tenait la roulotte refusa le billet de cinq dollars qu'Annie lui tendait. « C'est cadeau de la maison, aujourd'hui, m'dame.

– Je peux avoir un Puppie, maman ? Et de la barbe à papa ? »

Annie fit la grimace, soupira, puis haussa les épaules. « OK, mon fils. Du moment que tu sais que c'est exceptionnel. Et plus de manèges qui vont vite. »

Mike roula jusqu'au Hot-Puppies, son propre chien trottinant derrière. Annie se tourna vers moi. « Ce n'est pas une question de diététique, si c'est ce que tu penses. Mais si ça le rend malade, il risque de vomir. Et pour les enfants atteints de l'affection dont souffre Mike, il est très dangereux de vomir. Il... »

Je l'ai embrassée, un simple frôlement de lèvres. C'était comme de cueillir une toute petite goutte d'une rosée incroyablement douce.

« Chut..., j'ai dit. Il a l'air malade, là, d'après toi ? »

Ses yeux se sont agrandis. Pendant un moment, j'ai vraiment cru qu'elle allait me gifler et tourner les talons. La journée serait gâchée et tout serait de ma stupide et maudite faute. Mais elle m'a souri et m'a jaugé d'un regard gentiment évaluateur qui m'a dénoué l'estomac. « Je parie que tu pourrais faire bien mieux, si on t'en donnait la chance. »

Et avant que j'aie pu trouver quelque chose à répondre, elle a couru vers son fils. Si elle était restée, ça n'aurait absolument rien changé car j'étais totalement stupéfait.

*

Annie, Mike et Milo se serrèrent dans une nacelle de la Gondole Tyrolienne, un manège qui survolait tout le parc en diagonale. Fred

Dean et moi les suivions à terre dans une voiturette électrique, le fauteuil de Mike plié à l'arrière.

« Il m'a l'air d'être un super-gamin, dit Fred.

– Il l'est, mais je ne m'attendais pas à ce que vous vous démeniez comme ça pour lui aujourd'hui.

– C'est autant pour toi que pour le gosse. Tu en as plus fait pour le parc que tu ne l'imagines, Dev. Quand j'ai dit à Mr. Easterbrook que je voulais faire les choses en grand, il m'a donné le feu vert.

– Vous l'avez appelé ?

– Et comment !

– Et le coup des roses… Comment vous avez fait ?

Fred leva les deux mains et prit un air modeste. « Un magicien ne révèle jamais ses secrets. Tu devrais savoir ça.

– Vous manipuliez les cartes et les colombes quand vous étiez chez les Blitz Brothers ?

– Non, m'sieur. Tout ce que j'faisais, chez les Blitzies, c'était faire tourner les manèges et racler le palc. Et même si je n'avais pas le permis de conduire à l'époque, il m'est parfois arrivé de conduire un camion quand on devait mettre le CS depuis un ranch de ploucs en plein milieu de la nuit.

– Alors, vous avez appris où ? »

Fred se pencha vers moi, sortit une pièce de un dollar de derrière mon oreille et me la posa sur la cuisse. « Ici et là, un peu partout. On ferait mieux de passer la seconde, Jonesy. Ils nous dépassent. »

*

Depuis la Station Alpine, où la Gondole finissait sa course, nous sommes allés directement au carrousel. Lane nous y attendait. Il avait laissé tomber la casquette de conducteur de train pour retrouver son melon. Du rock and roll retentissait toujours dans les haut-parleurs du parc mais sous la large voûte évasée du manège qu'on appelait la « noria » en Parlure, le rock était couvert par le son de l'orgue à vapeur qui jouait *A Bicycle Built for Two*. Cette musique avait un accent toujours aussi doux et suranné.

Avant que Mike ne grimpe sur la semelle (le bas du manège en authentique jargon forain), Fred posa un genou à terre et considéra gravement le gamin. « Tu ne peux pas embarquer sur la noria sans ta casquette Howie, dit-il. On appelle ça un shako. Tu en as un ?

– Non », dit Mike. Il ne toussait toujours pas mais des cernes sombres avaient commencé à s'élargir sous ses yeux. En dehors de ses pommettes rougies par l'excitation, il avait le teint pâle. « Je savais pas qu'il fallait… »

Fred ôta son grand haut-de-forme, en inspecta l'intérieur, puis nous le montra. Il était vide, comme doivent l'être tous les chapeaux de magicien quand ils sont offerts aux regards du public. Il regarda de nouveau à l'intérieur et son visage s'éclaira.

« Ah ! » Et il en sortit une casquette Howie toute neuve qu'il enfonça sur la tête de Mike. « Parfait ! Alors, dis-moi, quel animal veux-tu chevaucher ? Un cheval ? La licorne ? Séréna la Sirène ? Léon le Lion ?

– Oh oui, le lion, s'il vous plaît ! s'écria Mike. Maman, toi tu prends le tigre, juste à côté !

– Et comment ! approuva-t-elle. J'ai toujours voulu chevaucher un tigre.

– Hé, champion, lui lança Lane, laisse-moi t'aider à monter la rampe. »

Pendant ce temps, Annie se pencha à l'oreille de Fred et murmura : « Pas beaucoup plus, hein ? Ça a vraiment été génial, jamais il n'oubliera cette journée, mais…

– Il s'affaiblit, dit Fred, je comprends. »

Annie monta sur le tigre rugissant aux yeux verts juste à côté du lion de Mike. Milo s'assit entre eux, souriant de son bon sourire de chien. Quand le carrousel entama sa course, *A Bicycle Built for Two* laissa place à *Twelfth Street Rag*. Fred posa une main sur mon épaule. « Tu vas nous retrouver à la Carolina – ce sera son dernier manège – mais avant, tu vas filer à l'atelier costumes. Et sans traîner. »

J'ai failli demander pourquoi, puis j'ai compris. J'ai filé. Et sans traîner.

*

Ce mardi matin d'octobre 1973 fut mon dernier tour de piste en portant la fourrure. Je l'ai enfilée dans l'atelier costumes puis j'ai emprunté le Souterrain Joyland pour retourner au centre du parc, poussant ma voiturette électrique à son maximum, la tête d'Howie brinquebalant sur mon épaule. J'ai refait surface derrière la baraque de Madame Fortuna juste à temps. Lane, Annie et Mike arrivaient, remontant Joyland Avenue. Lane poussait le fauteuil de Mike. Personne ne me vit jeter un coup d'œil de derrière le kiosque de voyance ; ils avaient tous le cou tendu vers le sommet de la Carolina Spin. Mais Fred m'a aperçu. J'ai levé la patte. Il a hoché la tête, s'est retourné, puis a levé sa propre patte à l'adresse de l'acolyte qui faisait le guet dans la petite guérite de la régie au-dessus du Service Clientèle. Quelques secondes plus tard, la musique d'Howie déboulait dans les haut-parleurs. D'abord Elvis, avec *Hound Dog*…

J'ai bondi de ma cachette et me suis lancé dans ma danse d'Howie, une sorte de numéro de claquettes avec des gros sabots. Mike en resta pantois. Annie porta ses mains à ses tempes, comme prise d'un soudain mal de tête monstre, puis elle se mit à rire de bon cœur. Je crois bien que ce qui suivit fut l'une de mes meilleures performances ! Je sautillai et virevoltai autour du fauteuil de Mike, remarquant à peine que Milo faisait de même, simplement dans l'autre sens. À *Hound Dog* succéda la version des Rolling Stones de *Walking the Dog*. Une chanson assez courte, heureusement – je n'avais pas réalisé à quel point j'avais perdu mon endurance.

J'ai terminé en ouvrant grand les bras et en m'écriant : « *Mike ! Mike ! Mike !* » C'était la première fois de sa vie qu'Howie parlait et, pour ma défense, je dois dire que ça a plutôt ressemblé à un aboiement.

Mike se leva, ouvrit à son tour les bras et se laissa tomber en avant. Il savait que je le rattraperais. Des gamins de la moitié de son âge m'avaient enlacé comme ça tout l'été, mais aucun câlin n'avait été aussi bon. Si seulement j'avais pu le serrer fort comme j'avais serré la petite Hallie Stansfield et expulser sa maladie comme un morceau de hot-dog…

Le visage enfoui dans la fourrure, il m'a dit : « T'es trop chouette en Howie, Dev. »

Je lui ai frotté la tête avec ma patte, faisant culbuter son shako au passage. Je ne pouvais pas répondre en Howie – aboyer son nom était tout ce que je savais dire – mais intérieurement, j'ai pensé, *Un chouette garçon mérite un chouette chien. Demande à Milo.*

Mike regarda dans les yeux bleus grillagés d'Howie. « Tu viens dans le monte-charge avec nous ? »

J'ai hoché vigoureusement la tête en tapotant à nouveau la sienne. Lane a ramassé son shako neuf et le lui a revissé sur le crâne.

Annie s'est approchée. Ses mains étaient nonchalamment posées sur ses hanches mais ses yeux débordaient de joie. « Je vous déshabille, Mr. Howie ? »

Ça ne m'aurait pas déplu, mais évidemment, je ne pouvais pas accepter. Tout parc d'attractions a ses conventions, et l'une de celles de Joyland – incontournable – était que Howie le Chien Gentil *restait* Howie le Chien Gentil. On n'enlevait jamais la fourrure devant les lapins.

*

J'ai replongé sous terre, abandonné ma fourrure dans la voiturette et rejoint Annie et Mike à la rampe d'accès de la Carolina Spin. Annie regarda nerveusement en l'air et dit : « T'es sûr de vouloir monter là-dedans, Mike ?

– Oui ! C'est celui que j'ai le plus envie de faire !

– Bon, OK alors. On va dire que c'est parti. » Puis à moi : « C'est pas que j'aie peur du vide, mais on ne peut pas dire que ça m'enchante particulièrement de me retrouver perchée là-haut. »

Lane tenait la portière d'une nacelle ouverte. « En voiture, les amis. Je vais vous envoyer balader où s'ke l'air est bien frais. » Il se pencha et grattouilla la tête de Milo. « Tu vas passer ton tour, cette fois, mon beau. »

Je me suis assis côté moyeu de la roue, Annie au milieu et Mike côté extérieur, d'où l'on pouvait le mieux apprécier la vue. Lane abaissa la barre de sécurité, retourna aux commandes et donna à son chapeau une nouvelle inclinaison. « L'aventure n'attend pas ! » clama-t-il, et la roue se mit en mouvement avec la lente solennité d'un cortège royal.

Lentement, le monde s'ouvrit à nous ; d'abord le parc, puis le bleu cobalt étincelant de l'océan à notre droite, et enfin les plaines immenses de Caroline du Nord à notre gauche. Quand notre nacelle atteignit le sommet, Mike lâcha la barre de sécurité, leva les bras au-dessus de sa tête et s'écria : « On vole ! »

Une main se posa sur ma jambe. Celle d'Annie. Quand je l'ai regardée, elle a articulé un mot : *Merci.* Je ne sais combien de tours Lane nous fit faire – sûrement plus que la moyenne, mais je n'en suis plus très sûr. Ce dont je me souviens le mieux, c'est du visage de Mike, pâle et émerveillé, et de la main d'Annie posée sur ma cuisse et dont le contact semblait me brûler. Elle ne la retira pas avant que la roue ne commence à ralentir.

Mike se tourna vers moi. « Maintenant je sais ce que ressent mon cerf-volant », me dit-il.

Moi aussi, je savais.

*

Lorsque Annie annonça à Mike que c'en était assez pour aujourd'hui, il n'émit aucune objection. Il était épuisé. Alors que Lane l'aidait à remonter dans son fauteuil roulant, l'enfant leva la main et lui dit : « Tape-m'en cinq que ça m'requinque ! »

Lane sourit et s'exécuta. « Reviens quand tu veux, Mike.

– Merci. C'était vraiment génial. »

Lane et moi l'avons poussé le long de Joyland Avenue. Les baraques étaient maintenant fermées des deux côtés de l'allée, mais un stand était resté ouvert : le Tir à la Carabine d'Annie Oakley. Debout derrière le comptoir où Pop Allen s'était tenu tout l'été, il y avait Fred Dean dans son costume trois-pièces. Derrière lui, des lièvres et des canards défilaient, les uns dans un sens, les autres dans l'autre. Et il y avait au-dessus une rangée de poussins en céramique jaune vif. Ceux-ci étaient immobiles, mais extrêmement petits.

« Une p'tite séance de tir avant de rentrer ? demanda Fred. Y n'y a pas de perdants, aujourd'hui. Aujourd'hui, TOUT le monde remporte un lot. »

Mike se tourna vers sa mère : « Je peux, maman ?

– Bien sûr, mon chéri. Mais pas trop longtemps, d'accord ? »

Il voulut se lever de son fauteuil mais n'en eut pas la force. Il était trop fatigué. Lane et moi l'avons soulevé et aidé, un de chaque côté, à se tenir debout au comptoir. Mike prit la carabine et tira quelques coups, mais il n'arrivait même pas à tenir l'arme, pourtant légère, dans ses mains. Les plombs allèrent rebondir sur la toile de fond et tinter dans la gouttière prévue à cet effet.

« Je crois que je suis nul, dit-il en reposant la carabine.

– Bon, on peut pas dire que t'aies fait sauter la baraque, convint Fred, mais comme je te l'ai dit, aujourd'hui tout le monde remporte un lot. » Sur quoi il tendit à Mike le plus gros Howie de tout l'étalage, la peluche que même les tireurs les plus avertis ne pouvaient espérer gagner avant d'avoir dépensé huit ou neuf dollars.

Mike le remercia et s'écroula dans son fauteuil, l'air abasourdi. Ce satané chien en peluche était presque aussi grand que lui. « À toi, maman.

– Non, c'est bon », dit-elle. Mais je savais qu'elle en avait envie. Quelque chose dans sa façon de mesurer la distance entre le comptoir et les cibles.

« S'il te plaît. » Il se tourna d'abord vers moi, puis vers Lane. « Elle est vraiment forte. Elle a gagné le tournoi de tir couché de Camp Perry avant ma naissance et elle est arrivée deux fois deuxième. Camp Perry, c'est dans l'Ohio.

– Je ne… »

Lane lui tendait déjà l'une des carabines modifiées. « À vous de jouer. Montrez-nous votre meilleure Annie Oakley, Annie. »

Elle prit l'arme et l'examina d'un air de connaisseur que j'avais rarement vu à un lapin. « Combien de coups ?

– Dix par recharge, répondit Fred.

– Alors, je peux avoir deux recharges ?

– Autant que vous voulez, m'dame. Aujourd'hui, c'est votre journée.

– Elle faisait aussi du ball-trap avec mon grand-père », lui précisa Mike.

Annie leva la .22 et tira les dix coups avec un intervalle d'environ deux secondes entre chaque tir. Elle dézingua deux canards et trois lièvres. Quant aux minuscules poussins de céramique, elle les ignora complètement.

« Fine gâchette ! exulta Fred. Choisissez n'importe quel lot sur l'étagère du milieu ! »

Elle sourit. « Cinquante pour cent, ce n'est pas très glorieux. Mon père se serait couvert le visage de honte. Je vais me contenter de prendre la recharge de dix, si c'est possible. »

Fred sortit un cône en papier de derrière le comptoir, en plaça l'extrémité dans un trou sur le dessus de la fausse carabine et, dans un grelottement métallique, dix nouvelles billes de plomb y dégringolèrent.

« Est-ce que les viseurs sont faussés ? demanda Annie à Fred.

– Non, m'dame. À Joyland, tous les jeux sont réglos. Mais je vous mentirais si je vous disais que Pop Allen – le patron habituel de ce stand – passe des heures à les régler. »

Pour avoir travaillé dans l'équipe de Pop Allen, j'étais bien placé pour savoir que c'était le moins que l'on puisse dire. Régler les viseurs était la *dernière* chose que Pop aurait faite ! Mieux les ploucs tiraient, plus Pop devait lâcher de lots... et c'était lui qui les achetait. Comme tous les autres patrons de stand. C'était de la camelote bon marché, d'accord, mais pas de la camelote gratuite pour autant.

« Ça tire en haut à gauche », dit Annie. Elle se parlait plus à elle qu'à nous. Puis elle éleva la carabine, la cala dans le creux de son épaule droite et tira les dix plombs. Cette fois, il n'y eut pas d'intervalle distinct entre les tirs et elle ne s'occupa plus des canards ni des lièvres. Elle visa les poussins et explosa les huit.

Alors qu'elle reposait la carabine sur le comptoir, Lane sortit son bandana pour essuyer la sueur mêlée de crasse sur sa nuque. Ce faisant, il articula très doucement : « Doux Jésus... Personne chope huit oisillons...

– J'ai à peine ébréché le dernier et à cette distance, j'aurais dû les avoir tous. » Elle n'était pas en train de se vanter, elle ne faisait que constater.

Mike ajouta, presque avec l'air de s'excuser : « Je vous avais dit qu'elle était forte ! » Il referma sa main sur sa bouche et toussa. « Elle devait faire les jeux Olympiques, et puis elle a arrêté ses études.

– C'est *vous*, la vraie Annie Oakley ! dit Lane en fourrant son bandana dans sa poche arrière. Choisissez, jolie dame ! N'importe quel lot !

– J'ai déjà eu ma récompense, aujourd'hui, dit-elle. Ce fut une journée merveilleuse. Merveilleuse. Je ne vous remercierai jamais assez, messieurs. » Puis, se tournant vers moi : « Ni ce jeune homme. Qui a réellement dû me persuader de venir. Car je suis une imbécile. » Elle embrassa Mike sur le sommet du crâne. « Mais il est temps que je ramène mon garçon à la maison, maintenant. Où est passé Milo ? »

Nous l'avons cherché des yeux et aperçu au milieu de Joyland Avenue, assis devant la Maison de l'Horreur, la queue enroulée autour des pattes.

« Milo, au pied ! » cria Annie.

Le chien dressa les oreilles mais ne bougea pas. Il ne tourna même pas la tête, il fixait juste la façade du train fantôme de Joyland. J'aurais même parié qu'il était en train de lire l'invitation dégoulinante et festonnée de fausses toiles d'araignées : ENTREZ SI VOUS L'OSEZ !

Pendant qu'Annie regardait Milo, j'ai jeté un bref coup d'œil en direction de Mike. Malgré son épuisement, l'expression de son visage était sans équivoque. C'était de la satisfaction… Je sais que c'est fou de penser que lui et son jack russell avaient tout prévu à l'avance, mais c'est pourtant ce que j'ai pensé.

Et continue de penser.

« Pousse-moi jusqu'à lui, maman, dit Mike. Il me suivra.

– Pas la peine, intervint Lane. Si vous avez une laisse, je serai ravi de m'en charger.

– Elle est dans la poche à l'arrière du fauteuil de Mike, répondit Annie.

– Hum, je crois pas, dit Mike. Tu peux vérifier, mais je suis quasiment sûr de l'avoir oubliée. »

Annie vérifia pendant que je pensais, *Oublié, tu parles* !

« Oh, Mike, dit Annie d'un ton de reproche. Ton chien, c'est ta responsabilité. Combien de fois dois-je te le répéter ?

– Désolé, maman. » Puis, à Fred et Lane : « On s'en sert presque jamais parce que Milo vient *toujours* quand on l'appelle.

– Sauf quand on a besoin de lui. » Annie mit ses mains en porte-voix : « Milo, viens là ! Allez, on rentre à la maison ! » Puis, d'un ton câlin : « Gâteau, Milo ! Viens manger un gâteau ! »

Sa voix enjôleuse m'aurait fait rappliquer au pas de course – et la langue pendante –, mais Milo ne broncha pas.

« Viens, Dev, on y va », me dit Mike. Comme si moi aussi j'étais dans le coup, mais que j'avais comme qui dirait raté mon entrée en scène. J'ai attrapé les poignées du fauteuil et poussé Mike jusqu'à la Maison de l'Horreur. Annie nous a suivis. Fred et Lane sont restés où ils étaient, Lane appuyé au comptoir au milieu des fausses carabines attachées à leurs chaînettes. Il avait ôté son chapeau melon et le faisait tournoyer sur son doigt.

Quand nous sommes arrivés à hauteur de Milo, Annie lui a dit d'un air fâché : « Milo ! Qu'est-ce qui te prend ? »

Le chien a remué la queue au son de sa voix mais ne l'a pas regardée. Et il n'a pas bougé. Il montait la garde et, tant qu'on ne l'aurait pas tiré par la peau du cou, il continuerait.

« *S'il te plaît*, Michael, fais obéir ton chien pour qu'on puisse enfin rentrer à la maison. Tu as besoin de te rep… »

Avant qu'Annie ne puisse terminer sa phrase, deux choses se produisirent. Dans quel ordre, je n'en suis pas très sûr. Je me suis souvent repassé la scène depuis – le plus souvent pendant mes nuits d'insomnie – mais je n'en suis toujours pas sûr. Je crois que c'est le grondement qui s'est fait entendre en premier : le bruit d'un wagonnet commençant à rouler sur un rail. Mais c'est peut-être aussi bien le cadenas qui est tombé. Il est même possible que les deux se soient produits en même temps…

Le gros cadenas qui maintenait fermée la double porte de la Maison de l'Horreur tomba sur les planches, étincelant sous le soleil d'octobre. Plus tard, Fred allégua que la tige n'avait pas dû être enfoncée correctement dans le mécanisme de verrouillage et que les vibrations causées par le wagonnet en marche avaient dû la déloger complètement. Ça semblait tout à fait plausible, car la tige était effectivement déverrouillée quand j'ai vérifié.

Toujours est-il que c'étaient des conneries.

Car c'est moi qui avais posé ce cadenas, et je me rappelle très bien le bruit qu'il avait fait quand il s'était verrouillé. Je me rappelle aussi avoir tiré dessus pour m'assurer qu'il était bien fermé, comme tout le monde fait avec un cadenas. Et puis tout ça éludait une question essentielle à laquelle Fred n'*essaya même pas* de répondre : avec tous les disjoncteurs de la boîte noire coupés, comment ce wagonnet avait-il pu se mettre à rouler ? Quant à ce qui s'est passé ensuite…

Voici comment l'excursion en train fantôme se terminait : tout au bout de la Chambre des Tortures, au moment où vous pensiez que le tour était fini et où vous baissiez la garde, un squelette hurlant (surnommé l'Horrible Hagar par les bleus) surgissait des ténèbres et fonçait droit sur vous. La collision semblait inévitable, mais il se détournait au dernier moment, laissant apparaître un mur de pierre, juste devant vous, sur lequel étaient peints en vert fluo un zombie en décomposition et une pierre tombale avec la mention R.I.P. Bien sûr, le mur de pierre s'ouvrait juste à temps pour vous livrer passage, mais ce double final était extrêmement efficace. Lorsque le wagonnet émergeait à la lumière du jour, effectuant un demi-cercle avant de re-rentrer en franchissant une deuxième double porte et de s'arrêter pour de bon, même les hommes adultes hurlaient de terreur. Ces derniers hurlements (accompagnés d'éclats de rire soulagés et moqueurs genre enfoirés-je-me-suis-bien-fait-avoir) étaient la meilleure des pubs pour la Maison de l'Horreur.

Il n'y eut aucun hurlement ce jour-là. Évidemment pas, puisque au moment où les portes s'ouvrirent en claquant, ce fut un wagonnet vide qui s'approcha. Il entama le demi-cercle final, percuta légèrement la deuxième double porte et s'immobilisa.

« *O-kay* », murmura Mike, si doucement que je l'entendis à peine et Annie sûrement pas – toute son attention était rivée sur le wagonnet. Le gosse souriait.

« Qu'est-ce qui a provoqué ça ? demanda Annie.

– Je sais pas. Un court-circuit, j'imagine. Ou une surtension. »

Ces deux explications semblaient acceptables, à condition de ne pas savoir que l'électricité était coupée. Je me suis mis sur la pointe des pieds et me suis penché pour jeter un coup d'œil à l'intérieur du wagonnet. La première chose que j'ai remarquée, c'était que la barre de sécurité était relevée. Si Eddie Parks ou l'un de ses larbins oubliait de la rabaisser, un système automatique de sécurité s'en chargeait dès que le wagonnet se mettait à rouler. C'était un dispositif de sécurité exigé par l'État. Sauf que ce matin-là, ce détail ne pouvait pas être pris en compte, puisque les seuls manèges du parc qui avaient du courant étaient ceux que Fred et Lane avaient mis en marche pour Mike.

Puis j'ai repéré quelque chose sous la courbe du siège, quelque chose d'aussi réel que les roses que Fred avait offertes à Annie, le rouge en moins.

C'était un serre-tête bleu.

*

On est retournés à la camionnette. Milo, redevenu un bon petit toutou, trottinait à côté du fauteuil de Mike.

« Je reviens dès que je les ai déposés chez eux, j'ai dit à Fred. Faire quelques heures sup'. »

Il a secoué la tête. « C'est ton jour de congé, aujourd'hui. Couche-toi tôt ce soir et sois là à six heures demain. Emporte des sandwichs de rab, on va en avoir jusqu'à tard. Il semblerait que la tempête se déplace un peu plus vite que la météo l'avait prévu. »

Annie parut alarmée. « Vous croyez que je devrais rassembler quelques affaires et ramener Mike en ville ? Ça m'ennuierait, fatigué comme il est, mais…

– Écoutez la radio ce soir, lui conseilla Fred. Si la météo publie un avis d'évacuation, vous le saurez suffisamment tôt, mais je ne pense pas que ce sera le cas. Un bon coup de vent, c'est tout. On va être bien secoués. Je suis juste un peu inquiet pour les grands manèges – le Thunderball, le Shaker et la Carolina.

– Ils tiendront le coup, intervint Lane. Ils ont résisté à l'ouragan Agnès l'an dernier, et celui-là, c'était un vrai de vrai.

– Elle a un nom, cette tempête ? demanda Mike.

– Ils l'ont appelée Gilda, répondit Lane. Mais ce n'est pas un ouragan, juste une petite dépression subtropicale. »

Fred ajouta : « Les rafales sont censées s'intensifier autour de minuit et les fortes pluies une ou deux heures plus tard. Lane a sûrement raison pour les manèges, mais on va quand même avoir un sacré boulot. Tu as un ciré, Dev ?

– Ouais.

– Alors prends-le, tu en auras sûrement besoin. »

*

Sur le trajet du retour, Annie fut rassurée par les prévisions météo de WKLM Radio. Les vents générés par Gilda ne devaient pas dépasser les cinquante kilomètres-heure, avec quelques rafales plus fortes. Il y aurait sûrement des effondrements de dunes et de petites inondations à l'intérieur des terres, mais ce serait à peu près tout. L'animateur radio parlait d'un « temps idéal pour faire du cerf-volant », ce qui nous fit tous rigoler. On partageait la même histoire maintenant, et c'était un sentiment agréable.

Mike était en train de s'assoupir quand nous sommes arrivés à la grande maison victorienne de Beach Row. Je l'ai installé dans son fauteuil roulant. C'était une tâche aisée : j'avais pris des muscles ces quatre derniers mois, et sans ses appareils orthopédiques, Mike devait faire à peine trente kilos. J'ai poussé le fauteuil sur la rampe d'accès menant à la maison, Milo trottinant toujours fidèlement à côté.

Mike avait besoin d'aller aux toilettes, mais quand sa mère voulut prendre le relais pour pousser le fauteuil, il demanda si je ne voulais pas plutôt m'en charger. Je l'ai poussé jusqu'à la salle de bains, l'ai aidé à se mettre debout, puis j'ai desserré l'élastique de son pantalon pendant qu'il s'accrochait aux barres de sécurité.

« Je déteste quand elle doit m'aider à aller aux toilettes. J'ai l'impression d'être un bébé. »

Peut-être bien, mais il pissait avec la vigueur d'un petit garçon en pleine santé. Puis, quand il se pencha en avant pour tirer la chasse d'eau, il chancela et manqua plonger la tête la première dans la cuvette des W-C. Je dus le rattraper.

« Merci, Dev. Je me suis déjà lavé les cheveux, ce matin. » Ça m'a fait rire, et Mike a souri. « J'aimerais bien qu'on ait un ouragan, moi. Ça serait vraiment extra !

– N'en sois pas si sûr. » Je me souvenais de l'ouragan Doria qui avait sévi deux ans plus tôt. Il avait frappé le New Hampshire et le Maine, avec des vents de plus de cent quarante kilomètres-heure qui avait décimé les arbres dans tout Portsmouth, Kittery, Sanford et Berwick. Un vieux chêne s'était abattu juste à côté de notre maison, notre cave avait été inondée et l'électricité coupée pendant quatre jours.

« Mais je voudrais pas que tout s'effondre à Joyland ! C'est un des meilleurs endroits au monde. Enfin, que je connaisse…

– Tant mieux. Une minute, toi… laisse-moi t'aider à remonter ton pantalon. Je vais quand même pas te laisser sortir cul nu devant ta mère. »

Il rigola, sauf que cette fois son rire se changea en toux. Annie prit le relais à notre sortie des toilettes et entraîna Mike le long du couloir, vers sa chambre. « Et n'en profite pas pour t'échapper, Devin », me glissa-t-elle par-dessus son épaule.

Puisque j'avais mon après-midi libre, je n'avais aucune intention de m'échapper si elle-même voulait que je reste un peu. J'ai flâné dans le salon, au milieu d'objets probablement très chers mais pas franchement intéressants – du moins aux yeux d'un jeune homme de vingt et un ans. Le salon était éclairé d'un mur à l'autre par une immense baie vitrée inondant la pièce de lumière. Il donnait sur le patio arrière, le caillebotis et l'océan. Au loin, je pouvais voir les premiers nuages arriver du sud-est, mais au-dessus de nous le ciel était encore d'un bleu lumineux. Je me rappelle avoir pensé que finalement, j'avais réussi à pénétrer dans les murs de la grande maison victorienne, même si l'occasion ne me serait sûrement jamais donnée de compter toutes les salles de bains ! Je me rappelle aussi avoir pensé au serre-tête bleu et m'être demandé si Lane allait le voir quand il remettrait le wagonnet égaré à sa place. À quoi d'autre ai-je pensé ? Je me suis dit qu'après tout, moi aussi j'avais vu un fantôme. Juste le fantôme d'une chose et pas d'un être humain.

Annie réapparut. « Il veut te voir, mais ne reste pas trop longtemps.

– D'accord.

– Troisième porte à droite. »

J'ai longé le couloir, frappé doucement, et je suis entré. Si l'on faisait abstraction des barres de sécurité, des bouteilles d'oxygène dans un coin de la pièce et de l'appareillage orthopédique luisant à côté du lit, c'était une chambre de petit garçon comme les autres. Il n'y avait ni gant de baseball ni skateboard appuyé contre un mur mais il y avait des posters de Mark Spitz et des Dolphins de Miami galopant sur le terrain derrière Larry Csonka. Au-dessus du lit, à la place d'honneur, les Beatles traversaient Abbey Road.

Une légère odeur de pommade régnait dans la pièce. Mike avait l'air minuscule dans son lit, presque perdu sous le couvre-lit vert. Milo était roulé en boule contre lui et Mike le caressait distraitement. Il était difficile de croire que c'était le même enfant qui avait triomphalement levé les bras au sommet de la Carolina Spin. Il n'avait pas l'air triste, cependant. Il était presque rayonnant.

« Tu l'as vue, Dev ? Est-ce que tu l'as vue quand elle est partie ? »

J'ai secoué la tête en souriant. J'avais été jaloux de Tom, c'est vrai, mais de Mike, jamais.

« J'aurais aimé que mon grand-père soit là. Il l'aurait vue, et il aurait entendu ce qu'elle a dit en partant.

– Et qu'est-ce qu'elle a dit ?

– Merci. À nous deux. Et elle t'a dit de faire attention. T'es sûr que tu l'as pas entendue ? Même un peu ? »

J'ai secoué la tête à nouveau. Non, même pas un peu.

« Mais tu *sais.* » Son visage était pâle et fatigué, le visage d'un petit garçon malade, pourtant ses yeux étaient pleins de vie et respiraient la santé. « Tu *sais*, pas vrai ?

– Oui. » Je pensais au serre-tête bleu. « Mike, sais-tu ce qu'il lui est arrivé ?

– Elle a été assassinée. »

Il l'avait dit tout bas.

« J'imagine qu'elle ne t'a pas dit… »

Je n'ai pas eu besoin de terminer ma phrase. Il secouait déjà la tête.

« Tu as besoin de dormir, j'ai dit.

– Ouais, je me sentirai mieux après une petite sieste. » Ses yeux commencèrent à se fermer puis se rouvrirent doucement. « C'était la Carolina le mieux. Le monte-charge. C'était comme si on volait.

– Oui, j'ai dit. C'est exactement ça. »

Cette fois, il a fermé les yeux pour de bon. Je suis retourné à la porte aussi discrètement que possible. Alors que je posais la main sur la poignée, il a dit : « Fais attention, Dev. *Ce n'est pas blanc.* »

Je me suis retourné. Il dormait. J'en aurais mis ma main à couper. Seul Milo me regardait. Je suis sorti en refermant doucement la porte derrière moi.

*

Annie était dans la cuisine. « J'ai fait du café. Mais peut-être que tu préfères une bière ? J'ai de la Blue Ribbon.

– Non, un café, c'est bien.

– Comment tu trouves la maison ? »

J'ai décidé de dire la vérité : « Le mobilier est un peu vieillot à mon goût mais j'ai pas fait des études de design.

– Moi non plus, dit-elle. J'ai même pas terminé mes études.

– Bienvenue au club.

– Ah, mais tu vas le faire. Tu vas oublier cette fille qui t'a plaqué, tu vas reprendre tes études, tu vas les terminer et tu entreras dans le brillant avenir qui t'attend.

– Comment tu sais que…

– Qu'une fille t'a plaqué ? Et d'un, ça se voit comme le nez au milieu de la figure. Et de deux, Mike le sait. Il me l'a dit. Ça a été lui mon brillant avenir à moi. Il fut un temps où je devais obtenir ma licence d'anthropologie… J'allais décrocher une médaille d'or aux jeux Olympiques… J'allais voyager à travers le monde, découvrir des endroits et des êtres étranges et fabuleux et être la Margaret Mead de ma génération… Et j'allais écrire des livres et faire tout mon possible pour regagner l'amour de mon père. Tu sais qui est mon père ?

– Ma logeuse m'a dit que c'est un prédicateur.

– C'est exact. Buddy Ross, l'homme au complet blanc. Il a aussi une belle tête couronnée de cheveux blancs. Il ressemble un peu au type de la pub Glad, en plus vieux. Méga-église, omniprésent sur les ondes, et maintenant la télé. En coulisses, c'est un gros con, avec quelques bons côtés. » Elle nous servit deux tasses de café. « Un peu comme tout le monde, non ? Enfin, je crois.

– Tu parles comme quelqu'un qui a des regrets. » Ce n'était pas le truc le plus sympa à dire mais on était au-delà des politesses. Du moins, je l'espérais.

Elle apporta les cafés sur la table et s'assit en face de moi. « Comme dit la chanson, les feuilles mortes se ramassent à la pelle, les souvenirs et les regrets aussi. Mais Mike est un enfant formidable, et mon père a au moins ça pour lui : il a pris le relais financièrement pour que je puisse m'occuper de Mike à plein temps. De mon point de vue, l'amour dans le portefeuille, ça vaut mieux que pas d'amour du tout. J'ai pris une décision aujourd'hui. Je pense que ça m'est venu en te voyant dans ce costume idiot en train de te trémousser comme un idiot. Et en regardant Mike rire…

– Dis-moi.

– J'ai décidé d'accorder à mon père ce qu'il veut, c'est-à-dire de lui faire une place dans la vie de mon fils avant qu'il ne soit trop tard. Il a dit des choses affreuses sur la maladie de Mike, que c'était une punition de Dieu pour mes soi-disant péchés, mais il faut que je laisse ça derrière moi. Si j'attends des excuses, je peux attendre encore longtemps… parce que au fond de lui, mon père le pense toujours.

– Je suis navré. »

Elle haussa les épaules comme si ça n'avait finalement pas d'importance. « J'avais tort pour Joyland, comme j'avais tort de vouloir m'accrocher à mes vieilles rancunes et d'insister pour qu'on arrive à une espèce de compromis foireux. Mon fils n'est pas une marchandise. Tu crois qu'on peut encore grandir à trente et un ans, Dev ?

– Tu me redemanderas quand je les aurai. »

Elle a ri. « Bien vu. Excuse-moi une minute. »

Elle a disparu pendant cinq bonnes minutes. Je suis resté à la table de la cuisine, à siroter mon café. Quand elle est revenue, elle tenait son pull à la main. Son ventre était bronzé. Elle portait un soutien-gorge bleu pastel presque assorti à son jean délavé.

« Mike dort à poings fermés, m'a-t-elle dit. Tu veux monter avec moi, Devin ? »

*

Sa chambre était grande mais vide, comme si, malgré tout le temps passé ici, elle n'avait jamais complètement emménagé. Elle se tourna vers moi et mit ses bras autour de mon cou. Ses yeux étaient immenses et très calmes. Au coin de ses lèvres, le soupçon d'un sourire lui dessinait de douces fossettes. « Je parie que tu pourrais faire bien mieux, si on t'en donnait la chance… Tu te rappelles quand je t'ai dit ça ?

– Oui.

– C'est un pari que je peux gagner, selon toi ? »

Sa bouche était humide et sucrée. Je sentais le goût de son haleine.

Elle se recula et dit : « Ça sera la seule et unique fois. Il faut que tu le comprennes. »

Je ne voulais pas le comprendre, mais je me suis forcé. « Tant que ce n'est pas pour… tu sais… »

Elle a franchement souri, là, presque ri. J'ai vu ses dents, en plus de ses fossettes. « Un coup pour te remercier ? Non, crois-moi. La dernière fois que j'ai été dans les bras d'un gamin comme toi, j'étais une gamine moi-même. » Elle prit ma main droite et la posa sur la coupe de soie couvrant son sein gauche. J'ai senti les battements légers et réguliers de son cœur. « Je dois encore avoir des trucs à régler avec mon père car je sens remonter en moi une délicieuse perversité. »

On s'est embrassés à nouveau. Ses mains ont trouvé ma ceinture et l'ont débouclée. Il y a d'abord eu le crissement léger de ma braguette quand elle l'a baissée, puis j'ai senti la paume de sa main glisser le long de l'arête dure sous mon caleçon. J'ai retenu mon souffle.

« Dev ?

– Quoi ?

– C'est la première fois ? Et ne t'avise pas de me mentir.

– Oui.

– C'était une idiote, cette fille, ou quoi ?

– Je pense qu'on l'était tous les deux. »

Elle a souri, glissé une main fraîche dans mon caleçon et m'a agrippé. Cette ferme étreinte, accompagnée d'un délicat mouvement du pouce, relégua tous les efforts de Wendy en deuxième ligne. « Alors comme ça, t'es encore puceau ?

– Je plaide coupable.

– Tant mieux. »

*

Ce ne fut pas la seule et unique fois, Dieu merci, car la première dura, allez, on va dire huit secondes. Peut-être neuf. Je suis rentré, ça j'y suis arrivé, puis ça a giclé partout. Il se peut qu'une fois dans ma vie j'aie été plus embarrassé – peut-être la fois où j'ai lâché une caisse énorme en recevant la communion aux Jeunesses Méthodistes – mais je ne crois pas.

« Oh, c'est pas vrai », j'ai dit en couvrant mon visage d'une main.

Elle a ri, mais il n'y avait rien de moqueur dans son rire. « D'une certaine manière, je me sens flattée. Essaye de te détendre un peu. Je descends jeter encore un coup d'œil à Mike. Je préférerais qu'il ne me surprenne pas au lit avec Howie le Chien Gentil.

– Très drôle. » J'imagine que si j'avais continué à rougir, mes joues auraient pris feu.

« Je pense que tu seras d'attaque quand je remonterai. C'est l'avantage d'avoir vingt et un ans, Dev. Si t'avais dix-sept ans, tu serais probablement *déjà* d'attaque. »

Elle est remontée avec deux sodas dans un seau à glace, mais quand elle a fait tomber son peignoir sur ses chevilles et qu'elle s'est retrouvée nue devant moi, un soda était la dernière chose dont j'avais envie. La deuxième fois fut un peu mieux ; je pense que j'ai dû réussir à tenir quatre minutes. Puis elle a poussé un petit cri de plaisir et j'ai chaviré. Mais quelle délicieuse façon de chavirer.

*

On a somnolé, Annie la tête posée dans le creux de mon épaule.

« Ça va ? me demanda-t-elle.

– Tellement bien que j'arrive pas à y croire. »

Je ne voyais pas son sourire, mais je le sentais. « Après toutes ces années, cette chambre est enfin utilisée intelligemment.

– Ton père ne vient jamais ici ?

– Il n'y est pas venu depuis longtemps. Et moi, j'ai seulement commencé à y revenir parce que Mike adore cet endroit. Des fois, j'arrive à accepter le fait qu'il va très certainement mourir, mais la plupart du temps je n'y arrive pas. Je préfère me voiler la face. Je fais des paris avec moi-même. Si je ne l'amène pas à Joyland, il ne va pas mourir. Si je ne me réconcilie pas avec mon père pour qu'il puisse venir le voir, il ne va pas mourir. Si on reste ici, il ne va pas mourir. Il y a deux semaines, la première fois que j'ai dû lui faire mettre son manteau pour aller sur la plage, j'ai pleuré. Il m'a demandé ce que j'avais et je lui ai dit que c'était à cause de mes règles. Il sait ce que c'est. »

Je me suis rappelé ce que Mike avait dit à sa mère sur le parking de l'hôpital : *Ce ne sera pas forcément la dernière fois que je m'amuserai.* Mais tôt ou tard, ce sera vraiment la dernière partie de rigolade. Cela vaut pour nous tous.

Elle se redressa, le drap enroulé autour d'elle. « Je t'ai dit que ç'avait été Mike mon avenir radieux.

– Oui.

– C'est bien simple, je n'en vois aucun autre. Au-delà de Mike, il n'y a… rien. Qui a dit qu'en Amérique, il n'y a pas de place pour un deuxième acte ? »

J'ai pris sa main. « Ne te soucie pas du deuxième acte tant que le premier n'est pas terminé. »

Elle a libéré son autre main pour me caresser le visage.

« Tu es jeune, mais pas complètement stupide. »

C'était gentil de sa part de dire ça, mais moi je me sentais vraiment stupide. Par rapport à Wendy, pour commencer, mais pas seulement. Mes pensées ont dérivé vers ces maudites photos qui attendaient dans la chemise d'Erin posée sur mon bureau. Il y avait autre chose à voir dans ces photos…

Annie s'est rallongée. Le drap a glissé, découvrant ses seins, et j'ai senti le désir se réveiller. Oui, il y avait *vraiment* un avantage à avoir vingt et un ans. « Je me suis bien amusée au stand de tir. J'avais oublié à quel point ça fait du bien. Cet accord parfait de l'œil et de la main. Mon père m'a mis une arme dans les bras pour la première fois quand j'avais six ans. Une simple carabine .22 à un coup. J'ai adoré ça.

– Ah ouais ? »

Elle souriait. « Ouais. C'était notre truc, le truc qui marchait entre nous. Le *seul* truc, à vrai dire. » Elle s'appuya sur un coude. « Il prêche ces conneries de bien et de mal depuis qu'il est adolescent, et c'est pas juste une question de fric : ses parents l'ont élevé à l'Évangile qu'on sert sur toutes les routes de campagne dans l'Amérique profonde et je ne doute pas qu'il y croie dur comme fer. Et tu sais quoi ? Ça reste un type du Sud avant tout. Il a un pick-up customisé qui lui a coûté cinquante mille dollars, certes, mais un pick-up reste un pick-up. Il mange toujours des biscuits avec de la sauce au jus de viande chez Shoney's. Son idée d'un humour raffiné se cantonne à Minnie Pearl et Junior Samples. Il raffole des chansons de bastringue. Et il adore les armes à feu par-dessus tout. Je me fous de quel Jésus il fait la pub et je n'ai aucune envie de posséder un pick-up, mais les armes à feu... ça, il a su le transmettre à son unique fille. J'appuie sur la gâchette et je me sens mieux. Sale héritage, hein ? »

Je n'ai rien dit, je suis seulement sorti du lit et j'ai ouvert les canettes. Je lui en ai tendu une.

« Il doit avoir une cinquantaine d'armes à feu dans sa résidence principale à Savannah, des antiquités de grande valeur pour la plupart, et il en a une bonne dizaine ici, dans le coffre. J'ai deux fusils chez moi à Chicago, même si je ne m'en suis pas servie depuis au moins deux ans. Si Mike meurt... » Elle appliqua la canette fraîche contre son front, comme pour calmer un mal de tête. « *Quand* Mike mourra, la première chose que je ferai, ce sera de me débarrasser de tout ça. Je ne veux pas faire de bêtise.

– Mike ne voudrait pas...

– Non, bien sûr que non, je sais bien, mais il ne sera pas là pour décider. Si je pouvais croire – comme mon dévot de père – qu'à ma mort, Mike m'attendra devant les portes du paradis pour me prendre par la main et me montrer le chemin, ce serait bien. Mais je n'y crois pas. Petite fille, je me suis pourtant acharnée à essayer d'y croire, mais ça n'a pas marché. Dieu et le paradis ont peut-être duré quatre ans de plus que la petite souris, mais au final, ça n'a pas marché. Je pense qu'il n'y a que le néant. Plus de pensée, plus de mémoire, plus d'amour. Que le néant. Et l'oubli. C'est pour ça que j'ai autant de mal à accepter ce qui lui arrive.

– Mike sait qu'il n'y a pas que le néant et l'oubli, j'ai dit.

– Quoi ? Pourquoi ? Qu'est-ce qui te fait penser ça ? »

Parce qu'elle était là. Il l'a vue, et il l'a vue s'en aller. Et elle lui a dit merci. Je le sais, parce que moi j'ai vu le serre-tête bleu. Et Tom aussi l'a vue.

« Demande-le-lui, j'ai dit. Mais pas aujourd'hui. »

Elle a posé son coca et m'a dévisagé. Elle avait ce petit sourire qui lui dessinait des fossettes au coin des lèvres. « Tu as eu droit à un deuxième acte. J'imagine qu'un troisième, ça ne t'intéresse pas ? »

J'ai moi aussi posé mon coca à côté du lit. « Eh bien, justement… »

Elle m'a ouvert ses bras.

*

La première fois avait été embarrassante. La deuxième fois fut bonne. La troisième… mon Dieu, la troisième : un vrai régal.

*

J'ai attendu dans le salon pendant qu'Annie se rhabillait. Quand elle est redescendue, elle portait son jean délavé et son pull léger. J'ai repensé au soutien-gorge bleu ciel sous son pull, et je mentirais si je disais que n'ai pas senti à nouveau le désir se réveiller.

« Ça va ? demanda-t-elle.

– Oui, mais je regrette qu'on puisse pas aller encore mieux…

– J'aimerais bien aussi, mais ça n'ira pas plus loin. Si tu as autant d'estime pour moi que j'en ai pour toi, tu l'accepteras. N'est-ce pas ?

– Oui.

– Bien.

– Vous serez encore là combien de temps, Mike et toi ?

– Si la maison ne s'envole pas cette nuit, tu veux dire ?

– Elle va pas s'envoler.

– Encore une semaine. Mike commence sa tournée des spécialistes le 17 à Chicago et j'aimerais me réinstaller avant. » Elle inspira profondément. « Et arranger une visite avec son grand-père. Il faudra que je pose des règles. Pas de Jésus, pour commencer.

– Est-ce que je vais vous revoir avant ?

– Oui. » Elle passa ses bras autour de mon cou et m'embrassa. Puis elle se recula. « Mais pas comme ça. Ça compliquerait trop les choses. Je sais que tu peux le comprendre. »

J'ai hoché la tête. J'avais compris, oui.

« Tu ferais mieux d'y aller maintenant, Dev. Et merci. C'était très chouette. On a gardé le meilleur manège pour la fin, non ? »

C'était vrai. Pas un train fantôme mais un manège à sensations fortes. « J'aimerais pouvoir en faire plus. Pour toi. Pour Mike.

– Moi aussi, dit-elle. Mais on ne vit pas dans ce monde-là. Viens dîner demain soir, si la tempête n'est pas trop mauvaise. Mike sera ravi de te voir. »

Elle était splendide, pieds nus, dans son jean délavé. J'aurais aimé la prendre dans mes bras, la soulever et l'emmener dans un avenir radieux et paisible.

Au lieu de ça, je l'ai laissée là. *On ne vit pas dans ce monde-là*, avait-elle dit, et comme elle avait raison.

Comme elle avait raison.

*

Une centaine de mètres plus loin dans Beach Row, il y avait un petit ensemble de commerces, trop chic pour être qualifié de centre commercial : une épicerie fine, un salon de coiffure, une pharmacie, une agence de la Southern Trust et un restaurant : Mi Casa, où l'élite de Beach Row devait sans aucun doute se retrouver pour dîner. Je n'ai pas accordé un seul regard à ces magasins alors que je filais vers Heaven's Bay et le gîte de Mrs. Shoplaw. Si j'avais besoin d'une preuve que je ne partageais pas le don de Mike Ross et Rozzie Gold, elle était là…

*

Couche-toi de bonne heure, m'avait dit Fred Dean. Et c'est exactement ce que j'ai fait. Je me suis allongé sur le dos, les mains derrière la tête, et j'ai écouté le bruit des vagues comme je l'avais fait tout l'été, me remémorant ses mains sur ma peau, la fermeté de ses seins, le goût de ses lèvres. Mais c'est à ses yeux que j'ai le plus pensé, et à l'éventail de ses cheveux sur l'oreiller. Je ne l'aimais pas de la même manière que j'avais aimé Wendy – ce genre d'amour, si violent et si stupide, n'arrive qu'une seule fois – mais je l'aimais. Je l'aimais et je l'aime toujours. Pour sa gentillesse surtout, et sa patience. Il y a peut-être des jeunes hommes quelque part qui ont reçu une initiation plus approfondie aux mystères du sexe, mais aucun n'en a reçu de plus douce.

J'ai quand même fini par m'endormir.

*

C'est un volet du rez-de-chaussée claquant au vent qui m'a réveillé. J'ai regardé ma montre posée sur la table de nuit, il était une heure et quart. Je ne me rendormirais pas tant qu'il y aurait ce claquement, alors j'ai décidé de m'habiller, puis je me suis dirigé vers la porte avant de faire demi-tour pour prendre mon ciré dans le placard. Arrivé en bas, je me suis arrêté le temps d'écouter. Dans la grande chambre au bout du couloir, j'entendais Mrs. S. scier du bois dans de longs et bruyants va-et-vient. Aucun volet claquant au vent ne troublerait son sommeil.

Mon ciré était inutile, en fin de compte, du moins pour le moment, car il n'avait pas encore commencé à pleuvoir. Mais le vent soufflait déjà fort, sûrement à quarante kilomètres-heure. Le lent et régulier bruit des vagues s'était changé en un grondement sourd. Je me suis demandé si les experts en météorologie n'avaient pas sous-estimé Gilda, puis j'ai pensé à Annie et Mike dans leur grande maison sur la dune, et j'ai ressenti un léger malaise.

J'ai repéré le volet qui claquait et je l'ai rattaché au crochet fixé au mur. Puis je me suis glissé de nouveau à l'intérieur, en haut de l'escalier, et au fond de mon lit. Le sommeil ne voulait toujours pas venir. Le volet ne claquait plus, mais je ne pouvais rien faire contre les gémissements du vent dans l'avant-toit (lesquels se changeaient en hurlements assourdis à chaque bourrasque). Je ne pouvais pas non plus éteindre mon cerveau maintenant qu'il fonctionnait à plein pot.

Ce n'est pas blanc. Ça ne voulait rien dire pour moi, sauf que ça *voulait* me dire quelque chose. Ça voulait entrer en résonance avec quelque chose que j'avais vu pendant notre journée au parc…

Je vois une ombre sur vous, jeune homme. Rozzie Gold, le jour de notre rencontre… Je me demandais depuis combien de temps elle pouvait bien travailler à Joyland et où elle avait travaillé avant. Était-elle foraine de chez foraine ? Mais quelle importance ?

L'un des deux a la vision. J'ignore lequel.

Moi, je savais. Mike avait vu Linda Gray. Et l'avait libérée. Il lui avait montré le chemin, comme on dit. Celui qu'elle n'avait jamais pu trouver par elle-même. De quoi donc l'aurait-elle remercié, sinon ?

J'ai fermé les yeux et revu Fred au stand de tir, resplendissant dans son costume de gala et son chapeau haut de forme. J'ai revu Lane tendre à Annie l'une des carabines retenues par une chaînette.

Annie : *Combien de coups ?*

Fred : *Dix par recharge. Autant de recharges que vous voulez, m'dame. Aujourd'hui, c'est votre journée.*

Mes yeux s'ouvrirent grand lorsque plusieurs illuminations me frappèrent. Je me suis redressé dans mon lit, écoutant le vent et l'océan déchaîné. Puis j'ai allumé le plafonnier et sorti la chemise d'Erin du tiroir de mon bureau. J'ai une fois de plus étalé les photos par terre, mon cœur martelant ma poitrine. Les photos étaient bonnes mais pas la lumière. Je me suis rhabillé pour la seconde fois, j'ai tout remis dans la chemise et je suis retourné en bas.

Il y avait une lampe suspendue au-dessus de la table de jeu de Scrabble, et je savais, par les nombreuses raclées que j'y avais essuyées, que la lumière qu'elle dispensait était particulièrement vive. Deux portes coulissantes séparaient le salon du couloir qui menait aux quartiers de Mrs. Shoplaw. Je les ai fermées de manière à ce que la lumière ne la dérange pas. Et puis j'ai allumé la lampe, déposé la boîte du Scrabble sur la télé et étalé mes photos sur la petite table. J'étais trop agité pour m'asseoir. Plié en deux, j'arrangeais et réarrangeais les photos. J'étais sur le point de recommencer une troisième fois quand ma main s'est figée. Ça y était, je voyais enfin ce que je cherchais. Je *le* voyais. *Lui.* Rien qui puisse servir de preuve au tribunal, mais c'était suffisant pour moi. Mes genoux m'ont lâché, me forçant finalement à m'asseoir.

Le téléphone que j'avais tant utilisé pour appeler mon père – notant bien à chaque fois l'heure et la durée de l'appel sur le registre – se mit tout à coup à sonner. Sauf que dans ce silence venteux du creux de la nuit, on aurait plutôt dit un cri. Je me suis jeté dessus et j'ai décroché avant qu'une autre sonnerie ne retentisse.

« A... a... all... » C'est tout ce que j'ai réussi à dire. Mon cœur battait trop fort pour que je puisse articuler normalement.

« C'est toi ? » a dit la voix au bout du fil. Il avait l'air amusé et agréablement surpris. « Je m'attendais à tomber sur ta logeuse. J'avais déjà ma petite histoire d'urgence familiale toute prête. »

J'ai essayé de parler. Je n'ai pas pu.

« Devin ? » Taquin. *Joyeux.* « T'es là ?

– Je... Une seconde. »

J'ai appuyé le combiné contre ma poitrine, me demandant (c'est fou tout ce qui peut nous passer par la tête quand on est en état de stress) s'il pouvait entendre mon cœur à l'autre bout du fil. J'ai tendu l'oreille en direction de la chambre de Mrs. Shoplaw et je l'ai entendue ronfler. Heureusement que j'avais fermé la porte coulissante et qu'elle n'avait pas de deuxième poste dans sa chambre. J'ai remis le combiné à mon oreille et j'ai dit : « Qu'est-ce que vous me voulez ? Pourquoi vous m'appelez ?

– Je pense que tu sais très bien pourquoi, Devin… et même si tu ne savais pas, c'est trop tard maintenant, pas vrai ?

– Vous êtes médium, vous aussi ? » C'était idiot, mais à cet instant, mon cerveau et ma bouche semblaient décidés à ne pas coopérer.

« Non, ça c'est Rozzie, dit-il. Notre Madame Fortuna. » Et il rigola carrément. Il avait le ton détendu, mais je doutais qu'il le fût. Les assassins ne passent pas de coups de fil en plein milieu de la nuit s'ils sont détendus. Surtout s'ils ne sont pas sûrs de savoir sur qui ils vont tomber…

Mais il avait préparé une histoire, j'ai pensé. *Ce type est un vrai boy-scout, cinglé, mais toujours prêt. Le tatouage, par exemple. C'est ce qui attire l'attention quand on regarde ces photos. Pas le visage. Pas la casquette de baseball.*

« Je savais ce que tu manigançais, dit-il. Je le savais avant même que la fille t'apporte ce dossier. Avec les photos. Et puis aujourd'hui… avec la maman canon et le gosse infirme… tu leur en as parlé, Devin ? Ils t'ont aidé à y voir clair ?

– Ils ne savent rien. »

Le vent siffla plus fort. Je l'entendis aussi à l'autre bout de la ligne… comme si mon interlocuteur était dehors. « Je sais pas si je peux te croire.

– Si, si. Vous pouvez absolument me croire. » J'avais les yeux sur les photos. La Main Tatouée posée sur le cul de Linda Gray. L'Homme à la Main Tatouée l'aidant à viser au Tir à la Carabine.

Lane : *Montrez-nous votre meilleure Annie Oakley, Annie.*

Fred : *Fine gâchette !*

L'Homme à la Main Tatouée, avec sa casquette-poisson-chat, ses lunettes noires et sa barbiche blonde. On pouvait voir son tatouage car avant d'entrer dans la Maison de l'Horreur avec Linda Gray, il avait encore ses gants de cuir dans la poche arrière de son jean.

« Je me demandais..., dit-il. T'en as passé du temps dans cette grande maison cet après-midi, Devin. Tu lui parlais des photos que la môme Cook t'a apportées, ou tu t'es contenté de la baiser ? Peut-être les deux. C'est vrai que la maman du petit est un sacré lot.

– Ils ne savent rien », j'ai répété. Je parlais à voix basse, le regard fixé sur les portes coulissantes. Je m'attendais à ce que Mrs. Shoplaw fasse irruption d'une minute à l'autre, en robe de chambre, fantomatique, le visage blanc de crème de nuit. « Moi non plus. Du moins, je ne peux rien prouver.

– Probablement pas encore, mais ce n'est plus qu'une question de temps. Quand le vin est tiré, il faut le boire. Tu connais ce dicton ?

– Oui, oui. » Je ne le connaissais pas, non, mais à cet instant, je serais tombé d'accord avec lui sur tout, même s'il m'avait affirmé que Bobby Rydell (un chanteur qui se produisait tous les ans à Joyland) était président.

« Voilà ce que tu vas faire : tu vas venir à Joyland, et on va discuter de tout ça face à face. D'homme à homme.

– Pourquoi je ferais ça ? Ce serait complètement fou de ma part si vous êtes bien qui je...

– Mais oui, tu sais qui je suis. » Il était impatient, brusquement. « Et ce que *moi*, je sais, c'est que si t'allais voir les flics, ils découvriraient que je suis arrivé à Joyland à peine un mois après la mort de Linda Gray. Puis ils feraient le lien avec le Wellman Show et la Southern Star, et finie la partie.

– Alors, pourquoi je ne les appellerais pas tout de suite ?

– Tu sais où je suis, là ? » La colère commençait à percer dans sa voix. Non : le venin… « Tu sais où je suis en ce moment précis, petit fouineur de merde ?

– À Joyland, dans les bureaux, j'imagine.

– Pas du tout. Je suis au centre commercial de Beach Row. Celui où les pétasses friquées vont acheter leurs trucs macrobiotiques. Les pétasses friquées comme ta morue. »

Un doigt glacé a commencé à descendre – très lentement – le long de ma colonne vertébrale, de ma nuque jusqu'à mes reins. Je n'ai rien dit.

« Y a un téléphone public en face de la pharmacie. Pas une cabine, mais ça va, il pleut pas encore. Juste du vent. Voilà où je suis. Je peux voir la maison de ta copine de là où je suis. Y a de la lumière dans la cuisine – elle doit la laisser allumée toute la nuit – mais tout le reste de la maison est dans le noir. Je pourrais très bien raccrocher et y être en moins de soixante secondes.

– Il y a une alarme ! » Mais ça, je n'en savais absolument rien.

Il a rigolé. « Au point où j'en suis, tu crois que j'en ai quelque chose à carrer ? Ça m'empêchera pas de lui trancher la gorge. Mais je veux d'abord qu'elle me voie le faire au petit estropié. »

Mais tu ne la violeras pas, j'ai pensé. *Tu ne le ferais pas même si tu en avais le temps. Parce que je ne pense pas que tu puisses.*

J'ai failli le dire, mais je me suis retenu. Malgré ma terreur, j'avais conscience que ce serait une très mauvaise idée de le provoquer.

« Mais vous avez été si gentil avec eux, aujourd'hui, j'ai dit assez stupidement. Les fleurs… les cadeaux… les manèges…

– Ouais, tous les attrape-ploucs. Parle-moi plutôt du wagonnet qui est sorti de la Maison de l'Horreur. C'était *quoi*, ce tour de con ?

– Je sais pas.

– Mais bien sûr… On va s'en toucher deux mots, tous les deux. À Joyland. Je connais ta Ford, Jonesy. Le feu avant gauche est faiblard et t'as une mignonne girouette accrochée à l'antenne. Si tu veux pas que j'aille trancher des gorges dans cette bicoque, tu vas monter dedans de suite et ramener tes fesses à Joyland.

– Je…

– Tu la fermes quand j'te parle. Quand tu dépasseras le centre commercial, tu me verras debout à côté d'une camionnette de Joyland. T'as quatre minutes à partir du moment où je raccroche. Si j'te vois pas, je tue la mère et le gosse. Compris ?

– Je…

– *Compris ?*

– Oui !

– Je te suivrai jusqu'au parc. T'inquiète pas pour la grille, elle est déjà ouverte.

– Vous me laissez le choix, alors. Soit c'est eux que vous tuez, soit c'est moi ?

– Te tuer ? » Il parut franchement surpris. « Je ne vais pas te tuer, Devin. Ça ne ferait qu'aggraver mon cas. Non, je vais juste effacer quelques souvenirs. Ce ne sera pas la première fois, et ce ne sera sûrement pas la dernière. Je veux qu'on parle, toi et moi. Je veux savoir comment t'as fait pour me cerner.

– Je pourrais vous dire ça au téléphone. »

Il rigola. « Et gâcher ta dernière chance d'avoir le dessus et de jouer encore à Howie le Héros ? D'abord la petite fille, ensuite Eddie Parks, et puis la maman canon et son môme estropié pour le grand finale. Comment tu peux vouloir rater ça ? » Il s'arrêta de rire. « Quatre minutes, Jonesy.

– Je… »

Il raccrocha. Je fixais les photos brillantes. J'ai ouvert le tiroir de la table de Scrabble, pris un des carnets, fouillé à la recherche du portemine que Tina Ackerley s'obstinait à utiliser pour tenir le score. Et j'ai écrit : *Mrs. Shoplaw, si vous lisez ceci, c'est qu'il m'est arrivé quelque chose. Je connais l'assassin de Linda Gray. Et d'autres filles aussi.*

J'ai écrit son nom en majuscules.

Puis j'ai couru vers la porte.

*

Le démarreur de ma Ford a tourné, crachoté et n'a pas lancé le moteur. Puis il a commencé à faiblir. Tout l'été, je m'étais dit qu'il fallait que je change la batterie, et tout l'été, j'avais trouvé de meilleures façons de dépenser mon argent…

La voix de mon père : *T'es en train de la noyer, Devin.*

J'ai levé le pied de l'accélérateur et je suis resté assis là, dans le noir. Le temps semblait filer, filer. Une partie de moi voulait retourner à l'intérieur et appeler la police. Je ne pouvais pas appeler Annie car je n'avais pas son putain de numéro, et étant donné la notoriété de son père, il devait être sur liste rouge. Ce salopard le savait-il ? Sûrement pas, mais il avait une chance diabolique. Impudent comme il était, ce fils de pute d'assassin aurait dû se faire choper au moins trois ou quatre fois déjà, mais il était toujours passé à travers les mailles du filet. Parce qu'il avait une chance diabolique.

Elle l'entendra rentrer et elle lui tirera dessus.

Sauf que les fusils étaient rangés dans le coffre-fort, elle me l'avait dit. Et même si elle arrivait à en saisir un, ce serait pour trouver Mike un rasoir sous la gorge, pris en otage par ce salaud.

J'ai de nouveau tourné la clé de contact et, mon pied ayant lâché l'accélérateur, le carburateur étant empli d'essence, ma Ford a démarré d'un coup. J'ai reculé dans l'allée et tourné en direction de Joyland. Le grand néon rouge circulaire de la Carolina et les néons bleus du Thunderball se détachaient sur les nuages bas qui filaient à toute allure dans le ciel noir. Les deux manèges restaient toujours allumés les nuits de tempête, d'une part pour signaler la côte aux bateaux, de l'autre pour guider les avions en descente vers l'aéroport du comté de Parish.

Beach Row était déserte. Du sable balayait la route à la moindre rafale – certaines assez violentes pour secouer ma voiture – et commençait déjà à s'amonceler en fines dunes sur le macadam. Dans la lumière de mes phares, on aurait dit de longs doigts de squelette.

Quand j'ai dépassé le centre commercial, j'ai aperçu une silhouette solitaire au milieu du parking à côté d'une des camionnettes d'entretien de Joyland. Elle a levé la main à mon passage alors que je lui adressais un geste solennel.

La grande maison victorienne était juste après. Il y avait en effet de la lumière à la cuisine. Je pense que c'était le néon au-dessus de l'évier. Je revoyais Annie entrer dans la pièce, son pull à la main. Son ventre bronzé. Son soutien-gorge presque de la même couleur que son jean. *Tu veux monter avec moi, Devin ?*

Des phares ont éclos dans mon rétroviseur et se sont rapprochés rapidement. Il s'était mis en pleins phares si bien que je ne pouvais pas voir le véhicule qui me suivait, mais je n'avais pas besoin de le voir. Je savais que c'était la camionnette d'entretien, tout comme je savais qu'il m'avait menti en disant qu'il ne me tuerait pas. Le mot que j'avais laissé à Mrs. Shoplaw serait toujours là le lendemain matin. Elle le lirait, ainsi que le nom écrit en majuscules. La question était de savoir combien de temps il lui faudrait pour arriver à le croire. C'était un tel charmeur, avec son boniment poétique et son chapeau melon incliné avec désinvolture. Oui, toutes les femmes avaient un faible pour Lane Hardy.

*

Comme promis, les grilles étaient ouvertes. J'ai avancé comme pour aller me garer devant le stand de tir barricadé pour l'hiver. Il a donné un bref coup de klaxon derrière moi et fait un appel de phares : *Continue.* Quand je suis arrivé devant la Carolina, nouvel appel de phares. J'ai coupé le contact de ma Ford, avec la conscience aiguë que je ne la redémarrerais peut-être jamais plus. Le néon rouge du monte-charge diffusait sa couleur sanglante sur le tableau de bord, sur les sièges, sur ma peau.

Les phares de la camionnette s'éteignirent. J'ai entendu une portière s'ouvrir et se refermer en claquant. J'entendais aussi le vent souffler à travers l'armature de la Carolina : un cri strident de harpie. Il y avait en plus un bruit de ferraille régulier, presque syncopé. La roue tremblait sur son essieu au diamètre de tronc d'arbre.

L'assassin de Linda Gray – et de DeeDee Mowbray, et de Claudine Sharp, et de Darlene Stamnacher – s'approcha de ma voiture et cogna à la vitre avec le canon d'un revolver. De son autre main, il me fit signe de descendre. J'ouvris la portière et mis pied à terre.

« Vous aviez dit que vous n'alliez pas me tuer. » J'avais la voix aussi chancelante que les jambes.

Lane m'a souri de son sourire charmeur. « Eh ben… on verra où le vent nous mène, hein ? »

Ce soir-là, son chapeau était incliné sur le côté gauche et bien enfoncé sur sa tête pour qu'il ne s'envole pas. Il avait défait sa queue-de-cheval de travail et ses cheveux fouettaient son cou. Il y eut une rafale de vent et la Carolina poussa un glapissement mélancolique. La lueur rouge du néon vacilla sur le visage de Lane lorsque la grande roue trembla.

« T'inquiète pas pour le monte-charge, me dit-il. Sa structure est ajourée, le vent passe à travers et ne peut pas la renverser. Tu ferais mieux de t'inquiéter pour d'autres choses. Parle-moi plutôt du wagonnet de la Boîte à Rire. Moi, c'est ça qui m'intéresse. Comment k't'as fait ? Un gadget télécommandé ? Je suis passionné par ce genre de trucs. C'est ça, l'avenir, si tu veux mon avis.

– Non, pas de gadget. »

Il ne parut pas m'entendre. « Et puis, c'était quoi le but ? Me pousser à me trahir ? Si c'est ça, ça valait pas le coup de se fatiguer. Je savais déjà que je m'étais trahi.

– C'est *elle* qui l'a fait », j'ai dit. Je ne savais pas, à proprement parler, si c'était vrai, mais je n'avais aucune intention d'impliquer Mike. « Linda Gray. Vous ne l'avez pas vue ? »

Son sourire s'évanouit. « C'est tout s'ke t'as trouvé ? La vieille légende du fantôme de la Maison de l'Horreur ? Désolé, mais tu vas devoir faire mieux que ça. »

Donc, il ne l'avait pas vue plus que moi. Je pense néanmoins qu'il savait que c'était *plus* qu'une légende. Je ne le saurai jamais vraiment, mais je pense que c'était pour ça qu'il avait proposé d'aller récupérer Milo. Il voulait nous éloigner le plus possible de la Maison de l'Horreur.

« Oh, mais elle y était. J'ai vu son serre-tête bleu. Vous savez, quand j'ai regardé à l'intérieur. Il était sous le siège. »

Il porta le coup de façon si soudaine que je n'ai même pas eu le temps de lever la main pour me protéger. Le canon du revolver s'abattit sur mon front, ouvrant une plaie. J'ai vu des étoiles. Puis du sang a coulé dans mes yeux et je n'ai bientôt plus vu que ça. J'ai basculé contre le garde-fou de la rampe menant à la Carolina et je m'y suis agrippé pour ne pas tomber. J'ai essuyé mon visage avec la manche de mon ciré.

« Au point où on en est, me dit-il, je vois même pas pourquoi t'essaies de me foutre les jetons avec cette histoire à dormir debout. Ça me plaît pas du tout. T'es au courant pour le serre-tête parce qu'y avait la photo dans le dossier que ta petite fouille-merde de copine de fac t'a apporté. » Il a souri. Rien de charmant dans ce sourire-là, juste deux rangées de dents. « Alors, plaisante pas avec un plaisantin, gamin.

– Mais vous ne l'avez pas *vu*… le dossier. » La clé de cette énigme était une simple déduction, et même avec ma tête qui tambourinait, j'étais capable d'un minimum de jugeote. « C'est Fred qui l'a vu. Il vous l'a dit ?

– Ouais. Lundi. On mangeait dans son bureau. Il m'a dit que toi et ta petite connasse de copine, vous jouiez les Hardy Boys… Bien que ça soit pas tout à fait ses mots. Il trouvait ça mignon. Pas moi, parce que je t'avais déjà surpris en train d'enlever les gants d'Eddie après sa crise cardiaque. C'est là que j'ai commencé à piger que tu faisais ton Hardy Boy. Et vot'dossier, là… Fred m'a dit que la petite connasse avait des pages et des pages de notes. Je savais qu'elle finirait tôt ou tard par faire le lien avec le Wellman Show et la Southern Star. »

J'eus une vision inquiétante de Lane Hardy dans le train à destination d'Annandale, son rasoir dans la poche. « Erin ne sait rien.

– OK, relax, Max. Tu crois vraiment pas que j'vais me lancer à sa poursuite ? Sois pas bête et fais marcher ta tête. Une petite balade, ça t'aidera peut-être à retrouver tes esprits ? En route, mauvaise troupe ! On va s'prom'ner, toi et moi. Les fesses en l'air et vue imprenab' sur la terre. »

J'ai ouvert la bouche pour lui demander s'il était fou, mais au point où on en était, ç'aurait été une question plutôt stupide, non ?

« Pourquoi tu t'marres, Jonesy ?

– Pour rien, j'ai dit. Vous voulez tout de même pas monter avec un vent pareil ? » Mais le moteur de la Carolina tournait. Je ne m'en étais pas rendu compte à cause du vacarme de la tempête et de la clameur inquiétante du manège lui-même, mais maintenant que j'y prêtais attention, je l'entendais : un grondement régulier. Presque un ronronnement. Une sorte d'évidence m'a frappé : il allait probablement se tirer une balle, une fois qu'il m'aurait liquidé. Vous vous dites peut-être que j'aurais dû y penser avant, car c'est ce que font les fous en général : on lit tout le temps ça dans les journaux. Et vous avez peut-être raison. Mais je vous rappelle que j'étais en état de stress grave.

« C'te bonne vieille Carolina est solide comme un roc, dit-il. J'y monterais même par des vents de quatre-vingt-quinze kilomètres-heure. À peu près la vitesse où ils ont soufflé quand Carla a balayé la côte il y a deux ans, et elle a très bien supporté.

– Comment vous allez la mettre en marche si on est tous les deux dans la nacelle ?

– Tais-toi et monte. Ou alors… » Il leva son flingue. « Ou alors je te descends ici. Ça m'va aussi. »

Je me suis approché de la rampe, j'ai ouvert la portière de la nacelle qui se balançait au portillon d'embarquement et levé la jambe pour monter. Il m'a arrêté :

« Non, non, non. Tu seras mieux sur l'extérieur. La vue y est meilleure. Pousse-toi d'là, Hardy Boy. Et les mains dans les poches. »

Lane se faufila devant moi, revolver braqué à l'horizontale. Du sang continuait à me couler dans les yeux et sur les joues mais je n'ai pas osé sortir les mains de mes poches pour m'essuyer. Je voyais son doigt raidi sur la détente du calibre. Il s'est assis côté moyeu de la roue.

« *Maintenant*, tu peux monter. »

Ce que j'ai fait. Je ne voyais pas d'autre solution.

« Et ferme la portière, c'est à ça qu'elle sert.

– Vous parlez comme le Dr Seuss* », j'ai dit.

Il a souri. « La flatterie ne te vaudra rien. Ferme cette portière ou je te colle une balle dans le genou. Tu crois que le bruit portera, avec ce vent ? Moi pas. »

J'ai fermé la portière. Quand je me suis retourné vers lui, il tenait le revolver dans une main et un machin carré en métal dans l'autre. D'où dépassait une courte antenne. « J't'avais dit, j'adore les gadgets. Çui-là, c'est une télécommande de porte de garage basique avec deux, trois petites modifications. Ça envoie un signal radio. Je l'ai montrée à Mr. Easterbrook au printemps dernier. Le truc parfait pour commander la roue à distance quand on manque de trimards ou de bleus pour tenir la manette. M'a dit qu'on pouvait

* Auteur du *Chat chapeauté*.

pas l'utiliser parce que ç'avait pas été agréé par la commission de sécurité. Sécurité, mes couilles. J'avais prévu de la faire breveter. Trop tard, maintenant. Tiens, prends-la. »

Je l'ai pris. C'était bien une télécommande pour porte de garage. Marque Genie. Mon père avait presque la même.

« Tu vois le bouton avec la flèche vers le haut ?

– Oui.

– Appuie. »

J'ai posé mon pouce dessus mais je n'ai pas appuyé. Le vent était déjà fort ici en bas ; alors qu'est-ce que ce serait dans les airs, avec vue imprenab' sur la terre ? *On vole !* s'était écrié Mike.

« Appuie ou tu t'en prends une dans le genou, Jonesy. »

J'ai appuyé. Le moteur de la Carolina embraya et notre nacelle commença à prendre de la hauteur.

« Maintenant, fous-le en l'air.

– *Quoi ?*

– Balance-le par-dessus bord ou tu t'en prends une dans le genou et tu danseras plus jamais le Hokey Pokey. Je compte jusqu'à trois… Un… d… »

J'ai jeté la télécommande par-dessus bord. La roue montait, montait dans la nuit apocalyptique. À ma droite, j'apercevais les vagues déchaînées, leur crête si blanche de mousse qu'elles en paraissaient phosphorescentes. À ma gauche, le pays dormait, plongé dans l'obscurité. Pas de phares de voiture en vue sur Beach Row. Le vent soufflait. Les mèches de cheveux coagulés par le sang se décollaient de mon front. La nacelle se balançait. Lane se jeta en avant, puis en arrière, faisant valser notre cabine de plus belle… mais le pistolet, orienté vers moi, ne flanchait pas. Le néon rouge dessinait des lignes luisantes le long du canon.

Lane me cria : « *Pas vraiment le manège de mamie ce soir, hein, Jonesy ?* »

Non, en effet. Ce soir-là, la bonne vieille et placide Carolina Spin était effrayante. Alors que nous arrivions tout en haut, une formidable rafale secoua la roue si violemment que j'entendis notre nacelle cogner contre ses supports d'acier. Le chapeau melon de Lane fut emporté dans la nuit.

« Merde ! Bah, un de perdu, dix de retrouvés. »

Lane, comment on va descendre de là ? J'avais la question au bord des lèvres mais je ne l'ai pas posée. J'avais trop peur qu'il me dise que l'on ne descendrait pas, que tant que la roue ne s'écrasait pas et que le courant ne sautait pas, on serait encore en train de tourner dans les airs quand Fred Dean se pointerait le lendemain matin. Deux hommes morts dans le monte-crétins de Joyland. Ce qui rendait évidente l'action que je comptais entreprendre.

Lane eut un petit sourire. « Tu veux t'emparer du flingue, pas vrai ? Je l'ai vu dans tes yeux. Comme l'inspecteur Harry : tu la tentes, ta chance, ou pas ? »

On redescendait, la nacelle se balançait toujours, mais moins violemment qu'au sommet. J'ai décidé de ne pas tenter ma chance.

« Vous avez tué combien de filles, Lane ?

– C'est pas tes oignons, putain. Et vu que c'est moi qui ai le flingue, je pense que c'est à moi de poser les questions. Depuis quand tu le sais ? Un bon moment, pas vrai ? Au moins depuis que ta connasse de midinette t'a montré les photos. T'as juste tenu ta langue pour que le petit estropié ait sa journée au parc. Erreur, Jonesy. Erreur de plouc.

– J'ai seulement compris ce soir, j'ai dit.

– Menteur, menteur, t'es qu'un sale menteur ! »

On a dépassé la rampe d'accès et entamé une nouvelle montée. J'ai pensé : *Il me tuera probablement quand on sera de nouveau tout en haut. Puis, soit il se tirera une balle, soit il balancera mon corps dans le vide, prendra ma place et sautera en marche à l'arrivée. Au risque de se casser la jambe ou la clavicule.* Je pariais sur le scénario meurtre et suicide, mais pas avant qu'il n'ait satisfait sa curiosité.

J'ai riposté : « Traitez-moi de crétin si vous voulez mais me traitez pas de menteur. Je savais qu'il y avait quelque chose dans les photos que je n'arrivais pas à voir, quelque chose de familier, et je n'ai pu mettre le doigt dessus que ce soir. C'était la casquette. La casquette de baseball. C'est pas un chapeau melon mais elle était inclinée d'un côté quand vous étiez aux Whirly Cups et inclinée de l'autre quand vous étiez au stand de tir. J'ai regardé les autres, celles où vous n'étiez qu'en arrière-plan, et j'ai remarqué la même chose. D'un côté, puis de l'autre, sans arrêt. Vous faites ça tout le temps. Vous ne vous en rendez même pas compte.

– C'est *tout* ? Une putain de casquette inclinée sur le côté ?

– Non, c'est pas tout. »

On arrivait pour la deuxième fois au sommet de la grande roue mais je pensais être bon pour un troisième tour au moins. Il voulait connaître la suite. C'est à ce moment-là que la pluie s'est mise à tomber, une averse torrentielle comme si on venait d'ouvrir un robinet de douche. *Au moins, ça lavera le sang de mon visage,* j'ai pensé. Et quand j'ai levé les yeux vers lui, j'ai constaté que ça lavait autre chose aussi.

« Un jour, je vous ai vu sans votre chapeau et j'ai cru que vous commenciez à avoir des cheveux blancs. » Je criais pour qu'il m'entende par-dessus le vent et la pluie. Elle tombait en oblique, nous fouettant le visage. « Hier, je vous ai vu vous essuyer la sueur sur la nuque. J'ai cru que vous enleviez de la crasse. Et puis ce soir, après avoir compris le truc de la casquette, j'ai repensé au faux tatouage. Erin a remarqué que la sueur l'avait fait dégouliner. J'imagine que les flics sont passés à côté. »

Je voyais ma Ford et la camionnette d'entretien se rapprocher alors que la Carolina terminait sa descente pour la deuxième fois. Au loin, quelque chose d'assez grand – un morceau de toile détaché par le vent, peut-être – volait dans Joyland Avenue.

« C'était pas de la crasse que vous retiriez, c'était de la teinture. Elle dégoulinait, exactement comme le tatouage. Exactement comme elle dégouline maintenant. Vous en avez plein le cou. Et c'était pas du blanc que je voyais, c'était du *blond.* »

Il s'essuya le cou et regarda la trace noire que la couleur avait laissée sur la paume de sa main. J'ai failli me jeter sur lui mais il a levé son arme et, la seconde d'après, je regardais au fond de l'œil noir du canon. Un œil petit mais terrifiant.

« J'ai *été* blond, dit-il. Mais sous la couleur, mes cheveux sont surtout gris maintenant. J'ai pas eu une vie facile, Jonesy. » Il sourit tristement, comme si tout ça n'était qu'une sinistre blague qu'on partageait tous les deux.

Alors qu'on entamait une nouvelle montée, il m'est venu à l'esprit que la chose que j'avais cru voir voler dans l'allée centrale – ce que j'avais pris pour un gros morceau de toile détachée – aurait pu être une voiture qui roulait tous feux éteints... C'était totalement insensé, mais j'ai espéré malgré tout.

La pluie nous lessivait. Mon ciré claquait. Les cheveux de Lane voltigeaient comme un drapeau en lambeaux. J'espérais pouvoir l'empêcher de presser la détente pendant encore au moins un tour de roue. Peut-être deux ? Possible, mais peu probable.

« Une fois que j'ai accepté l'idée que vous pouviez être l'assassin de Linda Gray – et ça n'a pas été facile, Lane, après tout ce que vous avez fait pour moi, la manière dont vous m'avez pris sous votre aile et montré les ficelles –, j'ai vu derrière la casquette, derrière la barbe et les lunettes. Je vous ai vu, *vous*. Vous ne travailliez pas encore ici…

– Je conduisais un chariot élévateur dans un entrepôt à Florence. » Il fit une grimace. « Un travail de plouc. Je détestais.

– C'est à Florence que vous avez rencontré Linda Gray mais vous aviez déjà Joyland en tête, non ? Je ne sais pas si vous êtes forain de chez forain mais vous n'avez jamais été capable de rester loin du milieu trop longtemps. Et quand vous lui avez proposé un petit voyage, elle n'a pas refusé.

– J'étais son petit ami secret. Je lui ai dit que je devais le rester. À cause de la différence d'âge. » Il a souri. « Elle a marché. Comme toutes les autres. Tu serais surpris de voir à quel point les minettes de ton âge sont crédules. »

Enfoiré de pervers, j'ai pensé. *Sale enfoiré de pervers.*

« Vous l'avez emmenée à Heaven's Bay, vous êtes descendus dans un motel et vous l'avez tuée ici, à Joyland, même si vous deviez bien savoir qu'il y avait des Hollywood Girls qui se baladaient partout avec des appareils photo. Sacrément osé. Mais c'est comme ça que vous preniez votre pied, hein ? Bien sûr que c'est comme ça que vous preniez votre pied. Vous l'avez égorgée dans un manège rempli de lapins…

– De ploucs », corrigea-t-il. Une grosse rafale de vent, la plus grosse jusqu'à présent, secoua la Carolina mais il ne sembla pas le remarquer. Évidemment, il était assis côté intérieur, un peu plus à l'abri. « C'est tout ce que c'est, une bande de ploucs. Ils y voient que dalle. C'est comme si leurs yeux étaient connectés à leur trou de balle au lieu d'être connectés à leur cerveau. Y a tout qui passe à travers.

– C'est le risque qui vous excite, hein ? C'est pour ça que vous êtes revenu vous faire embaucher ici.

– À peine un mois plus tard. » Son sourire s'élargit. « Ils m'ont eu sous le nez tout le temps. Et tu sais quoi ? Depuis ce jour dans la Maison de l'Horreur, j'ai été… gentil, tu vois. J'ai laissé tout le *vilain* derrière moi. Et j'aurais pu continuer à être gentil. Ça me plaît bien ici. Je m'étais construit une nouvelle vie. J'avais inventé mon gadget, j'allais le faire breveter.

– Je suis sûr que tôt ou tard, vous auriez recommencé. » On était de nouveau au sommet. Le vent et la pluie nous martelaient. Je tremblais. Mes vêtements étaient trempés ; la teinture de Lane traçait des sillons noirs sur ses joues. *Son esprit est comme ça*, j'ai pensé. *À l'intérieur, là où il ne sourit jamais.*

« Non. J'étais guéri. Mais toi, tu vas devoir y passer, Jonesy. Parce que t'as fourré ton nez où t'aurais pas dû. C'est dommage parce que je t'aimais bien. Je t'aimais vraiment bien. »

Et il disait la vérité, sans aucun doute, ce qui rendait les choses encore plus terribles.

Voilà qu'on redescendait. En bas, le monde n'était que vent et pluie. Il n'y avait aucune voiture tous feux éteints – mon esprit désespéré n'avait fait que l'imaginer –, juste un morceau de toile qui volait dans le vent. La cavalerie n'arriverait pas. Il ne fallait pas compter là-dessus pour me sortir de là. J'allais devoir me débrouiller tout seul et l'unique moyen d'y arriver était de le faire sortir de ses gonds. *Vraiment* sortir de ses gonds.

« Le risque vous excite, mais pas le viol, hein ? Sinon, vous les auriez emmenées dans des endroits isolés. À mon avis, au lieu de vous faire bander, ce que vos petites amies secrètes ont entre les jambes vous rend tout ramollo de terreur. Qu'est-ce que vous faites après les avoir tuées ? Vous restez au lit, les yeux au plafond, et vous vous branlez en vous trouvant très courageux d'avoir tué des filles sans défense ?

– La ferme.

– Vous les fascinez, mais vous êtes pas capable de les baiser. » Le vent sifflait ; la nacelle se balançait. J'allais mourir, mais à cet instant, je m'en foutais complètement. Je ne savais pas à quel point je le fichais hors de lui, mais moi, j'étais assez furieux pour deux. « Qu'est-ce qui vous est arrivé pour vous rendre comme ça ? Votre mère vous mettait une pince à linge sur le kiki quand vous faisiez pipi au lit ? L'Oncle Stan vous a forcé à lui tailler une pipe ? Ou alors...

– *La ferme !* » Il a bondi en position accroupie, s'agrippant à la barre de sécurité d'une main, pointant son flingue sur moi de l'autre. Un éclair a déchiré le ciel, illuminant son visage : des yeux fixes, des cheveux pendouillants, une bouche grimaçante. Illuminant le flingue aussi. « *Ferme ta putain de gueu...*

– *DEVIN, BAISSE-TOI !* »

J'ai même pas réfléchi, je me suis baissé. Une détonation a claqué, se propageant presque comme un son liquide dans la nuit tourmentée. La balle a dû me frôler mais, à la différence des personnages dans les livres, je ne l'ai ni entendue ni sentie. La nacelle a dépassé le portillon d'embarquement ; Annie Ross se tenait là, debout sur la rampe, un fusil entre les mains. La camionnette était derrière elle. Ses cheveux volaient autour de son visage blême.

On recommençait à monter. J'ai regardé Lane. Il était figé dans sa position accroupie, la bouche entrouverte. De la teinture noire ruisselait sur ses joues. Ses yeux étaient révulsés, ne laissant voir que la partie inférieure des iris. La quasi-totalité de son nez avait été arrachée. Une narine pendait sur sa lèvre supérieure mais le reste n'était qu'une plaie rouge autour d'un trou noir de la taille d'une pièce de dix cents.

Il s'est laissé tomber sur le siège. Quelques dents ont dégringolé de sa bouche en s'entrechoquant. Je lui ai ôté le revolver des mains et je l'ai jeté par-dessus bord. À cet instant, je ne ressentais rien. Sauf un petit frémissement quelque part dans le tréfonds de mon être où j'avais commencé à réaliser qu'en fin de compte, cette nuit-là ne serait peut-être pas ma dernière.

« Oh », il a fait. Puis : « Ah. » Et sa tête a basculé, menton contre poitrine. Il avait l'air d'un homme réfléchissant très attentivement aux possibilités qui lui restaient.

D'autres éclairs ont zébré le ciel alors que la nacelle atteignait encore une fois le sommet. Ils ont illuminé mon co-passager dans un embrasement saccadé de bleu. Le vent a rugi, la Carolina a protesté en gémissant. On redescendait.

Venant d'en bas, presque inaudible dans la tempête : « *Dev, comment je fais pour l'arrêter ?* »

J'ai failli lui dire de chercher la télécommande par terre, mais avec cette tempête, elle aurait pu y passer une demi-heure et ne jamais la trouver. Et quand bien même elle l'aurait trouvée, le gadget risquait d'être cassé ou d'avoir été noyé dans une flaque. Il y avait une meilleure solution.

« *Va au moteur !* j'ai crié. *Trouve le bouton rouge ! LE BOUTON ROUGE, ANNIE ! C'est l'arrêt d'urgence !* »

La nacelle l'a dépassée ; j'ai remarqué qu'elle portait le même jean et le même pull que l'après-midi, maintenant trempés et collés à sa peau. Ni manteau, ni chapeau. Elle était partie à la hâte et je savais *qui* l'avait envoyée. Les choses auraient été tellement plus simples si Mike s'était focalisé sur Lane dès le début. Mais même Rozzie n'avait rien perçu, alors qu'elle le côtoyait depuis des années. Et je découvrirais plus tard que Mike non plus ne s'était pas vraiment focalisé sur Lane Hardy.

J'étais reparti pour un tour. À mes côtés, les cheveux trempés de Lane dégoulinaient de noir sur ses genoux. « *Attends que je sois redescendu !*

– *Quoi ?* »

Ça ne servait à rien de répéter, le vent aurait couvert mes cris. Il n'y avait plus qu'à espérer qu'elle n'appuie pas sur le bouton rouge lorsque je serais tout en haut de la roue. Alors que la nacelle s'élevait au plus fort de la tempête, un éclair déchira encore le ciel, accompagné cette fois d'un puissant coup de tonnerre. Comme si ça l'avait réveillé – et c'était peut-être le cas –, Lane releva la tête et me regarda. *Essaya* de me regarder : ses yeux avaient repris leur place dans leurs orbites mais ils regardaient maintenant dans deux directions opposées. Cette horrible vision ne m'a jamais quitté, et aujourd'hui encore, elle me revient à l'esprit aux moments les plus inattendus : en attendant au péage, en buvant mon café le matin devant le journaliste de CNN débitant son flot de mauvaises nouvelles, en me levant pour aller pisser à trois heures du matin, heure qu'un poète a très justement qualifiée d'Heure du Loup.

Du sang coula lorsqu'il ouvrit la bouche. Il émit un crissement d'insecte, comme une cigale forant un trou dans un arbre. Un spasme le secoua. Ses pieds exécutèrent un bref solo de claquettes sur le sol en acier de la nacelle. Ils s'immobilisèrent, puis sa tête retomba.

Faites qu'il soit mort, j'ai pensé. *Je vous en supplie, faites qu'il soit mort cette fois.*

Alors que la Carolina redescendait, la foudre s'abattit sur le Thunderball ; les rails de la chenille s'illuminèrent un instant. J'ai pensé : *Ça aurait pu être moi*. Une rafale de vent encore plus forte ébranla la nacelle. Je me suis cramponné de toutes mes forces. Lane s'est avachi comme une grosse poupée de chiffon.

J'ai regardé en bas vers Annie : son visage livide était levé vers moi, les yeux plissés à cause de la pluie. Elle était passée de l'autre côté du garde-fou et se tenait à côté du moteur. Jusqu'ici tout allait bien. J'ai mis mes mains en porte-voix :

« *Le bouton rouge !*

– *Oui, je le vois !*

– *Attends que je te fasse signe !* »

Le sol se rapprochait. J'ai agrippé la barre. Quand le défunt Lane Hardy (j'espérais du moins qu'il l'était) tenait les commandes, la Carolina s'arrêtait toujours en douceur et les passagers dans les cabines étaient à peine secoués. Je n'avais aucune idée de l'effet que produirait un arrêt d'urgence mais je n'allais pas tarder à le découvrir.

« *Maintenant, Annie ! Appuie !* »

Heureusement que je me cramponnais à la barre. La nacelle stoppa net à environ trois mètres du portillon d'embarquement et à un mètre cinquante du sol, et elle chavira. Lane fut propulsé en avant, tout le haut de son corps s'enroulant mollement autour de la barre de sécurité. Sans réfléchir, je l'ai rattrapé par son T-shirt et tiré en arrière. Une de ses mains s'envola et atterrit sur mon genou ; je l'ai repoussée avec un grognement de dégoût.

La barre ne voulait pas se déverrouiller, j'ai dû me tortiller hors du siège en passant par-dessous.

« Fais attention, Dev ! » Annie était sous la nacelle, les bras tendus comme pour essayer de me rattraper. Elle avait posé le fusil contre le carter du moteur.

« Recule », j'ai dit en passant une jambe par-dessus bord. D'autres éclairs illuminèrent le ciel. Le vent hurlait et la Carolina lui répondait. Je me suis accroché à un montant et j'ai sauté. Mes mains ont glissé sur le métal mouillé et j'ai lâché. Je suis tombé à genoux. L'instant d'après, Annie m'aidait à me relever.

« Tu n'as rien ?

– Non, ça va. »

Mais ça n'allait pas, non. Le monde tournait et j'étais au bord du malaise. J'ai baissé la tête, refermé les mains sur mes cuisses et respiré à fond. Pendant quelques secondes, j'ai été à deux doigts de m'évanouir, puis le contour des choses a recommencé à se préciser. J'ai veillé à ne pas me redresser trop vite.

C'était difficile à dire, avec la pluie qui tombait à verse, mais je crois bien qu'elle pleurait. « J'avais pas le choix. Il allait te tuer. Il allait te tuer, hein ? Je t'en supplie, Dev, dis-moi qu'il allait te tuer. C'est Mike qui me l'a dit, alors...

– Tu n'as aucun souci à te faire là-dessus, crois-moi. Et je n'aurais pas été le premier. Il a déjà tué quatre femmes. » J'ai repensé à l'hypothèse d'Erin au sujet des années sans cadavre... du moins sans cadavre retrouvé. « Peut-être davantage. *Sûrement* davantage. Il faut qu'on appelle la police. Il y a un téléphone à... »

J'ai tendu le doigt vers la Maison aux Miroirs de Mystério, mais Annie m'a saisi le bras. « Non. On peut pas. Pas tout de suite.

– Annie... »

Elle approcha son visage du mien, comme pour m'embrasser, mais m'embrasser devait être la dernière chose qu'elle avait en tête. « Comment je me suis retrouvée ici ? Est-ce que je suis censée raconter à la police qu'un fantôme s'est pointé dans la chambre de mon fils en plein milieu de la nuit pour lui dire que tu allais mourir en haut de la grande roue si je ne venais pas à ton secours ? Je ne veux pas mêler Mike à tout ça. Et si tu me dis que je suis une mère trop protectrice, je... ben, je te tue, toi aussi.

– Non, je ne te dirai pas ça.

– Alors, comment je suis arrivée ici, hein ? »

Sur le coup, je ne savais pas. Ne perdez pas de vue que moi aussi j'étais paniqué. Enfin, paniqué est un mot faible. J'étais en état de choc. Au lieu de l'emmener au palais des glaces, je l'ai reconduite à sa camionnette et je l'ai aidée à s'installer au volant. J'ai fait le tour, puis je suis monté côté passager. J'avais mon idée. Une idée qui avait l'avantage de la simplicité et je pensais qu'elle marcherait. J'ai refermé la portière et sorti mon portefeuille de ma poche arrière. J'ai failli le laisser tomber en l'ouvrant : je tremblais comme une feuille. À l'intérieur, il y avait plein de papiers sur quoi écrire, mais je n'avais rien pour écrire.

« S'il te plaît, Annie, dis-moi que tu as un stylo.

– Regarde dans la boîte à gants. C'est toi qui vas devoir appeler la police, Dev. Moi, je dois retourner auprès de Mike. Et s'ils m'arrêtent pour avoir quitté le lieu du… ou pour meurtre…

– Personne ne va t'arrêter, Annie. Tu m'as sauvé la vie. » Je fouillais dans la boîte à gants tout en lui parlant. Il y avait un manuel d'utilisation, une collection de tickets d'essence, des Rolaids, un paquet de M&M's et même une brochure des Témoins de Jéhovah me demandant si je savais où j'allais passer ma vie après la mort… Mais pas de crayon ni de stylo.

« Il ne faut pas attendre… dans une situation comme ça… c'est ce qu'on m'a toujours dit… » Ses mots sortaient par à-coups car elle claquait des dents. « Juste viser… et appuyer avant de… tu sais, de douter de toi… j'ai visé entre les yeux mais… le vent… j'imagine que le vent… »

Elle tendit la main et m'empoigna l'épaule assez fort pour me faire mal. Ses yeux étaient immenses.

« Je t'ai touché, Dev ? Tu saignes !

– Non, tu ne m'as pas touché. Il m'a frappé avec son revolver, c'est rien. Annie, y a rien pour écrire, ici... »

Si ! Un bic publicitaire, tout au fond de la boîte à gants, avec ALLONS CHEZ KROGER ! en lettres un peu effacées mais toujours lisibles dessus. Je ne dirais pas que ce stylo a épargné à Annie et Mike de sérieux démêlés avec la police mais je sais qu'il leur a permis d'échapper à un certain nombre de questions sur les raisons de la présence d'Annie au parc par une nuit aussi sombre et orageuse.

Je lui ai tendu le stylo et une carte commerciale côté verso. Vous vous souvenez comment un peu plus tôt, assis dans ma Ford qui ne voulait pas démarrer, j'avais pensé retourner à l'intérieur pour appeler Annie... sauf que je n'avais pas son numéro. Je lui ai demandé de l'écrire au dos de la carte. « Écris *Appelez si contrordre* sous le numéro. »

Pendant qu'elle écrivait, j'ai démarré la camionnette et réglé le chauffage à fond. Elle m'a rendu la carte. Je l'ai remise dans mon portefeuille que j'ai glissé dans ma poche arrière puis j'ai jeté le stylo dans la boîte à gants. J'ai pris Annie dans mes bras et j'ai embrassé ses joues glacées. Ses tremblements se sont calmés peu à peu.

« Tu m'as sauvé la vie, j'ai dit. Maintenant, on va faire en sorte que ça ne vous attire pas d'ennuis, à toi et à Mike. Écoute-moi bien. »

Elle m'écouta.

*

Six jours plus tard, l'été indien était de retour sur Heaven's Bay pour un bref et dernier passage. Un temps parfait pour un déjeuner sur le caillebotis, sauf qu'on ne pouvait pas y accéder. Journalistes et photographes l'avaient pris d'assaut. À l'inverse de l'hectare de terrain privé qui entourait la grande maison victorienne des Ross, la plage appartenait au domaine public. L'histoire d'Annie ayant abattu d'un seul coup de fusil Lane Hardy (désormais connu sous le nom du « Tueur des Fêtes Foraines ») avait eu un retentissement national.

Ce n'est pas que ces articles étaient mauvais. Bien au contraire. Le journal de Wilmington avait titré LA FILLE DE L'ÉVANGÉLISTE BUDDY ROSS ÉLIMINE LE TUEUR DES FÊTES FORAINES. Le *New York Post* était plus concis : MAMAN HÉROÏQUE ! Mais ils n'avaient pas hésité à illustrer leurs articles de quelques clichés de jeunesse où Annie n'était pas seulement belle mais sacrément canon. *Inside View*, le tabloïd le plus populaire de l'époque, publia une édition spéciale. Ils avaient déniché une photo d'Annie à dix-sept ans, prise juste après une compétition de tir à Camp Perry. En jean moulant, T-shirt de la NRA et bottes de cow-boy, elle tenait un ancien fusil de chasse Purdey cassé sur le bras et un ruban bleu dans l'autre main. À côté de la jeune fille souriante, il y avait un cliché anthropométrique de Lane Hardy – de son vrai nom, Leonard Hopgood – à vingt et un ans, après son arrestation à San Diego pour attentat à la pudeur. Juxtaposées, les deux photos faisaient un contraste sensationnel. Et le titre ne reculait devant rien : LA BELLE ET LA BÊTE.

Étant un personnage secondaire dans l'histoire, je fus mentionné dans les journaux de Caroline du Nord mais quasiment oublié dans la presse à scandale. Pas assez sexy, j'imagine…

Mike trouvait qu'avoir une MAMAN HÉROÏQUE, c'était cool. Annie détestait tout ce cirque et avait hâte que la presse passe au fait divers suivant. Elle avait eu toute la couverture médiatique dont on pouvait rêver quand elle avait endossé le rôle de la fille rebelle du saint homme connue pour danser sur le comptoir des bars de Greenwich Village. Elle ne donna donc aucune interview et notre pique-nique d'adieu se déroula dans la cuisine. Nous étions cinq en réalité car Milo attendait les restes sous la table et Jésus – sur le cerf-volant de Mike – était installé sur l'une des chaises.

Leurs bagages étaient déjà dans l'entrée. Après le repas, je les conduirais à l'aéroport international de Wilmington. Un jet privé, généreusement affrété par la Buddy Ross Ministries, Inc., les ramènerait à Chicago, loin de ma vie. La police municipale de Heaven's Bay (sans parler de la police d'État de Caroline du Nord et peut-être même le FBI) aurait sans nul doute des questions supplémentaires à poser à Annie et elle devrait sûrement, à un moment ou à un autre, témoigner devant un tribunal, mais tout rentrerait dans l'ordre. Elle était la MAMAN HÉROÏQUE, et grâce au bic publicitaire Kroger oublié au fond de la boîte à gants de la camionnette, il n'y aurait jamais de photo de Mike dans le *Post* surmontée d'un gros titre du genre : UN SAUVEUR DOTÉ D'UN SIXIÈME SENS !

Notre histoire était simple, et Mike n'en faisait pas partie. Je m'étais intéressé au meurtre de Linda Gray à cause de la légende selon laquelle son fantôme hantait la Maison de l'Horreur de Joyland. J'avais fait appel à mon amie étudiante férue de recherches et ancienne collègue de saison, Erin Cook. Les photos de Linda Gray et de son assassin m'avaient rappelé quelqu'un mais ce n'était qu'à l'issue de cette journée au parc avec Mike et sa mère que tout s'était éclairé. Avant que je ne puisse appeler la police, Lane Hardy m'avait téléphoné et il avait menacé de tuer Annie et Mike Ross si je ne venais pas immédiatement à Joyland. Beaucoup de vérités pour un seul petit mensonge : j'avais le numéro de téléphone d'Annie au cas où il y aurait eu un changement de programme pour la journée au parc. (J'ai montré la carte de visite griffonnée au capitaine de police qui l'a à peine regardée.) Avant de partir pour Joyland, j'avais appelé Annie de chez Mrs. Shoplaw, lui ordonnant de fermer sa maison à clé, d'appeler la police et de rester chez elle. Elle avait fermé sa porte à clé mais n'était pas restée chez elle. Et n'avait pas appelé la police. Elle avait trop peur que Lane ne me tue s'il apercevait des gyrophares bleus. Elle s'était alors munie d'un des fusils que son père gardait dans son coffre-fort et avait suivi Lane tous feux éteints, espérant le prendre par surprise. Ce qu'elle avait fait. D'où la MAMAN HÉROÏQUE.

« Comment ton père vit tout ça, Dev ? me demanda Annie.

– Tu veux dire, à part le fait qu'il propose de venir s'installer à Chicago pour laver tes voitures pendant le restant de ses jours ? » Elle a ri, mais mon père avait vraiment dit ça ! « Ça va. Il est content. Je rentre dans le New Hampshire le mois prochain. On va passer Thanksgiving ensemble. Fred m'a demandé de rester un peu pour l'aider à barricader le parc, j'ai accepté. Ça fait toujours de l'argent.

– Pour la fac ?

– Ouais. J'imagine que j'y retournerai pour le second semestre. Mon père m'envoie mon dossier d'inscription.

– Bien. C'est là que tu dois être, pas dans un parc d'attractions à repeindre des manèges et à changer des ampoules.

– Tu viendras vraiment nous voir à Chicago, hein ? demanda Mike. Avant que je sois trop malade ? »

Annie tiqua mais ne dit rien.

« J'ai pas le choix, j'ai dit en montrant Jésus du doigt. Comment je ferais, sinon, pour te le ramener ? Tu m'as juste dit que tu me le prêtais.

– Peut-être que tu rencontreras mon papi, comme ça. Tu sais, il est plutôt cool, même s'il est un peu fou avec son Jésus à lui. » Il regarda sa mère du coin de l'œil. « Enfin, *moi* c'est ce que je pense. Il a un train électrique géant dans sa cave ! »

J'ai dit : « Ton papi n'aura peut-être pas envie de me voir, Mike. J'ai bien failli mettre ta mère dans un sacré pétrin.

– Il sait bien que t'as pas fait exprès. C'est pas ta faute si tu travaillais avec lui. » Le visage de Mike s'assombrit. Il posa son sandwich, prit une serviette et toussa dedans. « Mr. Hardy avait vraiment l'air gentil. Il nous a fait monter dans les manèges. »

Y a plein de filles qui l'ont trouvé gentil, j'ai pensé. « Tu n'as jamais eu de… de pressentiment à son sujet ? »

Mike secoua la tête et toussa un peu plus. « Non. Je l'aimais bien. Et je croyais qu'il m'aimait bien aussi. »

J'ai repensé à Lane sur la Carolina Spin qualifiant Mike d'estropié.

Annie posa une main sur son cou minuscule et dit : « Tu sais, chéri, il y a des personnes qui ne montrent pas leur vrai visage. Des fois, on peut les démasquer, mais ce n'est pas toujours facile. Même les gens doués de beaucoup d'intuition peuvent se faire prendre au piège. »

J'étais venu déjeuner avec eux pour les emmener à l'aéroport ensuite, et pour leur faire mes adieux, mais ce n'était pas tout. « Je peux te demander quelque chose, Mike ? C'est à propos du fantôme qui t'a réveillé pour te prévenir que j'avais des ennuis au parc. Tu es d'accord pour en parler ou est-ce que ça te dérange ?

– Non, ça me dérange pas, mais c'était pas comme à la télé. Y avait pas de machin blanc qui flottait dans les airs et qui poussait des *houuu-houuu*. Je me suis juste réveillé… et le fantôme était là. Assis sur mon lit, comme une vraie personne.

– J'aimerais qu'on arrête de parler de ça, dit Annie. Peut-être que ça ne le dérange pas, mais moi je n'aime pas ça du tout.

– J'ai juste une question, et après je le laisse tranquille.

– Bon. » Elle se leva pour débarrasser la table.

Le mardi, on avait emmené Mike au parc. Dans la nuit, peu après minuit, Annie avait tiré sur Lane en haut de la Carolina Spin, lui ôtant la vie et sauvant la mienne. Le lendemain avait été la journée des interrogatoires de police et du harcèlement des journalistes. Et puis le jeudi après-midi, Fred Dean était venu me trouver, et sa visite n'avait rien à voir avec la mort violente de Lane Hardy.

Sauf que pour moi, tout était lié.

« Voilà ce que je voudrais savoir, Mike. Est-ce que c'était la fille du train fantôme ? Est-ce que c'est elle qui est venue s'asseoir sur ton lit ? »

Mike écarquilla les yeux. « Pas du tout ! Elle est partie, *elle*. Et quand ils partent, je pense pas qu'ils reviennent. C'était un *monsieur*. »

*

En 1991, peu de temps après son soixante-troisième anniversaire, mon père fit une crise cardiaque assez grave. Il passa une semaine à l'hôpital général de Portsmouth et rentra chez lui avec des mises en garde sévères concernant son régime alimentaire, la consigne de perdre dix kilos et de supprimer son cigare du soir. Mon père est un de ces rares types qui suivent réellement les recommandations des médecins, et au moment où j'écris ces lignes, il a quatre-vingt-cinq ans et, en dehors d'une mauvaise hanche et de sa vue qui baisse, il est encore bon pour le service.

En 1973, les choses étaient un peu différentes. Selon mon nouvel assistant de recherches (Google Chrome), la durée d'hospitalisation moyenne après une crise cardiaque était de deux semaines – une semaine en soins intensifs et une semaine de surveillance en cardiologie. Eddie Parks avait dû passer une semaine en soins intensifs car le mardi, pendant que Mike faisait le tour du parc, il avait été transféré à l'étage en dessous. C'est alors qu'il avait fait sa deuxième crise cardiaque. Et il était mort dans l'ascenseur.

*

« Qu'est-ce qu'il t'a dit ? j'ai demandé à Mike.

– Que je devais réveiller ma maman et lui dire d'aller au parc tout de suite ou bien quelqu'un de très méchant allait te tuer. »

L'avait-il averti alors que j'étais encore dans le salon de Mrs. Shoplaw, au téléphone avec Lane ? Pas beaucoup plus tard en tout cas, sinon Annie n'aurait jamais été là à temps. Je le lui ai demandé, mais Mike n'a pas su me dire. Dès que le fantôme était *parti* – c'est le mot que Mike a employé : le fantôme n'avait pas disparu, n'était pas sorti par la porte ni par la fenêtre, il était juste *parti* –, il avait appuyé sur l'interphone près du lit. Quand Annie avait répondu, il s'était mis à hurler.

« Ça suffit », intervint Annie d'un ton qui n'admettait aucune discussion. Elle se tenait debout à côté de l'évier, les mains sur les hanches.

« Ça me fait rien, maman. » *Keuh-keuh.* « Vraiment. » *Keuh-keuh.*

« Elle a raison, j'ai dit. Ça suffit. »

Est-ce qu'Eddie s'était manifesté parce que j'avais sauvé sa vie de vieux machin mal embouché ? Il est difficile de connaître les motivations de ceux qui sont Passés (comme disait Rozzie Gold, suggérant la solennité de la majuscule d'un geste des mains, paumes tournées vers le ciel), mais permettez-moi d'en douter. Après tout, le pauvre Eddie n'avait gagné qu'une petite semaine de sursis, et ce n'était pas comme s'il l'avait passée sur une plage des Caraïbes, au bras de quelque fleur des îles aux seins nus. Mais…

J'étais venu lui rendre visite et, à l'exception peut-être de Fred Dean, j'avais été le seul à le faire. Je lui avais même apporté une photo de son ex-femme. Il l'avait traitée de misérable conne gueularde et médisante, d'accord, et peut-être que c'en était une, mais au moins, j'avais fait l'effort de venir. Et lui aussi, en fin de compte. Pour quelque raison que ce soit, il était venu…

Alors que nous roulions vers l'aéroport, Mike se pencha vers moi depuis le siège arrière et me dit : « Tu veux que je te dise un truc marrant, Dev ? Il t'a jamais appelé par ton prénom, pas une seule fois. Il disait juste "le gamin". J'imagine qu'il se disait que je comprendrais de qui il parlait. »

Moi aussi, j'imagine.

Sacré foutu Eddie Parks.

*

Toutes ces choses se sont déroulées il y a fort longtemps, en une année magique où le pétrole se vendait à seulement onze dollars le baril. L'année où mon fichu cœur fut brisé. Celle où j'ai perdu ma virginité. Où j'ai sauvé la vie d'une jolie petite fille et celle d'un vieux type plutôt antipathique. L'année où un cinglé a failli me zigouiller en haut d'une grande roue. Celle où j'ai voulu voir un fantôme et n'en ai pas vu… même si je pense qu'au moins l'un d'entre eux m'a vu. C'est aussi l'année où j'ai appris à parler un langage secret et à danser le Hokey Pokey déguisé en chien. L'année où j'ai réalisé qu'il y avait pire que de perdre sa petite amie…

L'année de mes vingt et un ans, quand je n'étais encore qu'un bleu.

Depuis, la vie m'a gratifié de fort belles années, je ne vous le cacherai pas. Mais quand même, des fois je déteste ce monde. Dick Cheney, ce prosélyte de la noyade simulée (à ne pas confondre avec de la torture, hein…) et trop longtemps prédicateur en chef de la Sainte Église du Rien à Foutre des Pots Cassés, s'est fait implanter un cœur tout neuf pendant que j'écrivais ces lignes : qu'est-ce que vous en pensez ? Il vit toujours ; d'autres sont morts. Des gens talentueux comme Clarence Clemons. Intelligents comme Steve Jobs. Et des gens bien, comme mon vieux copain Tom Kennedy. On finit par s'y habituer. On n'a pas vraiment le choix. Comme l'a fait remarquer W. H. Auden, la Grande Faucheuse emporte les pleins aux as, les joyeux drilles, et même les bien montés. Mais la liste d'Auden ne commence pas comme ça. Elle commence par la jeunesse innocente…

Ce qui nous ramène à Mike.

*

À mon retour à la fac pour le second semestre, j'ai pris un appartement miteux en dehors du campus. Par une soirée froide de la fin mars, j'étais en train de préparer un chop-suey de légumes pour notre repas (moi et cette fille dont j'étais complètement toqué), quand le téléphone a sonné. J'ai répondu à la manière bouffonne que j'affectionnais : « Wormwood Arms, Devin Jones, propriétaire.

– Devin ? C'est Annie Ross.

– Oh ! Annie ! Deux secondes, je vais baisser la radio. »

Jennifer – la fille dont j'étais toqué – me lança un regard interrogateur. Je lui répondis d'un clin d'œil en lui souriant et je repris le téléphone : « Je serai là pour les vacances de printemps, et tu peux lui dire que c'est promis. Je vais acheter mon billet le week-end pro…

– Dev. Arrête. Arrête. »

J'ai capté la tristesse sourde de sa voix et toute ma joie de l'entendre s'est métamorphosée en effroi. J'ai appuyé mon front contre le mur et j'ai fermé les yeux. Ce que j'aurais voulu fermer par-dessus tout, c'était mon oreille collée au téléphone.

« Mike est mort hier soir, Dev. Il… » Sa voix trembla, puis elle se ressaisit : « Il avait une grosse fièvre depuis deux jours. Notre médecin avait ordonné l'hospitalisation. Par mesure de précaution. Et hier, il avait l'air d'aller mieux. Il toussait moins. Il s'est assis pour regarder la télé. Il voulait voir ce championnat de basket. Et puis… hier soir… » Elle se tut. J'entendais son souffle rauque alors qu'elle essayait de se maîtriser. Moi aussi, j'ai essayé, mais les larmes avaient commencé à couler. Elles étaient chaudes, presque brûlantes.

« Ça a été si soudain », dit-elle. Et puis, si bas que je pus à peine l'entendre : « J'en ai le cœur brisé. »

Une main s'était posée sur mon épaule. Jennifer. J'ai posé la mienne par-dessus et je me suis demandé s'il y avait quelqu'un à Chicago pour poser sa main sur l'épaule d'Annie.

« Ton père est là ?

– Non, en croisade. À Phoenix. Il arrive demain.

– Et tes frères ?

– George est avec moi. Phil est censé arriver ce soir par le dernier vol de Miami. George et moi sommes… là où… l'endroit où ils… Je ne peux pas assister à ça. Même si c'était son choix. » Elle pleurait ouvertement à présent. Je n'avais aucune idée de ce dont elle parlait.

« Annie, qu'est-ce que je peux faire ? Dis-moi, je ferai n'importe quoi. »

Elle m'a dit ce qu'elle attendait de moi.

*

Terminons sur un jour ensoleillé d'avril 1974. Terminons sur cette plage de Caroline du Nord qui s'étend de la bourgade de Heaven's Bay à Joyland, un parc d'attractions qui fermera ses portes deux ans plus tard ; les géants de l'industrie du divertissement auront finalement eu raison de ce petit parc malgré tous les efforts déployés par Fred Dean et Brenda Rafferty pour le sauver de la faillite. Terminons avec cette belle femme en jean délavé et ce jeune homme en sweat de l'université du New Hampshire. Le jeune homme tient quelque chose à la main. Couché au bout du caillebotis, la truffe sur une patte, il y a un petit jack russell qui semble avoir perdu toute sa vitalité. Sur la table de pique-nique, là où la femme servait naguère de délicieux smoothies aux fruits, il y a une urne en céramique. On dirait un vase sans son bouquet. Nous ne terminons pas tout à fait là où nous avons commencé, mais pas loin.

Pas loin.

*

« Je suis de nouveau brouillée avec mon père, m'a dit Annie. Et cette fois, il n'y a plus de petit-fils pour nous raccommoder. Quand il est rentré de sa maudite croisade et qu'il a découvert que j'avais fait incinérer Mike, il est devenu fou. » Elle sourit faiblement. « S'il était rentré plus tôt de son foutu cirque revivaliste, il aurait peut-être réussi à m'en dissuader. Il aurait sûrement réussi.

– Mais c'est ce que Mike voulait.

– Étrange requête de la part d'un enfant, hein ? Mais oui, il était très déterminé. Et toi et moi, nous savons pourquoi. »

Oui, nous le savions. Il y a toujours une dernière fois aux bonnes choses et quand on voit les ténèbres se rapprocher inexorablement, on se raccroche à ce que l'on a vécu de bon et de lumineux. On s'y cramponne pour ne pas sombrer.

« Est-ce que tu as proposé à ton père…

– De venir ? Oui. C'est ce que Mike aurait voulu. Mais papa a refusé de participer à ce qu'il appelle une “cérémonie païenne”. Et c'est tant mieux. » Elle prit ma main. « Cette cérémonie est pour nous, Dev. Parce que nous étions ici quand il était heureux. »

J'ai amené sa main contre ma bouche et je l'ai baisée, puis je l'ai pressée doucement et je l'ai relâchée. « C'est aussi grâce à lui que je suis en vie, tu sais. S'il ne t'avait pas réveillée… s'il avait ne serait-ce qu'hésité…

– Je sais.

– Eddie n'aurait rien pu faire sans Mike. Moi, je ne vois pas les fantômes, et je ne les entends pas non plus. C'était Mike le médium.

– C'est dur, dit-elle. C'est juste… tellement dur de le laisser partir. Même ce petit peu de lui qui reste.

– Tu es sûre de vouloir faire ça ?

– Oui. Tant que j'en suis encore capable. »

Elle souleva l'urne. Milo leva la tête pour regarder l'objet puis se recoucha. Je ne sais pas s'il comprenait qu'elle contenait les restes de Mike mais il savait très bien que Mike n'était plus de ce monde ; ça, il le savait plus que bien.

J'ai tenu le cerf-volant-Jésus devant Annie. Là, suivant les instructions de Mike, j'avais scotché une petite pochette, juste assez grande pour contenir l'équivalent d'une poignée de fine cendre grise. Je l'ai maintenue ouverte pendant qu'Annie y versait une partie du contenu de l'urne. Quand la pochette fut pleine, elle a reposé l'urne dans le sable entre ses pieds et tendu les mains. Je lui ai confié la bobine de ficelle et je me suis tourné vers Joyland où la Carolina Spin dominait l'horizon.

Je vole, avait-il dit ce jour-là en tendant les bras vers le ciel. Pas d'appareillage orthopédique pour le river au sol, et aujourd'hui non plus. Je crois que Mike était bien plus sage que son grand-père possédé du Christ. Et peut-être plus sage que nous tous. Connaissez-vous un enfant infirme qui n'ait jamais rêvé de voler ?

J'ai regardé Annie. Elle m'a prévenu d'un signe de tête qu'elle était prête. J'ai élevé le cerf-volant à bout de bras et je l'ai lâché. Il est monté aussitôt, entraîné par un petit vent frais et vif soufflant de l'océan. Nous avons suivi son ascension des yeux.

« À toi, m'a-t-elle dit en me tendant la bobine. C'est ton tour maintenant, Dev. C'est ce qu'il a dit. »

J'ai pris la ficelle, senti la traction du cerf-volant, maintenant vivant, qui montait au-dessus de nous, ondulant d'arrière en avant sur le bleu du ciel. Annie ramassa l'urne et descendit la petite dune. J'imagine qu'elle était allée verser le reste des cendres au bord de l'océan, mais moi je regardais le cerf-volant, et quand j'ai vu la fine traînée de cendres grises s'en échapper et se disperser dans le ciel sous l'effet de la brise, je l'ai lâché. Et j'ai regardé le cerf-volant libéré de ses entraves monter, monter, monter. Mike aurait voulu voir jusqu'où il pouvait aller avant de disparaître, et moi aussi, je voulais voir.

Moi aussi, je voulais.

24 août 2012

NOTE DE L'AUTEUR

Les puristes du monde forain (je suis sûr qu'il en existe) fourbissent déjà leurs plumes pour m'écrire, avec divers degrés d'offuscation, que ce que j'appelle « la Parlure » n'existe pas : on n'a jamais appelé les ploucs des lapins, par exemple, ni les jolies filles des pigeonnes. Ces puristes ont raison, mais c'est inutile qu'ils se fendent de lettres ou d'e-mails de protestation. Écoutez, les gars, c'est pour ça que ça s'appelle de la fiction !

En tout état de cause, la plupart des termes qui figurent ici sont de l'authentique jargon forain, un argot aussi riche qu'humoristique. Dans les caravanes foraines d'antan, les grandes roues portaient vraiment le sobriquet de monte-charge ; les manèges d'enfants étaient des tortillards ; les rabouins étaient des saltimbanques. Ce ne sont que quelques exemples parmi une foule d'autres. J'ai puisé mes sources dans *The Dictionary of Carny, Circus, Sideshow & Vaudeville Lingo*, de Wayne N. Keyser. On le trouve sur internet. Vous pouvez y aller et vérifier un millier d'autres termes. Peut-être plus. Vous pouvez aussi commander son bouquin : *On the Midway*.

L'édition américaine de *Joyland* a été réalisée par Charles Adai. Merci, vieux.

Stephen King

Les traductrices remercient leurs amis forains David Garcia et Louis Escos pour certaines expressions typiquement foraines, et Gilbert Hennevic, auteur de *C'est l'destin, Célestin*, pour sa savoureuse poésie foraine.

OUVRAGES DE STEPHEN KING

Aux Éditions Albin Michel

CUJO
CHRISTINE
CHARLIE
SIMETIERRE
L'ANNÉE DU LOUP-GAROU
UN ÉLÈVE DOUÉ – DIFFÉRENTES SAISONS
BRUME
ÇA (deux volumes)
MISERY
LES TOMMYKNOCKERS
LA PART DES TÉNÈBRES
MINUIT 2
MINUIT 4
BAZAAR
JESSIE
DOLORES CLAIBORNE
CARRIE
RÊVES ET CAUCHEMARS
INSOMNIE
LES YEUX DU DRAGON
DÉSOLATION
ROSE MADDER
LA TEMPÊTE DU SIÈCLE
SAC D'OS
LA PETITE FILLE QUI AIMAIT TOM GORDON
CŒURS PERDUS EN ATLANTIDE
ÉCRITURE
DREAMCATCHER
TOUT EST FATAL
ROADMASTER
CELLULAIRE
HISTOIRE DE LISEY
DUMA KEY

JUSTE AVANT LE CRÉPUSCULE
DÔME, tomes 1 et 2
NUIT NOIRE, ÉTOILES MORTES
22/11/63
DOCTEUR SLEEP

SOUS LE NOM DE RICHARD BACHMAN

LA PEAU SUR LES OS
CHANTIER
RUNNING MAN
MARCHE OU CRÈVE
RAGE
LES RÉGULATEURS
BLAZE